W9-BXX-899

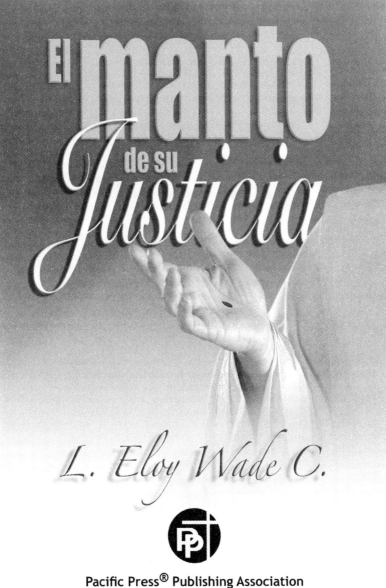

El manto de su Justicia

L. Eloy Wade C.

Pacific Press® Publishing Association
Nampa, Idaho
Oshawa, Ontario, Canada
www.pacificpress.com

Diagramación y diseño de la portada
Ideyo Alomía

EL MANTO DE SU JUSTICIA
es una coproducción de

Agencia de Publicaciones México Central, A.C.
Uxmal 431, Col. Narvarte, Del. Benito Juárez, México, D.F. 03020
tel. (55) 5687 2100 – fax (55) 5543 9446
ventas@gemaeditores.com.mx – www.gemaeditores.com.mx

Asociación Publicadora Interamericana
2905 NW 87 Ave. Doral, Florida 33172 EE. UU.
tel. 305 599 0037 – fax 305 592 8999
mail@iadpa.org – www.iadpa.org

Copyright © 2010 de la edición en español
Asociación Publicadora Interamericana
GEMA Editores

Derechos reservados © 2010 por **Pacific Press Publishing Association**
P.O. Box 5353, Nampa, Idaho 83709.
Distribuido en los Estados Unidos y Canadá por Pacific Press®.
www.pacificpress.com

Está prohibida y penada por la ley la reproducción total o parcial de esta obra (texto, imágenes, diagramación), su tratamiento informático y su transmisión, ya sea electrónica, mecánica, por fotocopia o por cualquier otro medio, sin permiso previo y por escrito de los editores.

En esta obra las citas bíblicas han sido tomadas de la Nueva Versión Internacional (**NVI**) de la Sociedad Bíblica Internacional. También se han usado las revisiones de 1909 (**RVA**), 1960 (**RV60**) y 1995 (**RV95**) de la Reina-Valera de las Sociedades Bíblicas Unidas; así como la Biblia de Jerusalén (**BJ**) de la Editorial Desclée de Brouwer; la Nueva Biblia Española (**NBE**) de Ediciones Cristiandad; y la Nueva Reina-Valera (NRV) de la Sociedad Bíblica Emanuel. En todos los casos se ha unificado la ortografía y el uso de los nombres propios de acuerdo con la RV95 como versión de base.

PUBLICACIONES
ADVENTISTAS DEL 7ᵉ DIA

ISBN 13: 978-0-8163-9312-1
ISBN 10: 0-8163-9312-5

Printed in the United States of America

09   10   11 ● 03   02   01

Gratitud y dedicatoria

DOY GRACIAS A DIOS por el privilegio que se me concedió de escribir estas reflexiones. Mi gratitud personal hacia quienes eligieron darme la oportunidad y ocasión para hacerlo. En forma particular, agradezco el constante estímulo e inspiración de mi amada esposa y mis queridos hijos que me impulsaron cada día a no desistir. Mi deseo más ferviente es que, a través de estas meditaciones, podamos llegar a una comprensión más profunda del ideal que Dios tiene para sus hijos. Dedico este esfuerzo a todos aquellos que aman la Palabra de Dios y anhelan una comunión más íntima con nuestro Señor.

EL AUTOR

Presentación

LOS ESTUDIOS sobre la justificación por la fe han sido revolucionarios en la historia del cristianismo. Cuando Martín Lutero "descubrió" el poder de la gracia divina y de las Sagradas Escrituras, Europa se estremeció con las nuevas enseñanzas. El humilde monje alemán se atrevió a desafiar a la entidad más poderosa del mundo con tal de predicar el evangelio. Su influencia inundó el resto de las áreas del conocimiento humano. Después vinieron la Ilustración y la Revolución Francesa, así como el desarrollo de la ciencia, la política y la economía.

Durante el Congreso de la Asociación General de 1888, en Minneápolis, Estados Unidos, la Iglesia Adventista del Séptimo Día abrió un espacio para profundas reflexiones sobre la salvación por la fe. Entonces, una gran luz iluminó a los creyentes de la época; también hubieron importantes cambios en el énfasis de la predicación de la doctrina cristiana. Una vez más, el estudio de los temas sobre la salvación demostró tener un impacto muy particular.

Es así como presentamos EL MANTO DE SU JUSTICIA, una exquisita obra sobre la justificación por la fe, con la esperanza de que su mensaje conmueva a cada lector y lo motive a predicar con poder el evangelio en este mundo.

LOS EDITORES

¡Feliz Año Nuevo!

*Enséñanos a contar bien nuestros días, para que nuestro corazón
adquiera sabiduría (Salmo 90:12).*

EL SALUDO MÁS común y significativo que hoy pronunciamos,
fue seguramente: "Feliz Año Nuevo". De acuerdo al calendario
gregoriano, hoy es el primer día del año. Los que usan el calendario
juliano esperarán once días más para saludarse de esta manera; mientras
que los chinos, que usan un calendario lunar, lo harán entre el 21 de
enero y el 21 de febrero; a su vez, los iraníes y otros pueblos lo comenzarán
el 21 de marzo, que es primavera en el hemisferio norte. Como sabemos,
los judíos celebran todavía el Año Nuevo en el otoño, al que llaman *Rosh
Hashana*, que este año será el 9 de septiembre.

Pero no importa cómo contemos nuestros años, debemos hacerlo como
dice el salmista: "Bien". Porque de acuerdo a cómo vivamos este año,
seremos más o menos felices. Hay quienes amanecen en el primer día del
nuevo año con una carga enorme de culpabilidad, por lo que ya hicieron
en las primeras horas del año. Hay otros a quienes el dardo agudo del dolor
ya los hirió desde el mismo comienzo del año, ensombreciendo los días
venideros.

Para muchos, el primer día del año comienza con deseos y promesas.
Deseos de conseguir algo que no se ha logrado, y promesas de cambiar lo
que sabemos que debemos cambiar. Hacer promesas y planes para mejo-
rar nuestra condición espiritual, es la mejor manera de comenzar el Año
Nuevo. Porque, después de todo, como dice el autor del Salmo, la vida es
breve y transitoria (vers. 9). Dice que nuestros años son "como un suspiro".
Es una realidad que pronto nuestros años pasarán y volarán raudamente. Lo
único que vale la pena es lo que dura y permanece para siempre. Por eso, San
Pablo aconsejaba: "Así que tengan cuidado de su manera de vivir. No vivan
como necios sino como sabios, aprovechando al máximo cada momento
oportuno, porque los días son malos" (Efe. 5:15, 16). La vida humana es
fugaz y pasajera, y no vale la pena gastarla en lo que no nos traerá provecho
para la eternidad.

Oremos hoy para que el Señor nos conceda la sabiduría celestial, a fin de
discernir entre lo pasajero y lo eterno.

Nuestra fragilidad

Arrasas a los mortales. Son como un sueño. Nacen por la mañana, como la hierba que al amanecer brota lozana y por la noche ya está marchita y seca (Salmo 90:5, 6).

COMO PARTE de las reflexiones del año que comienza, tal vez sea prudente pensar, como lo hacía el salmista, en la brevedad y transitoriedad de la vida humana. Creemos que vale la pena meditar en esto al comenzar un año nuevo. Nos da la perspectiva correcta de la vida y nos enseña a apreciar el tiempo que tenemos disponible para vivir.

De acuerdo al salmista, las personas en sus días vivían en promedio entre setenta y ochenta años (vers. 10). Si el autor del salmo fue Moisés, entonces, hace 2,500 años, la gente no vivía mucho más de lo que vive hoy. Sin embargo, las primeras diez generaciones antediluvianas vivieron un promedio de novecientos años; y las diez siguientes generaciones, después del diluvio, solo unos trescientos años. Aun así, comparados con los del salmista, eran muchos años.

Ante el faraón, Jacob dijo: "Ya tengo ciento treinta años [...]. Mis años de andar peregrinando de un lado a otro han sido pocos y difíciles, pero no se comparan con los años de peregrinaje de mis antepasados" (Gén. 47:9). En tiempos modernos, hay personas que han vivido entre 115 y 120 años como máximo. Se cree que una de las personas que más ha vivido en nuestro tiempo, fue Jeanne-Louise Calment, una mujer francesa que vivió 122 años y 164 días.

Pero las tortugas galápagos viven 190 años; y ciertas ballenas han vivido 211 años. Entre los árboles se encuentra un "secuoya gigante" llamado General Sherman, tiene dos mil años; el pino Matusalén se calcula que tiene 4,838 años; y el pino Prometeo tenía 4,844 cuando lo cortaron en 1964.

En contraste, el ser humano vive hoy como máximo de 65 a 82 años. Andorra es el lugar donde más tiempo vive la gente de 52 a 83 años; y Suazilandia, en el sur de África, donde menos tiempo vive de 23 a 32 años. Job decía esto del hombre: "Es como las flores, que brotan y se marchitan; es como efímera sombra que se esfuma" (Job 14:2).

Por eso parece increíble que haya personas que viven como si fuesen a durar para siempre. La vida humana es breve, muy breve, y tenemos la obligación moral de vivirla con sabiduría. Debemos obtener el mejor provecho de ella e impartir el mayor bien. Así, nuestra corta vida tiene sentido. Que Dios nos ayude hoy a valorarla correctamente y a vivirla para él.

La fatiga de la vida

Pocos son los días, y muchos los problemas,
que vive el hombre nacido de mujer (Job 14:1).

L A VIDA DEL SER HUMANO no es solo breve. Otro concepto que aparece con frecuencia en la Palabra de Dios es que la vida de los seres humanos está llena de dificultades y problemas. Jacob lo entendió de este modo: "Mis años de andar peregrinando de un lado a otro han sido pocos y difíciles" (Gén. 47:9).

Por doquiera vemos vestigios del sufrimiento humano. El hambre que prevalece en el mundo nos golpea duro. La enfermedad también nos trae mucho sufrimiento. Las crisis familiares y los divorcios provocan mucho dolor, especialmente emocional. Este tipo de sufrimiento deja a veces más secuelas que el dolor físico. Se pensaba que las crisis familiares y los divorcios eran un fenómeno de sociedades desarrolladas, como Estados Unidos, Canadá y los países de la Unión Europea. Pero hoy lo vemos por todas partes: familias desintegradas y niños que viven en la calle, donde son abusados y explotados. Se ha calculado que alrededor de cien millones de niños viven en las calles del mundo, muchos de los cuales pertenecen a familias disfuncionales.

El sufrimiento es el resultado del mal que prevalece por todas partes. Es evidente en la Palabra de Dios que el ser humano no fue creado para sufrir, como no lo fue para morir. También está claro que el plan de Dios es restablecer el ideal original del Creador para la humanidad.

Pero aunque nuestra vida pueda tener sinsabores, amarguras y sufrimientos, podemos gozarla aun en medio de la crisis. El apóstol Pablo fue un ejemplo de esto: imbuido por el Espíritu de Dios, aprendió el secreto de ser feliz a pesar de las adversidades. Cuando abrazó el cristianismo, sus familiares lo aborrecieron; y aun fueron los primeros en perseguirlo. Contrajo una enfermedad que fue una molestia constante, por lo que oró al Señor para que lo sanara, pero sin éxito. En el capítulo doce de la segunda Epístola a los Corintios, Pablo hace una lista de tribulaciones que podrían haber amargado a cualquier persona. Finalmente, en Roma, lo decapitaron por su fe y fervor en esparcir el evangelio. Pero él se regocijaba en Cristo. Escribió: "Por lo tanto, gustosamente haré más bien alarde de mis debilidades, para que permanezca sobre mí el poder de Cristo". Que Dios nos ayude a ser felices durante este año a pesar del sufrimiento que podamos tener o contemplar.

Novedad de vida

Todo lo puedo en Cristo que me fortalece (Filipenses 4:13).

LO QUE HACE especial a cada año que se empieza es la novedad. El tiempo que se nos ofrece es nuevo, porque no lo hemos vivido. Es allí donde está el meollo del asunto. Si lo hubiéramos vivido, sería viejo. En algunos países y culturas se simboliza al año que pasó con un muñeco en forma de un anciano: Representa al año que se fue. Asimismo se representa al año que amanece como un bebé recién nacido.

En algunas culturas la gente acostumbra a vestirse con ropas nuevas durante las celebraciones del Año Nuevo. Nada como lo nuevo. Un nuevo vestido, un nuevo traje, un nuevo auto, una nueva casa. Tenemos una fascinación por lo nuevo. Hoy tenemos un año nuevo. Dios nos permita tener la oportunidad de ser personas nuevas.

Es emocionante pensar que tenemos por delante 361 días, que llenaremos con nuestras vivencias. Cada año nuevo es como un libro de 365 páginas en blanco, en las que escribiremos lo que haremos y experimentaremos. Pero aun es más emocionante saber que nosotros decidiremos qué vamos a escribir allí. ¿Qué hemos empezado a escribir en las páginas de este nuevo año? ¿Con qué llenaremos las restantes?

El ideal de Dios para nuestra existencia atribulada por el mal que nos rodea es que vivamos una vida nueva. Dios es amante de lo nuevo. Él quiere que lleguemos a ser nuevas criaturas (2 Cor. 5:17); que vivamos una vida nueva (Rom. 6:4); que tengamos un nuevo nombre (Apoc. 2:17); y que vivamos en una ciudad y un mundo nuevos (Apoc. 21:1, 2). Un día, Dios hará que el sufrimiento y la miseria del mundo y de nuestras vidas sean totalmente transformados en un nuevo orden de cosas, donde ya no habrá hambre ni enfermedad ni dolor ni separación ni muerte.

Agenda del nuevo año

Examínense para ver si están en la fe;
pruébense a sí mismos (2 Corintios 13:5).

YA COMENZÓ EL AÑO NUEVO PERO, ¿cuál debería ser nuestra agenda para transitar los doce meses? Es sabio el proverbio popular: "Nunca es tarde cuando la dicha es buena".

Quiero sugerirles que el comienzo de un año nuevo es una linda ocasión para recordar cuán maravillosamente nos ha guiado Dios en el pasado; recordar su amor, manifestado en las innumerables bendiciones que recibimos de su mano en los días del ayer. La pluma inspirada escribió: "Reunamos los tesoros del año pasado, y llevemos con nosotros al nuevo año el recuerdo de las bondades y la misericordia de Dios. Iluminemos el futuro con el pensamiento de las bendiciones pasadas" (*Cada día con Dios*, p. 358). La manera como el Señor nos ha guiado en el pasado es una poderosa lámpara que alumbra nuestra senda por recorrer. No tenemos temor al futuro porque miramos hacia atrás, a un pasado dirigido por Dios que nos da seguridad.

También el año que comienza debiera ser un tiempo para examinarnos a nosotros mismos. Se nos dice: "¡No permita Dios que en esta hora tan importante nos encontremos de tal manera preocupados por otros asuntos que no tengamos tiempo para realizar un autoexamen serio, cándido y crítico! Dejemos atrás las cosas de menor importancia y ocupémonos ahora de las que conciernen a nuestros intereses eternos" (*Exaltad a Jesús*, p. 9). Debiéramos preguntarnos: ¿Qué hice durante el año que pasó? ¿Qué decisiones tomé? ¿Cómo me afectaron? ¿A qué situaciones me condujeron? Esto nos ayudará a hacer rectificaciones importantes para nuestra vida.

Además, el comienzo de un nuevo año debiera ser la ocasión para fijarnos nuevos propósitos. Pablo escribió: "Hermanos, no pienso que yo mismo lo haya logrado ya. Más bien, una cosa hago: olvidando lo que queda atrás y esforzándome por alcanzar lo que está delante, sigo avanzando hacia la meta para ganar el premio que Dios ofrece mediante su llamamiento celestial en Cristo Jesús" (Fil. 3:13-14). Este consejo es también oportuno: "Al entrar en un nuevo año, hazlo con la ferviente resolución de dirigirte hacia adelante y hacia arriba. Sea tu vida más elevada y más exaltada de lo que jamás ha sido" (*Joyas de los testimonios*, t. 1, p. 237).

Los sabios del oriente

Llegaron a Jerusalén unos sabios procedentes del Oriente.
"¿Dónde está el que ha nacido rey de los judíos? —preguntaron—.
Vimos levantarse su estrella y hemos venido a adorarlo" (Mateo 2:1, 2).

EN LOS PAÍSES HISPANOS, este día es muy importante para los niños. Como sabemos, los padres simulan ser los "Reyes Magos", como se los llama. Según los países, las costumbres son distintas: en algunos lugares, los niños dejan pasto y agua para "los camellos", y allí mismo los Reyes Magos dejan sus regalos, que los niños encuentran cuando se despiertan. En otros países, los padres les esconden los regalos a los niños, y estos los buscan por toda la casa cuando se levantan a la mañana. Este día fue, es y será una fiesta para los niños.

Independientemente de cómo se festeja este día en las diferentes culturas, o de si la fecha de la celebración corresponde o no a la realidad, el relato bíblico original es una historia tierna y emotiva, que encierra lecciones espirituales que no debiéramos pasar por alto.

A estos personajes de la historia se los conoce como los "Sabios de Oriente o los Tres Reyes Magos", aunque un análisis objetivo podría concluir que no eran tres, ni eran reyes ni eran magos. La palabra usada en el lenguaje original no se refiere a los que en nuestros días se llaman comúnmente magos, al estilo de David Copperfield, y que son mayormente ilusionistas. Los magos de la antigüedad eran estudiosos del calendario, la astronomía y la naturaleza, y pretendían anticipar fenómenos futuros. Eran los consejeros de las cortes antiguas, aunque no serían exactamente científicos en el estricto sentido moderno de la palabra.

Al principio se creía que eran nueve; después siete, cuatro, hasta llegar a tres. El número tres finalmente se adoptó por el hecho de que los sabios trajeron tres clases de regalos. Obviamente no eran reyes, pues no fueron recibidos como tales en la corte de Herodes, ni viajaron con una gran comitiva o ejército como habría sido el caso de un rey.

Es maravilloso que extranjeros y ajenos a la religión judía fuesen guiados por Dios para honrar al Mesías. Esto nos habla de la providencia exquisita de Dios, y del hecho de que él no hace acepción de personas. El Señor guía y conduce a los que están abiertos a su dirección. Oremos hoy para que nos ilumine y nos guíe en todo lo que hagamos.

Los regalos de los sabios

Cuando llegaron a la casa, vieron al niño con María, su madre;
y postrándose lo adoraron. Abrieron sus cofres y le presentaron
como regalos oro, incienso y mirra (Mateo 2:11).

LOS SABIOS DEL ORIENTE hicieron un largo recorrido guiados por una estrella. Algunos han pensado que se trató de un cometa, una supernova, un fenómeno climático, una conjunción de planetas, etcétera. La verdad es que nada de esto podría haber guiado a los sabios a un lugar geográfico determinado, como lo hizo la estrella del relato. Sin embargo, para ellos era una estrella, algo nuevo que apareció en el espacio y los obligó a consultar sus tradiciones para determinar su significado.

Elena G. de White nos dice que esta estrella estaba constituida por ángeles que se agruparon de tal forma que a la distancia relucían como una estrella que guiaba a los sabios (*El Deseado de todas las gentes*, p. 42). ¿Por qué Dios usó el aspecto de una estrella? Obviamente, Dios se comunica con las personas en el marco donde se encuentran. Como ellos eran estudiosos de las estrellas, y como se hablaba metafóricamente del Mesías como una estrella, Dios usó esta imagen para guiar a estos extranjeros que tenían una mente abierta a la dirección divina.

Pero estos hombres no vinieron en busca de notoriedad o para darse a conocer como celebridades. Dice el texto que vinieron a adorar al rey que había nacido. También nos dice que trajeron regalos costosos, dignos de un rey. Es increíble que paganos que no tenían el conocimiento de los judíos acerca de Dios, hicieran esa larga travesía para honrar al rey recién nacido, como ellos lo consideraban. Sus regalos, convertidos en dinero, sirvieron para que José y María se fuesen a refugiar a Egipto, a fin de proteger al niño de la amenaza criminal de Herodes.

¿Por qué era evidente que los padres del niño eran muy pobres? Notemos lo que dieron cuando su hijo fue dedicado en el templo: solo dos palominos, la ofrenda del pobre. ¿Cómo podrían huir a un país extranjero sin recursos? El Señor se los proveyó mediante los Sabios del Oriente. Así es como Dios satisface las necesidades de sus hijos en tiempos de crisis. Solo necesitamos confiar en él. ¿Lo harás hoy?

Guiados por Dios

Entonces, advertidos en sueños de que no volvieran a Herodes, regresaron a su tierra por otro camino (Mateo 2:12).

LOS SABIOS DEL ORIENTE deben de haber sido personas a quienes Dios guió al conocimiento de su Palabra mediante el encuentro con algún creyente. Dios tiene maneras asombrosas de proceder. Notemos: "Observadores de la naturaleza, los magos habían visto a Dios en sus obras. Por las Escrituras hebraicas tenían conocimiento de la estrella que debía proceder de Jacob, y con ardiente deseo esperaban la venida de aquel que sería no solo la 'consolación de Israel', sino una 'luz para iluminación de las naciones' y 'salvación hasta los fines de la tierra'" (*Conflicto de los siglos*, p. 361).

¿De dónde venían estos personajes? Algunas tradiciones cristianas los vinculan con Persia o Partia. Es por ello que el arte cristiano los presenta a veces vestidos como los persas. Otros creen que venían de Babilonia, y los asocian con la profecía de Balaam en el libro de Números. Hasta hay quienes creían que Tomás los bautizó, y llegaron a ser obispos que esparcieron el evangelio por su tierra. Marco Polo, en su libro sobre sus viajes, dice haber visto las tumbas de los sabios en la ciudad de Sabá, Persia, y que sus cuerpos estaban todavía intactos. También se dice que la reina Helena, madre de Constantino el Grande, llevó los restos de ellos a la Catedral Hagia Sofía, en Constantinopla, la actual Estambul, en Turquía. Como muchas otras leyendas cristianas, las de los sabios del oriente están llenas de fantasía.

Aunque la tradición cristiana posterior les puso muchos nombres, en realidad no sabemos quiénes fueron ni de dónde vinieron exactamente; tampoco sabemos de qué modo arribaron a su comprensión del nacimiento del Mesías. Pero una cosa es cierta: Dios no deja a oscuras a ningún sincero buscador de la verdad. A estos sabios no solo los guió a través de la aparición de una estrella milagrosa, sino que les dio sueños reveladores para que regresaran con seguridad a su tierra. Ellos llegaron a ser un ejemplo de los miles de individuos que Jesús dijo que vendrían del oriente y occidente, y que se reunirían con Abraham en el reino de Dios (Mat. 8:11).

Dios es amor

El que no ama no conoce a Dios, porque Dios es amor (1 Juan 4:8).

DIOS ES AMOR Y SU VOLUNTAD es guiar a todas las personas al conocimiento eterno. Fue por eso que guió a los sabios del Oriente al conocimiento del Mesías a través de las estrellas.

Sin embargo, hay quienes piensan que Dios es un policía que está siempre vigilándolos para ver qué falta cometen. Cuando nos sobreviene una calamidad, exclamamos: "Señor, ¿por qué me hiciste esto?" Por eso es necesario que reflexionemos en cómo es Dios realmente.

Dios nos habla de su carácter a través de sus obras. El salmista exclamaba: "Los cielos cuentan la gloria de Dios, el firmamento proclama la obra de sus manos" (Sal. 19:1). Nuestro Señor enseñó: "Para que sean hijos de su Padre que está en el cielo. Él hace que salga el sol sobre malos y buenos, y que llueva sobre justos e injustos" (Mat. 5:45). Dios es un ser bueno que no discrimina al repartir sus dones naturales.

La creación de Dios revela su carácter maravilloso. Se nos dice: "'Dios es amor', está escrito en cada capullo de flor que se abre, en cada tallo de la naciente hierba. Los hermosos pájaros que llenan el aire de melodías con sus preciosos cantos, las flores exquisitamente matizadas que en su perfección perfuman el aire, los elevados árboles del bosque con su rico follaje de viviente verdor, todos dan testimonio del tierno y paternal cuidado de nuestro Dios y de su deseo de hacer felices a sus hijos" (*El camino a Cristo*, p. 8).

A pesar de eso, y a causa del pecado, la naturaleza tiene mensajes contradictorios. Hay terremotos que destruyen; huracanes y tornados que devastan ciudades y casas; volcanes que cuando estallan siembran destrucción y ruina a millares; sequías abrasadoras que asolan la tierra, dejan con hambre a millones. Hay espinas en las rosas, y se ve la degeneración por todas partes. La naturaleza tiende también hacia el desorden y el caos. El libro de la naturaleza no siempre revela a un Dios amante y bueno. Pero, por otra parte, el que quiere ver a Dios, también lo puede encontrar en las maravillas del mundo natural. Alcemos nuestra vista hoy y contemplemos las maravillas de un Dios de amor.

El amor de Dios

El Señor les dijo: "Cuando un profeta del Señor se levanta entre ustedes, yo le hablo en visiones y me revelo a él en sueños" (Números 12:6).

A CAUSA DEL PECADO, la naturaleza no revela perfectamente el carácter de Dios. Como el Señor nos ama, nos dio una revelación adicional de sí mismo. A esta revelación la llamamos "la revelación especial". A la revelación imperfecta de la naturaleza, que incluye la razón humana, se la llama "revelación natural".

A través de su Palabra, Dios hizo una revelación especial de sí mismo. El profeta escribió: "Con amor eterno te he amado; por eso te sigo con fidelidad" (Jer. 31:3). El salmista cantaba: "Tan compasivo es el Señor con los que le temen como lo es un padre con sus hijos" (Sal. 103:13); "aunque mi padre y mi madre me abandonen, el Señor me recibirá en sus brazos" (Sal. 27:10). El profeta evangélico añadía: "¿Puede una madre olvidar a su niño de pecho, y dejar de amar al hijo que ha dado a luz? Aun cuando ella lo olvidara, ¡yo no te olvidaré!" (Isa. 49:15). Esta es una revelación que Dios hizo a sus profetas para que la comunicaran a su pueblo. Dios nos dice a través de ella cómo es él. Nos dice que nos ama y se compadece de nosotros.

Pero los mensajes de la Palabra de Dios fueron dados en un lenguaje humano. Fueron mensajes adaptados a las circunstancias en las que vivió su pueblo. Y muchas veces esos mensajes no fueron entendidos como Dios quería. Nublados por las circunstancias de la vida, a veces no vemos las misericordias del Señor. Quien ha tenido un padre abusador y torturador, tiene dificultades para comprender que Dios es un Padre amante. Quien fue abandonado en un basurero por su madre, no entiende bien por qué Dios se revela como una madre para sus hijos. Además, el lenguaje humano es finito e imperfecto, y no siempre puede transmitir correctamente las ideas y conceptos de Dios. Pero su mensaje escrito es una revelación adicional que nos ayuda a entender mejor al Dios creador. Estudiémosla hoy con ahínco y dedicación, porque es la revelación de un Dios de amor.

Dios misericordioso

Y el Verbo se hizo hombre y habitó entre nosotros.
Y hemos contemplado su gloria, la gloria que corresponde al Hijo
unigénito del Padre, lleno de gracia y de verdad (Juan 1:14).

PARA QUE LA REVELACIÓN de su carácter fuera completa, Dios hizo una revelación personal. La naturaleza y la comunicación oral y escrita son imperfectas en sí mismas, por causa del pecado y el mal que nos rodea. Por eso Dios escogió revelarse personalmente. Lo hizo mediante alguien que era la esencia de lo que él es. Lo hizo a través del Verbo, que no era otra cosa que la encarnación de su Palabra. De este modo podía hablar directamente a la humanidad.

Se nos dice: "Pero la naturaleza no puede enseñar la lección del grande y maravilloso amor de Dios. Por lo tanto, después de la caída, la naturaleza no fue el único maestro del hombre. A fin de que el mundo no permaneciera en tinieblas, en eterna noche espiritual, el Dios de la naturaleza se nos unió en Jesucristo" (*Mensajes selectos*, t. 1, p. 343). Él venía a revelar al Padre. Por eso era "esa luz verdadera, la que alumbra a todo ser humano" que viene "a este mundo" (Juan 1:9).

Cristo vino para representar en la humanidad el carácter de Dios. Dijo a sus discípulos: "¡Pero, Felipe! ¿Tanto tiempo llevo ya entre ustedes, y todavía no me conoces? El que me ha visto a mí, ha visto al Padre" (Juan 14:9). En su oración por sus discípulos, dijo: "Yo les he dado a conocer quién eres, y seguiré haciéndolo, para que el amor con que me has amado esté en ellos, y yo mismo esté en ellos" (Juan 17:26). Su propia venida era ya una demostración de ese amor. Por eso dijo: "Porque tanto amó Dios al mundo, que dio a su Hijo unigénito, para que todo el que cree en él no se pierda, sino que tenga vida eterna" (Juan 3:16). El apóstol Pablo escribió: "El que no escatimó ni a su propio Hijo, sino que lo entregó por todos nosotros, ¿cómo no habrá de darnos generosamente, junto con él, todas las cosas?" (Rom. 8:32).

Cristo mismo nos habló de ese amor: "Fíjense en las aves del cielo: no siembran ni cosechan ni almacenan en graneros; sin embargo, el Padre celestial las alimenta. ¿No valen ustedes mucho más que ellas?" (Mat. 6:26). "Al venir a morar con nosotros, Jesús iba a revelar a Dios tanto a los hombres como a los ángeles. Él era la Palabra de Dios: el pensamiento de Dios hecho audible" (*El Deseado de todas las gentes*, p. 11). Meditemos en ese amor.

Gracia abundante

*Y en unión con Cristo Jesús, Dios nos resucitó y nos hizo sentar con él
en las regiones celestiales, para mostrar en los tiempos venideros
la incomparable riqueza de su gracia, que por su bondad
derramó sobre nosotros en Cristo Jesús (Efesios 2:6, 7).*

EL SACRIFICIO DE CRISTO para revelar el amor de Dios es algo incomprensible para la mente humana. Reflexionemos en estas palabras: "Podéis estudiar este amor durante siglos, sin comprender nunca plenamente la longitud y la anchura, la profundidad y la altura del amor de Dios al dar a su Hijo para que muriese por el mundo. La eternidad misma no lo revelará nunca plenamente" (*Eventos de los últimos días*, p. 310).

Aunque esta es una verdad irrefutable, también es cierto que los seres humanos necesitan demostrar el amor de Dios en sus propias vidas. La revelación del amor de Dios en la naturaleza, en su Palabra y a través de Cristo, la Palabra viviente, no será entendida a menos que sea vivida y experimentada en la vida de quienes pretenden ser sus seguidores. En muchos casos, la vida de los profesos cristianos distorsiona la imagen del amor de Dios que Cristo trajo al mundo, y la hace difícil de ser captada.

Los seguidores de Cristo deben mostrar las abundantes riquezas de su gracia. Jesús, la Palabra viviente, debe ser manifestada en la vida de sus seguidores. Debemos encarnar al Cristo de los Evangelios. Notemos estas palabras: "Fue en la tierra donde el amor de Dios se reveló por Cristo. Es en la tierra donde sus hijos han de reflejar su amor mediante vidas inmaculadas. Así, los pecadores serán guiados a la cruz para contemplar al Cordero de Dios" (*Los hechos de los apóstoles*, p. 242).

Es difícil que el amor de Dios pueda ser entendido y visto con claridad si no es ejemplificado en la vida cotidiana. Se nos recuerda: "La iglesia es la depositaria de las riquezas de la gracia de Cristo, y por medio de ella, se manifestará finalmente la revelación final del amor de Dios al mundo que ha de ser iluminado por su gloria" (*Joyas de los testimonios*, t. 2, p. 356).

Que Dios nos ayude hoy a reflejar su amor con quienes nos relacionemos durante el día.

Se entregó por amor a mí

He sido crucificado con Cristo, y ya no vivo yo sino que Cristo vive en mí. Lo que ahora vivo en el cuerpo, lo vivo por la fe en el Hijo de Dios, quien me amó y dio su vida por mí (Gálatas 2:20).

ES INNEGABLE QUE EL AMOR de Dios es una de las razones por la que Jesucristo se entregó a la muerte. Como Dios es amor, él buscó la manera de redimir al ser humano de las consecuencias del pecado. El evangelio expresa el amor de Dios en la redención del hombre.

Sin embargo, cuando circunscribimos y reducimos las causas del plan de salvación al amor de Dios, no hacemos justicia con el evangelio. Hay algunas personas que piensan que la única razón por la que Jesús vino a morir por nuestros pecados fue para demostrar su amor en la cruz. Esta opinión sobre la expiación se conoce como la teoría de la influencia moral. Según ella, Cristo vino a demostrar el amor de Dios a los seres humanos a fin de que, motivados por ese amor, pudiéramos arrepentirnos y volver a él.

Pero, de acuerdo al evangelio, Cristo también vino a morir por otras razones. En el Nuevo Testamento tenemos una serie de metáforas que presentan un cuadro más extenso de las razones por las que Cristo vino a morir. De ellas nos ocuparemos de aquí en adelante.

Mientras lo hacemos, no debemos olvidar que el amor es el fundamento del plan de salvación. El pasaje bíblico más conocido por los cristianos nos lo recuerda: "Porque tanto amó Dios al mundo, que dio a su Hijo unigénito, para que todo el que cree en él no se pierda, sino que tenga vida eterna" (Juan 3:16).

Es evidente que un Dios infinitamente sabio y todopoderoso debió haber tenido muchas opciones para solucionar el problema del pecado. La de morir por el pecador se inspiró en el gran amor que tiene por sus criaturas. Reflexionemos hoy en la vastedad de ese amor.

La ira de Dios

La ira de Dios viene revelándose desde el cielo contra toda impiedad e injusticia de los seres humanos, que con su maldad obstruyen la verdad (Romanos 1:18).

EL NUEVO TESTAMENTO afirma repetidamente que el amor de Dios dio lugar a la expiación, que trajo como consecuencia la muerte de Cristo. Pero, ¿por qué tenía Cristo que morir para lograr la expiación? Ciertamente, un Dios sabio y supremo debía tener otros recursos a su disposición que no contemplaran necesariamente la muerte de Cristo.

El apóstol Pablo nos enseña que Dios está airado contra el pecado. Aunque el amor que tiene por el hombre lo lleva a salvarlo, de ninguna manera puede pasar por alto la transgresión, porque Dios también es justo. La ira del Señor es la reacción de su santidad ante el pecado. Él es juez de toda la tierra, y, como tal, debe ser justo. La justicia divina no puede ser burlada (Gál. 6:7). El pecador debe recibir el pago de su pecado.

Pero aquí encontramos la sutil unión entre el amor de Dios y su justicia. Su justicia demanda la muerte del pecador; pero su amor encuentra una manera legal de salvarlo. La necesidad de la muerte de Cristo está inspirada en el amor de Dios, y requerida por su justicia.

Dios eligió a Cristo para que muriera en lugar del pecador. Sobre Cristo recayó el peso de la justicia divina. Al hacerlo, Dios cumple su justicia y, al mismo tiempo, se revela como un Dios de amor.

Eso no significa que la muerte de Cristo convierta la ira de Dios en amor. No es que Dios el Padre es un ser vengativo, iracundo, y Cristo un ser bueno, perdonador. De ninguna manera. El amor de Jesús es el amor de Dios, y viceversa. La idea de que la muerte de Cristo aplacó la ira de Dios, como si esta fuera un sentimiento, es una perversión del evangelio. Su ira, que no es un sentimiento, se descargó sobre Cristo, que murió bajo la ira de Dios. La ira de Dios es aversión por el pecado. Pero ese mismo Dios que odia el pecado, ama al pecador. Por eso proveyó a su amado Hijo. Creo que deberíamos exclamar, ¡gracias a Dios por su don inefable!

Su muerte fue un sacrificio

Lleven una vida de amor, así como Cristo nos amó y se entregó por nosotros como ofrenda y sacrificio fragante para Dios (Efesios 5:2).

EL APÓSTOL PABLO considera la muerte de Cristo como un sacrificio. Por esta razón, el vocabulario que el apóstol emplea tiene conexiones con el ritual del santuario. Con respecto a Cristo, dice: "Dios lo ofreció como un sacrificio de expiación" (Rom. 3:25). Esta es una clara alusión al ritual del santuario hebreo. Allí, los sacerdotes hacían expiación por los pecados del pueblo mediante el sacrificio de animales. El sacerdote oficiante tomaba un cuchillo y lo hundía en la garganta del animal, esto hacía que la sangre saliera a borbotones. Luego tomaba parte de esa sangre y la rociaba sobre el altar, para la propiciación del pecado. El Día de la Expiación, el sumo sacerdote hacía lo mismo con un macho cabrío, que era sacrificado para purificar los pecados del pueblo y el santuario. Por eso Pablo habla de que "Porque si la sangre de los toros, los machos cabríos y la ceniza de la becerra rociada a los impuros, santifican para purificar la carne, ¡mucho más la sangre de Cristo, quien por el Espíritu eterno se ofreció a sí mismo sin mancha a Dios, purificará vuestra conciencia de las obras que llevan a la muerte, para que sirváis al Dios vivo!" (Heb. 9:13, 14, NRV).

La muerte de Cristo como un sacrificio se revela en el uso frecuente del término "sangre" cuando se habla de la salvación. Romanos 3:25 habla de "la fe en su sangre". En otras instancias se nos dice que fuimos "justificados en su sangre" (Rom. 5:9); tenemos "redención por su sangre" (Efe. 1:7). "Dios los ha acercado mediante la sangre de Cristo" (Efe. 2:13). Tenemos paz "mediante la sangre que derramó en la cruz" (Col. 1:20). Es obvio que Pablo no habla primordialmente de la sangre física de Jesús, sino del hecho de que Cristo fue ofrecido como un sacrificio, donde la sangre, que era la vida del sacrificado, se derramaba abundantemente.

Que Dios nos ayude a apreciar cada día más ese sacrificio precioso que nos ha dado la esperanza de la vida eterna.

Muerte vicaria y sustituta

Pero Dios demuestra su amor por nosotros en esto: en que cuando todavía éramos pecadores, Cristo murió por nosotros (Romanos 5:8).

DE ACUERDO A LA PALABRA DE DIOS, la muerte de nuestro Señor no fue solo un suceso histórico, ni tampoco algo que realizó para beneficio de sí mismo. El apóstol Pablo nos dice que "murió por nosotros" (1 Tes. 5:9); que fue entregado por "todos nosotros" (Rom. 8:32); que se "entregó a sí mismo por nosotros" (Efe. 5:2); que se hizo "maldición por nosotros" (Gál. 3:13). Todas estas declaraciones apuntan hacia la actitud que Jesús tenía sobre su muerte. Él declaró: "Porque ni aun el Hijo del hombre vino para que le sirvan, sino para servir y para dar su vida en rescate por muchos" (Mar. 10:45). Esto es lo que llamamos una muerte vicaria.

El Señor decidió morir para salvar al pecador. Murió a favor de los pecadores. Él fue nuestro representante a través de la muerte, y nuestro sustituto en ella. El apóstol Pablo hace una declaración impresionante en 2 de Corintios 5:21:"Al que no cometió pecado alguno, por nosotros Dios lo trató como pecador, para que en él recibiéramos la justicia de Dios". Aquí Pablo dice que Dios trató a Cristo como pecador a causa de nosotros. Es decir, nosotros éramos los pecadores. Cristo no tenía pecado, pero Dios lo consideró como pecador a fin de que nosotros fuésemos considerados justos. Él ocupó nuestro lugar, tomó nuestro castigo y sufrió nuestra muerte; aceptó la maldición del pecado y cargó con su horrible peso. Esto es lo que significó para él tomar nuestro lugar, morir como nuestro representante.

Notemos las siguientes palabras inspiradas: "Cristo fue tratado como nosotros merecemos a fin de que nosotros pudiésemos ser tratados como él merece. Fue condenado por nuestros pecados, en los que no había participado, a fin de que nosotros pudiésemos ser justificados por su justicia, en la cual no habíamos participado. El sufrió la muerte nuestra, a fin de que pudiésemos recibir la vida suya. Por su llaga fuimos nosotros curados" (*El Deseado de todas las gentes*, pp. 16, 17). ¡Alabado sea Dios por el sacrificio vicario de Cristo!

Muerte propiciatoria

Por su gracia son justificados gratuitamente mediante la redención que Cristo Jesús efectuó. Dios lo ofreció como un sacrificio de expiación que se recibe por la fe en su sangre, para así demostrar su justicia (Romanos 3:24, 25).

L A PALABRA "PROPICIACIÓN" es otro de los términos que no agrada a muchos estudiantes modernos de la Biblia cuando se aplica a la muerte de Cristo. Se relaciona con el verbo propiciar, que significa básicamente aplacar, apaciguar. En las religiones paganas, los sacrificios ofrecidos tenían la finalidad de apaciguar la ira de los dioses. Como esto no sucede en la adoración bíblica, se concluye que la muerte de Cristo no puede ser propiciatoria sino expiatoria; es decir, expía, limpia, purifica el pecado, pero no propicia a Dios, porque él no necesita ser aplacado o apaciguado.

Pero si nos fijamos detenidamente, nos damos cuenta de que en los primeros capítulos de Romanos, el apóstol Pablo trata acerca de la ira de Dios, la culpa del pecado y la maldición de la muerte. De acuerdo a sus razonamientos, el ser humano está bajo la ira de Dios. "Todos han pecado y están privados de la gloria de Dios" (Rom. 3:23). Si él aplicara su justicia estrictamente, no habría esperanza para el ser humano.

Sin embargo, como decíamos antes, la ira de Dios es la reacción de la santidad divina ante el problema del pecado, no es un sentimiento. La ira del Señor tiene que ver con su justicia y santidad, no con sus emociones. Cuando la Biblia habla entonces de que hubo un apaciguamiento de Dios por la sangre de Cristo, no se refiere a que la muerte de Cristo apaciguó las emociones de Dios contra el ser humano. De lo que Pablo habla es que la muerte de Cristo apaciguó la ira de Dios porque se descargó sobre el Hijo. La ira debió haber sido dirigida sobre el pecador, pero se descargó en Cristo. Aunque este no tenía pecado, fue considerado por Dios como pecador. De este modo, la justicia del Señor quedó satisfecha. Su ira fue propiciada. Dios encontró la manera de vindicar su carácter y salvar al pecador (Rom. 3:26). Él halló la forma de unir su amor con su justicia.

Muerte conciliatoria

Y no solo esto, sino que también nos regocijamos en Dios por nuestro Señor Jesucristo, pues gracias a él ya hemos recibido la reconciliación (Romanos 5:11).

EL CARÁCTER DE LA MUERTE de Cristo se revela también en la palabra "reconciliación". Este tema no se trata profusamente en el Nuevo Testamento, pero hay unos pocos pasajes que nos hablan de él. Esta manera de entender la muerte de Cristo se expresa con una nueva imagen tomada de la vida diaria. Las palabras "propiciación y expiación" que leyó ayer están relacionadas con el ámbito del santuario. La de hoy procede del mundo de las relaciones humanas.

Como sabe muy bien, no es fácil tratar con personas. Frecuentemente tenemos discusiones con cónyuges, familiares, amigos, vecinos y compañeros de trabajo. Llevarse bien con la gente se torna una tarea ardua. Cuando entramos en enemistad con alguien, entonces se requiere la reconciliación. Luego pedimos o aceptamos el perdón, y la enemistad se resuelve. Decimos que nos hemos reconciliado.

Desde el punto de vista bíblico, los seres humanos nos hemos enemistado con Dios (Col. 1:21, 22). Cuando nuestros primeros padres cayeron en pecado, se apartaron de Dios. Se cumplió lo que dice la Biblia: "Son las iniquidades de ustedes las que los separan de su Dios. Son estos pecados los que lo llevan a ocultar su rostro para no escuchar" (Isa. 59:2). Esto es lo que la Biblia llama enemistad con Dios. Por naturaleza éramos sus enemigos, y no teníamos el más mínimo deseo de solucionar ese problema.

Por eso, él tomó la iniciativa. Pablo dice: "Dios estaba en Cristo reconciliando al mundo consigo mismo" (2 Cor. 5:19). Dios, la parte ofendida, dio los primeros pasos para solucionar la separación con el ser humano. Envió a su Hijo para reconciliarnos con él. De este modo, los seres humanos ya no somos enemigos del Señor, porque Cristo fue el puente que salvó la brecha de separación que existía entre Dios y el hombre. Por eso dice Pablo que nos gloriamos en Cristo, ya que en virtud de su muerte ahora estamos reconciliados con el Padre celestial.

Muerte reconciliatoria

Porque si, cuando éramos enemigos de Dios, fuimos reconciliados con él mediante la muerte de su Hijo, ¡con cuánta más razón, habiendo sido reconciliados, seremos salvados por su vida! (Romanos 5:10).

LA RECONCILIACIÓN DIVINA con el ser humano, no solo fue iniciativa de Dios el Padre sino que involucraba la muerte de Cristo. Por eso es que la muerte de Cristo es una muerte que reconcilia; en este caso, que une a Dios con el hombre.

Dijimos que, a causa del pecado, el hombre no tenía ningún deseo de reconciliarse con Dios. Esa es una de las consecuencias más funestas y perniciosas del pecado en la vida humana. Destruye en el hombre el deseo de buscar a Dios. A tal punto el pecado llega a ser insidioso y sutil, que nubla la mente y la conciencia humana de modo que el hombre no se da cuenta de la situación en la que está. Es por eso que a diario nos encontramos con personas que no quieren que se les hable de Dios, ni tienen el mínimo deseo de asistir a ningún lugar donde se hable de él. Son enemigos de Dios en su mente, y no saben que Dios es su amigo.

Si esa situación de enemistad no se hubiese resuelto, estaríamos perdidos. Viviríamos y moriríamos sin esperanza. Como Dios es un Dios Santo y Todopoderoso, a quien el pecado ofende porque es su enemigo natural, todos habríamos sido aniquilados y hubiésemos desaparecido para siempre. Por eso Dios dio el primer paso. Envió a su Hijo a morir en lugar del hombre pecador. La muerte de Cristo reconcilió a Dios con el ser humano. Él ya no es más nuestro enemigo. La muerte de Cristo hizo compatible a un Dios santo con la fragilidad humana. Esto es lo que significa que el Señor se haya reconciliado con el hombre.

Aunque el evangelio se ha predicado extensamente, todavía son muchos los que vagan por el mundo con la idea de que Dios es su enemigo. Pero esto no es verdad. De acuerdo a la premisa fundamental del evangelio, Dios es nuestro amigo. A él podemos acudir con seguridad, porque es fiel.

Reconciliación total

Esto es, que en Cristo, Dios estaba reconciliando al mundo consigo mismo, no tomándole en cuenta sus pecados (2 Corintios 5:19).

EN EL TEXTO DE HOY, hay dos cosas interesantes. Primeramente, cuando Dios se reconcilió con el ser humano lo hizo con todos: ricos y pobres, educados e ignorantes, blancos y negros, buenos y malos. Dice el apóstol que Dios se reconcilió con el mundo entero. A veces pensamos que Dios solo se reconcilia con los buenos, no con los malos; con los que van a la iglesia, no con los que no van; con los cristianos, no con los paganos. Sin embargo, la reconciliación divina abarcó a todos. No hubo nadie por quien Cristo no muriera.

Esto nos obliga a hacernos la pregunta: ¿Cómo hizo Dios para reconciliarse con todos los seres humanos, cuando la mayoría de ellos son malos o no quieren aceptar la amistad que les ofrece? La respuesta parcial de nuestro texto es que Dios no les tomó en cuenta a los hombres sus pecados. Pero, ¿es esa la manera como un Dios justo soluciona el problema de la enemistad con el ser humano? ¿Puede un Dios, que dice ser justo, gobernar el universo de ese modo? Desde la caída del ser humano y a través de los siglos, cuando la iniquidad del hombre se desencadenó abiertamente, se cuestionó la justicia de Dios, porque parecía que, con pocas excepciones, él no hacía nada para castigarla.

Este era uno de los cuestionamientos del atribulado Job (Job 21:7, 13). Los malos prosperaban y los buenos sufrían. Pablo añade que Dios, en su paciencia, pasó "por alto los pecados" (Rom. 3:25). Sí, parecía que Dios no hacía nada. Pero no ha sido el plan de Dios tratar con el pecado con el principio de "borrón y cuenta nueva". Dios no le dio una palmadita en el hombro a Adán, y le dijo: "Aquí no ha pasado nada". Con el tiempo se reveló el plan de Dios para tratar con el problema del pecado: colocar sobre Cristo el pecado del mundo. Por eso Pablo concluye: "Al que no cometió pecado alguno, por nosotros Dios lo trató como pecador, para que en él recibiéramos la justicia de Dios" (2 Cor. 5:21). Dios reveló en Cristo que es justo.

Reconciliación y salvación

Así que somos embajadores de Cristo, como si Dios los exhortara a ustedes por medio de nosotros: "En nombre de Cristo les rogamos que se reconcilien con Dios" (2 Corintios 5:20).

ALGUIEN PODRÍA CONCLUIR que puesto que Cristo reconcilió a Dios con el mundo entero, todo el mundo se va salvar. Si ya Dios puso los pecados del mundo sobre Cristo y lo condenó como pecador en lugar de la raza humana, entonces todos los seres humanos se va a salvar. Lamentablemente, no. ¡Cómo quisiéramos que fuera así!

Mencioné que la reconciliación es una palabra teológica que viene del mundo de las relaciones humanas. Imagine que un vecino suyo cometió una falta grave contra usted, por la cual ambos se enemistaron. Poco después, usted piensa en el incidente y lo que significa, y decide ir a su ofensor y decirle: "Quiero decirte que no tengo nada contra ti; estoy en paz contigo y deseo que nos reconciliemos". Su vecino lo mira a los ojos, y le contesta: "Tú estarás en paz conmigo, pero yo no; tú querrás mi amistad, pero yo no quiero la tuya". ¿Piensa usted que se reconcilió con su vecino? Claro que no. Por más que se haya reconciliado con él, todavía falta que él se reconcilie con usted para que la reconciliación sea efectiva.

Lo mismo sucede con Dios. Él se reconcilió con nosotros, pero es necesario que nosotros aceptemos esa reconciliación y nos reconciliemos con él. Si el ser humano no acepta la oferta divina, no hay reconciliación. Si no aceptamos el ofrecimiento de paz que Dios nos hace, la muerte de Cristo no será efectiva en nosotros. Para que la reconciliación divina sea una realidad, es necesario que ambas partes acepten las premisas de la reconciliación. Para fines de la salvación, no es suficiente que Dios se reconcilie con nosotros; todavía nos incumbe aceptar su oferta y reconciliarnos con él. La salvación será efectiva solo en quienes acepten el ofrecimiento divino.

La reconciliación divina también requiere que haya personas que lleven este ofrecimiento a los que no saben que Dios se ha reconciliado con ellos. Pablo dice que "somos embajadores en el nombre de Cristo", por lo tanto debemos decir a otros que Dios no es nuestro enemigo; debemos presentarles su oferta de paz y reconciliación.

La muerte de Cristo es redentora

Porque ni aun el Hijo del hombre vino para que le sirvan,
sino para servir y para dar su vida en rescate por muchos (Marcos 10:45).

OTRA CARACTERÍSTICA DE LA MUERTE de Cristo es que es redentora. Un objetivo importante de la muerte de Cristo es la redención del ser humano. Para expresar esto, los escritores del Nuevo Testamento usan varias palabras que pertenecen al mundo de los negocios y las transacciones comerciales: redimir, rescatar, comprar. En el vocabulario de aquel tiempo, estas palabras se usaban para referirse al precio que se pagaba por salvar algo que estaba empeñado, o por el rescate de prisioneros de guerra, y para comprar la libertad de un esclavo.

En español se usan preferentemente las palabras redimir y redención como términos casi exclusivamente teológicos. El apóstol Pablo dice que somos justificados por su gracia "mediante la redención que Cristo Jesús efectuó" (Rom. 3:24); "en él tenemos la redención mediante su sangre" (Efe. 1:7).

La redención también se expresa con el verbo comprar: "Ustedes no son sus propios dueños; fueron comprados por un precio" (1 Cor. 6:19, 20). "Ustedes fueron comprados por un precio; no se vuelvan esclavos de nadie" (1 Cor. 7:22, 23).

Y, por supuesto, está la idea de rescate: "Ustedes fueron rescatados de la vida absurda que heredaron de sus antepasados. El precio de su rescate no se pagó con cosas perecederas, como el oro o la plata, sino con la preciosa sangre de Cristo, como de un cordero sin mancha y sin defecto" (1 Ped. 1:18, 19). "Porque hay un solo Dios y un solo mediador entre Dios y los hombres, Jesucristo hombre, quien dio su vida como rescate por todos" (1 Tim. 2:5, 6).

Estas ideas de redimir, comprar y rescatar sintetizan el mensaje del evangelio en conexión con la muerte de Cristo: Somos esclavos del pecado y no podemos hacer nada por nosotros mismos; nuestra única esperanza es que alguien ajeno haga algo por nosotros, y pague el precio que nosotros no podemos pagar. Esto lo hizo Cristo por nosotros, lo cual nos hizo libres del dominio del mal, emancipándonos de su poder y convirtiéndonos en siervos de Cristo e hijos de Dios. Por eso, el evangelio son las buenas nuevas de salvación que Cristo trajo al mundo.

La muerte de Cristo como triunfo

Entonces vendrá el fin, cuando él entregue el reino a Dios el Padre, luego de destruir todo dominio, autoridad y poder. Porque es necesario que Cristo reine hasta poner a todos sus enemigos debajo de sus pies (1 Corintios 15:24, 25).

OTRA DE LAS RAZONES de la muerte de Cristo fue destruir el reino del mal. Es una realidad poco entendida que vivimos en medio de una lucha entre las fuerzas del bien y las del mal. No nos damos cuenta de lo que esto significa, tanto a nivel personal como cósmico.

El Apocalipsis testifica de esta guerra que comenzó en el cielo y se extendió a la Tierra. Una lucha milenaria, encarnizada y feroz que trata de representar mal el carácter de Dios ante el universo. ¿Fue Dios justo cuando expulsó a Lucifer del cielo? ¿Fue Dios justo al tratar con la desobediencia de Adán y Eva? ¿Fue Dios justo al destruir el mundo con un diluvio? ¿Fue Dios justo al destruir las ciudades de Sodoma y Gomorra? ¿Es Dios justo cuando los malos prosperan y los buenos sufren?

Sobre todo es una lucha que se libra a nivel personal, donde cada mente es el campo de batalla. Cada ser humano es un agente del bien o del mal. Dios debe ser justo y ético al tratar con el mal y la injusticia, porque eso corresponde a lo que él es.

El foco de esta lucha milenaria se centró en la cruz del Calvario. Allí se iban a contestar todas las preguntas. Allí se iban a aclarar todas las dudas. Allí se iba a determinar quién tenía razón. Allí el carácter de Dios estaba en tela de juicio. Allí, por la muerte de Cristo, el carácter de Dios fue vindicado ante el universo. Allí se reveló con toda claridad el carácter de Satanás. Allí el universo entero fue testigo de la exhibición maravillosa de los verdaderos motivos de Dios y de los motivos ocultos de su adversario. La muerte de Cristo en la cruz fue una declaración del triunfo del bien. San Pablo dijo: "Dios [...] desarmó a los poderes y a las potestades, y por medio de Cristo los humilló en público al exhibirlos en su desfile triunfal" (Col. 2:13, 15).

¿Qué es el evangelio?

*De hecho, en el evangelio se revela la justicia que proviene de Dios,
la cual es por fe de principio a fin, tal como está escrito:
"El justo vivirá por la fe" (Romanos 1:17).*

EN LOS ÚLTIMOS DÍAS SE HAN MENCINADO las razones de la muerte de Cristo. De este modo podemos entender mejor toda la importancia que este hecho tiene en la vida espiritual del creyente. Podemos afirmar sin lugar a dudas que la muerte de Cristo es el corazón del evangelio.

Pero, ¿qué es el evangelio? La palabra significa "buenas noticias". De acuerdo a como la aplicaron Cristo y los apóstoles, quiere decir "las buenas nuevas de salvación que Cristo trajo al mundo". ¿Por qué fue noticia en tiempos de Jesús y sus discípulos? Porque nunca antes se había presentado de esa manera. El concepto de salvación es una idea típica del Antiguo Testamento, donde Dios aparece constantemente salvando a su pueblo. La idea de Dios como Salvador es bastante común en estos escritos. Pero no se la había entendido con la particularidad con la que Cristo la aplicó. El Mesías llegó a ser el autor de la salvación. Jesús de Nazaret entendió que él era el Mesías, y que la salvación solo se podía obtener a través de él. Si no se aceptaba a Jesús como el Mesías, no había salvación. La salvación se había manifestado en la persona de Jesús. Él era el Salvador.

En esto consistía la proclamación del evangelio. Este era el evangelio. Posteriormente, el concepto de evangelio se amplió para incluir toda la experiencia por la que Cristo pasó para lograr la salvación del ser humano, incluyendo su pasión, muerte y resurrección. Pero es lamentable que como cristianos no podamos discernir con claridad en qué consiste el evangelio realmente. Porque hay quienes piensan que el evangelio es la ley o alguna parte de ella; otros dicen que son las profecías apocalípticas, o algo parecido. Y no faltan quienes creen que es algún tipo de mensaje que tiene que ver con la salud o el estilo de vida. Todo esto es muy bueno y tiene su lugar en la vida cristiana, pero no es el evangelio.

El evangelio y la fe

A la verdad, no me avergüenzo del evangelio, pues es poder de Dios para la salvación de todos los que creen (Romanos 1:16).

EL EVANGELIO TRATA de cómo se puede obtener la salvación aquí y ahora. Nos dice que dicha salvación es para todos, pero que la obtienen solo los que creen. La salvación es un asunto de la justicia de Dios. Y esta se obtiene a través de un proceso que empieza con fe y termina con fe. Así que la fe es vital en la obtención de la salvación. Por eso el apóstol dice que el justo vivirá por la fe. Es la fe la que hace vivir al justo. Uno puede creer que es justo de alguna otra manera, pero solo la justicia que emana de la fe es la que hace vivir. Se puede decir, entonces, que "el que por la fe es justo, vivirá". Lo cual implica que el que cree que es justo por alguna otra razón, no vivirá. Si creemos que somos justos por nuestra cuenta, por la obediencia a una norma humana, o por algún mérito propio o de otro, esto no cuenta para la salvación de acuerdo a la justicia de Dios.

Si el evangelio se relaciona con la justicia de Dios y con la fe, entonces se puede concluir que la doctrina de la justificación por la fe es la esencia del evangelio. Alguien podría sentir vergüenza de este tipo de evangelio que proclama una salvación basada en la fe. La salvación es más atractiva cuando se obtiene por el esfuerzo personal. Cuando la obtenemos a través de algún sacrificio individual, por algo que valga la pena, por la dedicación y la entereza, por la perseverancia o el martirio, entonces se siente uno orgulloso de la salvación, como de cualquier otro logro humano. El problema es que eso no vale para Dios. Para él vale solo la fe. Así que nos conviene reflexionar en la importancia del mensaje de la justificación por la fe, lo cual se hará de aquí en adelante.

Importancia de la justificación por la fe

Yo soy el camino, la verdad y la vida —le contestó Jesús—.
Nadie llega al Padre sino por mí (Juan 14:6).

LA DOCTRINA de la justificación por la fe, es la esencia del evangelio. Pero, de acuerdo a las Escrituras, el evangelio es el de Cristo. Por lo tanto, eso quiere decir que solo hay un evangelio: el de Cristo. Solo hay un modo de salvarse: Cristo. El apóstol Pedro lo dijo claramente: "De hecho, en ningún otro hay salvación, porque no hay bajo el cielo otro nombre dado a los hombres mediante el cual podamos ser salvos".

La importancia de la justificación por la fe radica en que es el mensaje del evangelio. Si no estamos convencidos de ello, leamos lo que escribió Pablo a los cristianos de Galacia: "Me asombra que tan pronto estén dejando ustedes a quien los llamó por la gracia de Cristo, para pasarse a otro evangelio. No es que haya otro evangelio, sino que ciertos individuos están sembrando confusión entre ustedes y quieren tergiversar el evangelio de Cristo. Pero aun si alguno de nosotros o un ángel del cielo les predicara un evangelio distinto del que les hemos predicado, ¡que caiga bajo maldición!" (Gál. 1:6-8). En el resto de la carta, el apóstol deja claro que por evangelio él se refiere a la doctrina de la justificación por la fe, en oposición a la justificación por obras meritorias basada en la observancia de la ley judía.

Algunos creyentes, probablemente procedentes de Jerusalén, llegaron a las iglesias de Galacia fundadas por el apóstol Pablo para enseñarles a los feligreses ciertas cosas que estaban en contra de lo que Pablo les había enseñado. No eran asuntos de teología general, sino que era algo que contradecía el evangelio que el apóstol les había predicado. Pablo se enfureció tanto que dijo que estaban bajo maldición de Dios. Evidentemente eran hermanos que, por ignorancia o mala fe, estaban distorsionando el evangelio de Cristo.

Por eso es vital entender esta doctrina de la justificación, porque es el evangelio en sí. Ahora bien, ¿cuáles son los riesgos que corremos si no entendemos el evangelio, es decir, el mensaje de la justificación por la fe? Los veremos en los próximos días.

Los peligros del error

Ustedes estaban corriendo bien. ¿Quién los estorbó para que dejaran de obedecer a la verdad? Tal instigación no puede venir de Dios, que es quien los ha llamado (Gálatas 5:7-8).

LA IMPORTANCIA del mensaje de la justificación por la fe consiste en el hecho de que es la esencia del evangelio. Cualquier distorsión del evangelio conlleva una maldición. Del mismo modo, debemos ser cuidadosos con respecto al mensaje de la justificación por la fe, porque cualquier cosa que altere su esencia introduce una modificación en el evangelio, lo cual implica una maldición. Por lo tanto, debemos ser cuidadosos en su formulación.

Así que, al describir la importancia de este mensaje, se encuentra primero con el hecho de que es la esencia del evangelio de Cristo; en eso radica su importancia fundamental. Pero también hay otros elementos que hacen resaltar su importancia.

Si no entendemos este mensaje, ponemos en peligro nuestro bienestar espiritual presente y futuro. Notemos estas palabras tan oportunas de Elena G. de White: "No hay uno en cien que entienda por sí mismo la verdad bíblica sobre este tema que es tan necesario para nuestro bienestar presente y eterno" (*Mensajes selectos*, t. 1, p. 422). Este mensaje es tan importante que está anclado al bienestar espiritual presente y eterno. Sugiere que si no lo entendemos correctamente, no tendremos salud espiritual en el presente. El éxito de la carrera cristiana tiene que ver con lo que llamamos salud espiritual. La vida cristiana está llena de riesgos y peligros por todas partes. La inferencia es que si no tenemos la salud espiritual necesaria, no podremos tener éxito en nuestra lucha contra el mal. Si no hay salud, estamos enfermos; y si estamos enfermos, estamos débiles; y si estamos débiles, no tendremos fuerzas para luchar; y si no luchamos, caeremos.

También la comprensión de este mensaje se asocia con la vida futura, es decir, la vida eterna. Esto implica que si no lo entendemos correctamente, estamos en peligro de perdernos. Eso le da una seriedad muy grande a este asunto.

Resulta también alarmante que en tiempos de Elena G. de White hubiera tan pocas personas que entendieran correctamente este mensaje. ¿Cómo estaremos hoy? Ojalá que a través de estas reflexiones lo entendamos mejor, y consecuentemente tengamos una mejor salud espiritual.

Entender el evangelio

*Si uno vuelve a edificar lo que antes había destruido,
se hace transgresor (Gálatas 2:18).*

OTRO PELIGRO QUE SE TIENE al no entender correctamente el mensaje de la justificación por la fe se refleja en las siguientes palabras procedentes de la pluma inspirada: "Este asunto es tan oscuramente comprendido, que miles y miles que pretenden ser hijos de Dios son hijos del maligno, porque dependen de sus propias obras" (*Mensaje selectos*, t. 1, p. 402-403).

Tanto en esta cita como en la de ayer se habla de comprensión. Alguien podría pensar que estamos manejando el concepto de que las personas se salvan por un determinado conocimiento, al estilo del gnosticismo cristiano del primer siglo de nuestra era, que enseñaba que las personas se salvaban por el conocimiento que tenían. Pero en la fe cristiana las personas se salvan por tener fe en Cristo. El conocimiento salvador del cristianismo es un conocimiento práctico que implica una relación de fe con la persona de Jesús de Nazaret. Si no entendemos y comprendemos el evangelio correctamente, podemos caminar lejos de Cristo, que es la salvación, y por lo tanto, perdernos. Pero si nos perdemos es por falta de Cristo, no por falta de conocimiento doctrinal.

Si no se entiende el evangelio, o si se lo entiende incorrectamente, una persona puede desembocar muy lejos de Cristo, en una religión de salvación por obras que no tiene nada que ver con los méritos de Cristo. Tal religión es mortal.

Además, de acuerdo al evangelio, no todos los seres humanos son hijos de Dios. En un sentido natural, todos lo somos, pues hemos sido creados por Dios. Pero somos verdaderamente hijos de Dios cuando somos adoptados en la familia de Dios. Esto solo se logra aceptando a Cristo como nuestro Salvador personal. Sin embargo, es lamentable que personas que han llegado a ser hijos de Dios, pierdan este estatus al adoptar una religión por obras sin Cristo. También es triste que no sean pocos los que hacen eso. ¡Que Dios nos guarde de cometer ese error!

Escasa enseñanza
de la justificación por la fe

¿Recibieron el Espíritu por las obras que demanda la ley, o por la fe con que aceptaron el mensaje? ¿Tan torpes son? Después de haber comenzado con el Espíritu, ¿pretenden ahora perfeccionarse con esfuerzos humanos? (Gálatas 3:2, 3).

OTRO PELIGRO QUE VIENE COMO RESULTADO de la incomprensión del evangelio, va más allá del daño espiritual que pueda producirse en una persona. Notemos: "Nuestras iglesias mueren por falta de enseñanza acerca de la justicia por la fe y otras verdades" (*Obreros evangélicos*, p. 316).

Hemos dicho anteriormente que cuando una persona no entiende correctamente el evangelio, se enferma espiritualmente. No crece, no desarrolla su vida cristiana en forma normal. Podríamos decir que se rezaga en su crecimiento. El atraso puede continuar hasta que la persona muere espiritualmente. Pero lo que le puede pasar a una persona, también puede sucederle a una congregación o iglesia. Como una congregación está formada por miembros individuales, lo que le pase a los miembros le pasará a la congregación.

Cuando una iglesia descuida la enseñanza del evangelio, corre el peligro de debilitarse y morir. Cuando el mensaje de la justificación se predica muy poco o no se predica, la iglesia, como la persona, sufre. Ya nos pasó como iglesia en una etapa de nuestra historia. Entusiasmados por descubrimientos doctrinales, nos dedicamos casi exclusivamente a predicar ciertas doctrinas importantes, pero que no constituyen el evangelio. De acuerdo a Elena G. de White, el resultado fue que predicamos tanto sobre la ley, el sábado y las profecías que llegamos a estar más secos que los montes de Gilboa, que no reciben ni rocío ni lluvia. Fue una época de debilidad espiritual. Gracias a Dios retomamos el camino y tratamos de corregir los errores cometidos.

Pero este riesgo nos persigue por todas partes. La única manera de sentirnos seguros es vigilar que el verdadero evangelio se predique en nuestras congregaciones. Cuidémonos del mucho sermoneo promocional que va y viene, y que suele desplazar la predicación del evangelio.

La ignorancia le da poder al diablo

El problema era que algunos falsos hermanos se habían infiltrado entre nosotros para coartar la libertad que tenemos en Cristo Jesús a fin de esclavizarnos. Ni por un momento accedimos a someternos a ellos, pues queríamos que se preservara entre ustedes la integridad del evangelio (Gálatas 2:4, 5).

SI NO SE COMPRENDE EL EVANGELIO, se le da poder a Satanás en nuestra vida. Fijémonos en estas palabras llenas de significado: "El enemigo de Dios y del hombre no quiere que esta verdad sea presentada claramente; porque sabe que si la gente la recibe plenamente, habrá perdido su poder sobre ella" (*Obreros evangélicos*, p. 169).

Ahora comenzamos a entender por qué mucha gente no tiene una comprensión correcta del evangelio como se revela en el mensaje de la justificación por la fe. El causante de esto es el enemigo de Dios. Él no quiere que los seres humanos entiendan el evangelio con claridad. La razón es que cuando el evangelio se capta en toda su gloria, y la gente lo acepta de corazón, Satanás pierde el poder controlador.

Pero también es importante mencionar lo contrario. Si no entendemos el evangelio y aceptamos una falsificación, o una distorsión de sus verdades fundamentales, entonces el enemigo de Dios tiene poder para controlar a las personas. Lo interesante es que no se requiere mucho para falsificar el evangelio. Más adelante veremos lo sutil que puede ser tal desvío y cuán sagaz puede ser la modificación. No fue por nada que el Señor dijo en una ocasión: "Muchos me dirán en aquel día: 'Señor, Señor, ¿no profetizamos en tu nombre, y en tu nombre expulsamos demonios e hicimos muchos milagros?' Entonces les diré claramente: 'Jamás los conocí. ¡Aléjense de mí, hacedores de maldad!'" (Mat. 7:22-23).

Resulta incomprensible que alguien pueda llamarse cristiano y estar bajo la influencia y poder del maligno. Normalmente pensamos que quienes no quieren saber nada de Cristo, son los que caen bajo el poder del adversario de Dios. Frecuentemente no comprendemos cómo alguien que acepta a Cristo, que parece ser un miembro fiel de una congregación cristiana, que es celoso por la causa de Dios y apegado a la más estricta ortodoxia, pueda estar controlado por el enemigo de la justicia divina. Dios no permita que nosotros seamos tales personas.

La justicia por fe en el tiempo del fin

Y esta es la vida eterna: que te conozcan a ti, el único Dios verdadero, y a Jesucristo, a quien tú has enviado (Juan 17:3).

OTRO PELIGRO AL FALLAR en la comprensión del mensaje de la justicia de Cristo y el evangelio, es de naturaleza escatológica. Nos gusta hablar de los últimos días. Nos fascina el tema de la crisis final y de los eventos finales. Hasta perseguimos a los predicadores de estos temas de iglesia en iglesia y de auditorio en auditorio. Estamos dispuestos a comprar cualquier publicación o grabación para estar al día con las últimas interpretaciones proféticas. Hasta podemos llegar a tener una especie de complejo de persecución, y a menudo caemos víctimas de los predicadores del "allí viene el lobo", que tanta frustración ha traído a tantos miembros de nuestras iglesias. A veces no entendemos que lo importante no es el conocimiento preciso del fin, sino estar preparados y salir victoriosos cuando el fin llegue.

Pero nunca saldremos airosos en el tiempo de angustia si no entendemos bien los fundamentos del evangelio. Notemos estas palabras: "Si queréis salir incólumes del tiempo de angustia, debéis conocer a Cristo y apropiaros del don de su justicia, la cual imputa al pecador arrepentido" (*Mensajes selectos*, t. 1, p. 426).

De nada sirve tener fascinación por las profecías apocalípticas del tiempo del fin si no tenemos una experiencia viva con Cristo. De nada sirve la pasión desordenada y el interés enfermizo por saber los detalles relacionados con el fin del tiempo, si no nos hemos apropiado de la justicia de Cristo. Conocer a Cristo personalmente y vestirnos de su incontaminado manto de justicia nos dará la fuerza espiritual para ser vencedores en aquel día.

Por eso nuestro Señor dijo en una ocasión: "Y esta es la vida eterna: que te conozcan a ti, el único Dios verdadero, y a Jesucristo, a quien tú has enviado" (Juan 17:3). Este conocimiento, sin embargo, no es un concepto abstracto que tenga que ver con un conocimiento filosófico acerca de Dios o de Cristo. Es, más bien, el tener una relación personal y hacer una entrega de fe a la persona de Cristo.

Tener fe en Jesús

¡En esto consiste la perseverancia de los santos,
los cuales obedecen los mandamientos de Dios y se mantienen
fieles a Jesús! (Apocalipsis 14:12).

COMO ADVENTISTAS QUE ESPERAMOS la segunda venida de Cristo, estamos convencidos de que tenemos un papel importante que jugar en el desarrollo de los eventos finales. Uno de esos papeles consiste en proclamar el mensaje del tercer ángel. Decimos comúnmente que este mensaje es una proclamación de la ley de Dios, y particularmente de la vigencia del cuarto mandamiento. Este mensaje se dará en el marco de un conflicto abierto contra Babilonia. Todo esto es verdad.

Lo que se nos ha pasado por alto, por alguna razón, es que la proclamación del mensaje del tercer ángel, que incluye la observancia de los mandamientos de Dios, también incluye la fe en Jesús. Este desliz me parece que ha sido motivado por la traducción literal de la versión Reina-Valera, que dice: "y la fe de Jesús" (Apoc. 14:12). En realidad, esta expresión debiera entenderse como "los que tienen fe en Jesús". La Nueva Versión Internacional dice: "y se mantienen fieles a Jesús". Es decir, no es que debemos tener la fe que Jesús tenía, sino tener fe en Jesús. Si no la tenemos en medio de esta crisis final, no participaremos del mensaje del tercer ángel. Observen: "El tiempo de prueba está precisamente delante de nosotros, pues el fuerte pregón del tercer ángel ya ha comenzado en la revelación de la justicia de Cristo, el Redentor que perdona los pecados" (*Mensajes selectos*, t. 1, p. 425).

La justicia de Dios se revela en el mensaje del tercer ángel. Este tiene un antecedente en el mensaje de la justificación por la fe. Es interesante que Elena G. de White pensara que el reavivamiento que surgió en nuestra iglesia en conexión con la predicación del mensaje de la justificación por la fe después de 1888, era un preludio del pregón del mensaje del tercer ángel. Esto implica que no se puede participar de este mensaje a menos que se experimente la justicia de Cristo, que es la esencia del evangelio. Llama la atención el hecho de que el mensaje del primer ángel, que obviamente antecede al tercero, es una proclamación del "evangelio eterno" (Apoc. 14:6). Se deduce que los que participen en el mensaje del tercer ángel serán predicadores del evangelio.

Justificados

Abram creyó al Señor, y el Señor lo reconoció a él como justo (Génesis 15:6).

LA ESENCIA DEL EVANGELIO es el mensaje de la justicia de Cristo o la justificación por la fe. La expresión tiene dos componentes esenciales. Esta mañana vamos a meditar un poco en lo que significa la palabra "justificación".

Un estudio cuidadoso en el Antiguo Testamento de los términos que se traducen como "justicia" y "justo", y los términos griegos equivalentes usados en el Nuevo Testamento, nos lleva al entendimiento de que la justificación es una idea que se refiere a una relación. "Justo" es aquel que está en la relación correcta, ya sea con un pacto, una comunidad o una persona. Es vivir a la altura de una norma dada o una expectativa deseada. Así que, en la Biblia, justificación es el acto por medio del cual Dios declara que una persona está en la relación correcta con él. Ser justificados es ser declarados en armonía con Dios. Cuando una persona es justificada, no es hecha justa, sino declarada justa esto es, puesta en la relación que Dios quiere que tenga con él. La persona justificada tiene, por lo tanto, una nueva posición delante de Dios: se la considera justa. Así, en el Antiguo Testamento, personajes tan diferentes como Abraham, Noé, Lot y David, fueron considerados justos, pero no lo fueron desde el criterio estrictamente moral y ético, sino desde el punto de vista de su relación con Dios.

Este es el concepto tradicional de la Reforma protestante. En la teología popular, justificación significa "hacer justo". Se intuye que para que una persona sea justa, primero tiene que ser hecha justa. Este hacer justo, por supuesto, viene del esfuerzo humano. El hombre tiene que ser justo para ir a Dios. Como veremos en reflexiones posteriores, Dios no nos pide que seamos justos para ir a él. Quiere que vayamos como somos, la justicia que necesitamos, él nos la dará. Se nos dice: "Es privilegio nuestro creer que su sangre puede limpiarnos de toda mancha de pecado [...]. Él quiere que acudamos a él tal como somos, pecadores y contaminados. Su sangre es eficaz" (*Exaltad a Jesús*, p. 335).

Justicia por la fe

*Porque por gracia ustedes han sido salvados mediante la fe;
esto no procede de ustedes, sino que es el regalo de Dios, no por obras,
para que nadie se jacte (Efesios 2:8, 9).*

AYER MEDITABA en lo que significa el primer término de la expresión "justificación por la fe". Hoy reflexionará en el segundo: la fe. ¿Qué significa fe, o tener fe? Generalmente se define como confianza. De hecho, la palabra confianza, etimológicamente, significa "con fe". Tener fe es tener confianza.

Esta relación correcta con Dios solo es posible a través de esa fe o confianza. A la persona que tiene fe, el Señor la declara justa, y por lo tanto es una persona que está en buenos términos con Dios. O dicho de otra manera, para que una persona esté en la relación correcta con el Creador, es necesario que tenga fe, y en virtud de ella él la declara justa.

Son muchos los pasajes bíblicos que nos hablan de esto. Unos pocos serán suficientes: "De hecho, en el evangelio se revela la justicia que proviene de Dios, la cual es por fe de principio a fin, tal como está escrito: 'El justo vivirá por la fe'" (Rom. 1:17). "Dios es justo y, a la vez, el que justifica a los que tienen fe" (Rom. 3:26). "Porque sostenemos que todos somos justificados por la fe" (Rom. 3:28). "Pues no hay más que un solo Dios. Él justificará por la fe a los que están circuncidados y, mediante esa misma fe, a los que no lo están" (Rom. 3:30).

Más adelante vamos a definir en forma más precisa lo que significa tener fe. Hoy nos vamos a concentrar un poco en la razón de la fe, es decir, en por qué Dios establece que la justificación debe obtenerse por fe. En el Nuevo Testamento, el concepto de fe, como requisito para ser justificados, frecuentemente se menciona en contraste con la justificación basada en la ley. Esta expresión, "justificación basada en la ley", se refiere a una justificación basada en el mérito. La fe se contrasta con el mérito propio. Esto quiere decir que Dios no nos puede justificar por mérito propio. Dios decidió que, en la justificación, el mérito procediera de otra parte.

¿Qué es el pecado?

Así que comete pecado todo el que sabe hacer el bien y no lo hace
(Santiago 4:17).

A PARTIR DE HOY, y durante varios días, se reflexionará en los principios sobre los que se basa el mensaje de la justificación por la fe. Tiene que ver con preguntas básicas como: ¿Por qué es necesaria la justificación? ¿Por qué las personas necesitamos justificación?

Para entender la doctrina de la justificación debemos ir a la raíz del asunto. Necesitamos ir a las bases en las que se funda la doctrina de la justificación por la fe. Varios son los fundamentos que sostienen esta doctrina cristiana.

El primer fundamento que sirve de base y que le da sentido a esta doctrina, es el principio que dice que los seres humanos estamos en corrupción y bancarrota moral. Es decir, que estamos hundidos en el mal. En este punto debemos hacernos la pregunta, ¿qué es el mal? Si le preguntáramos a la Filosofía nos daría muchas respuestas.

El dualismo filosófico derivado de la filosofía platónica nos diría que el mal es un principio eterno que está en contraste con el bien. El zoroastrismo persa tenía dos dioses, Ormuz y Ariman, que representaban el bien y el mal, y que siempre luchaban entre sí, sin poder eliminarse. El famoso filósofo judío Spinoza decía que el mal es una ilusión, es decir, no existe. Otro filósofo, el alemán Ritschel, creía que el mal es ignorancia. Charles Darwin, en armonía con sus descubrimientos biológicos, pensaba que el mal es un conflicto interno entre la naturaleza moral del ser humano y su herencia animal. Para el cristiano, ninguna de estas respuestas es satisfactoria. No dan ninguna esperanza, ni solucionan nada.

Por supuesto, la Biblia difiere radicalmente de estos conceptos. Nos dice que el mal, al que llama pecado, es un principio que se opone a Dios. Lo define así: "Todo el que comete pecado quebranta la ley; de hecho, el pecado es transgresión de la ley" (1 Juan 3:4). La ley es un trasunto del carácter de Dios que revela el bien. Así que el pecado, cuando se opone a Dios y actúa en contra del bien, está en oposición a Dios. Es un principio en pugna con lo que es Dios. Es rebelión contra él. La naturaleza humana está en conflicto con Dios.

El origen de nuestra maldad

Desde el principio este ha sido un asesino, y no se mantiene en la verdad, porque no hay verdad en él. Cuando miente, expresa su propia naturaleza, porque es un mentiroso. ¡Es el padre de la mentira! (Juan 8:44).

AL PENSAR QUE EL SER HUMANO es pecaminoso y está hundido en el mal, surge la pregunta: ¿Por qué esta maldad? Como estudiantes de la Biblia tenemos una mejor comprensión de este problema. De otro modo estaríamos en tinieblas, como lo están los que no la tienen.

Sabemos que en algún punto de la eternidad, ciertos ángeles se rebelaron contra Dios. Pero, ¿cómo es posible que los ángeles se rebelaran contra Dios, siendo, como eran, seres perfectos que habitaban en condiciones perfectas? No es fácil responder esta pregunta. Cuando se trata de explicar el origen del mal, se cae frecuentemente en ideas que lo justifican. Pero si queremos intentar una explicación, parecería que el mal tuvo su razón de ser en el libre albedrío con que Dios dotó a sus criaturas inteligentes. Este implica libertad para pensar y actuar. Y a ciertas criaturas de su universo, Dios decidió darles esa libertad. ¿Por qué razón? No sabemos, pero Dios decidió hacerlo. ¿Es Dios, entonces, responsable del origen del mal? No. Dios es responsable de crear seres libres, no pecadores ni rebeldes.

Pero esta libertad implicaba la responsabilidad de usarla en armonía con la voluntad de Dios. Y hubo quienes fallaron en esto y se rebelaron contra Dios. Estos ángeles no fueron dignos de haber recibido ese honor de tener libertad, ya que "no mantuvieron su posición de autoridad, sino que abandonaron su propia morada" (Judas 6).

En suma, estos seres angelicales se rebelaron contra Dios, abandonaron sus responsabilidades en el gobierno divino, y usaron la mentira como su estrategia. Como resultado, fueron expulsados de la presencia de Dios. Jesús dijo del líder de la rebelión: "Yo veía a Satanás caer del cielo como un rayo" (Luc. 10:18). Ese es el informe de la revelación divina. Más de eso, tal vez no estamos en posición de entender. Pero nos enseña que la libertad requiere responsabilidad; y si no la tenemos, no se puede vivir en la presencia de Dios.

El origen de nuestra maldad II

*Tan solo he hallado lo siguiente: que Dios hizo perfecto
al género humano, pero este se ha buscado demasiadas complicaciones
(Eclesiastés 7:29).*

¿POR QUÉ LUCIFER SE REBELÓ CONTRA DIOS? Dice la Biblia que su pecado tuvo su raíz en el orgullo y el envanecimiento: "No debe ser un recién convertido, no sea que se vuelva presuntuoso y caiga en la misma condenación en que cayó el diablo" (1 Tim. 3:6). Este orgullo lo llevó lentamente a desafiar a Dios.

Pero esta rebelión no se detuvo allí. Cuando Dios creó a nuestros primeros padres, estos fueron también dotados de libre albedrío, como seres inteligentes que fueron creados a imagen de Dios. Todo ser en el universo de Dios que ha recibido libre albedrío debe pasar la prueba. Adán y Eva fueron sometidos a esta prueba, y el relato bíblico dice que no la pasaron (Gén. 3:1-5). Desobedecieron un mandamiento expreso de Dios, y se unieron a la rebelión de Lucifer. Como resultado, la descendencia humana llegó a ser rebelde y pecadora.

Pero como en el caso de Lucifer y sus ángeles, no había falla en Dios, sino en las decisiones de las criaturas. Antes de la caída, la Palabra de Dios describe a los seres humanos como perfectos y rectos (Ecles. 7:29); creados a la imagen de Dios (Gén. 1:26, 27); parte de una creación que se dijo que era muy buena (Gén. 1:31); llenos de gloria y de honra (Sal. 8:5).

Sin embargo, después de la caída, la humanidad se degeneró rápidamente. El odio la llevó al asesinato (Gén. 4:8); luego al adulterio (Gén. 4:19); hasta el punto que todo pensamiento era de continuo al mal (Gén. 6:5). Pablo resume esa historia tenebrosa con las palabras: "No hay un solo justo, ni siquiera uno; no hay nadie que entienda, nadie que busque a Dios. Todos se han descarriado, a una se han corrompido. No hay nadie que haga lo bueno; ¡no hay uno solo!" (Rom. 3:10-12). El mal fincó sus trincheras en el ámbito de la humanidad. Como seres humanos llegamos a estar en rebelión contra Dios. Pero a Dios no lo tomó por sorpresa. Él tenía un plan preparado para enfrentar el desafío de la rebelión con justicia y equidad.

Malos por naturaleza

*Las autoridades que están en ella son leones rugientes,
sus gobernantes son lobos nocturnos que no dejan nada
para la mañana (Sofonías 3:3).*

L A BIBLIA DICE, Y LA EXPERIENCIA HUMANA confirma, que
somos inherentemente malos. Esto, que es esencial para entender
el evangelio, ha sido desafiado por el humanismo contemporáneo.
Filósofos y pedagogos han tratado de convencernos de que somos naturalmente buenos. El mejor ejemplo moderno es el filósofo y pedagogo francés
Jean-Jaques Rosseau, quien enseñó que el hombre es bueno por naturaleza.
Muchos siguieron sus ideas hasta la Primera y Segunda Guerra Mundial.
Durante ellas hubo tal exhibición de barbarie entre los seres humanos que
muchos pensadores se desilusionaron con respecto a la bondad natural del
hombre. Hubo un desencanto general, amargo y triste.

Hoy día las declaraciones bíblicas ya no parecen tan absurdas. El salmista
decía: "Yo sé que soy malo de nacimiento; pecador me concibió mi madre"
(Sal. 51:5). El profeta declaraba: "Nada hay tan engañoso como el corazón.
No tiene remedio" (Jer. 17:9). Lo mejor que tenemos está contaminado por
el mal: "Todos nuestros actos de justicia son como trapos de inmundicia"
(Isa. 64:6). Nuestra condición natural es una podrida llaga: "Desde la planta
del pie hasta la coronilla no les queda nada sano: todo en ellos es heridas,
moretones y llagas abiertas, que no les han sido curadas ni vendadas, ni ali-
viadas con aceite" (Isa. 1:6).

Cuando la Palabra de Dios quiere enfatizar la miseria moral de la
humanidad, frecuentemente la compara con seres irracionales. Eso resalta
la pérdida de la imagen divina en los seres humanos. El salmista, enfati-
zando nuestras malas intenciones, decía: "Afilan su lengua cual lengua de
serpiente; ¡veneno de víbora hay en sus labios!" (Sal. 140:3). A pesar del
entendimiento que Dios nos dio, no queremos entender: "El buey conoce a
su dueño y el asno el pesebre de su amo; ¡pero Israel no conoce, mi pueblo no entiende!" (Isa. 1:3). Por supuesto, muchas de estas declaraciones
se referían al pueblo en general. Alguien podría decir que los dirigentes
debieran ser mejores. Pero notemos: "Ciegos están todos los guardianes de
Israel; ninguno de ellos sabe nada. Todos ellos son perros mudos, que no
pueden ladrar [...]. Son perros de voraz apetito; nunca parecen saciarse"
(Isa. 56:10, 11). ¡Qué cuadro tan triste de los que fueron una vez creados
a imagen de Dios!

Nuestra triste condición

Este mensaje es digno de crédito y merece ser aceptado por todos:
que Cristo Jesús vino al mundo a salvar a los pecadores,
de los cuales yo soy el primero (1 Timoteo 1:15).

LA HUMANIDAD SE ENCUENTRA en una condición moral deplorable. Escuchamos en los medios de comunicación cosas que nos parecen increíbles: crímenes inenarrables, secuestros infames, drogadicción rampante, corrupción generalizada. Es increíble lo que el ser humano puede hacer cuando se deja llevar por sus inclinaciones naturales. La Biblia sigue con el cuadro triste de asemejarnos a seres irracionales. Escribió el sabio: "Como vuelve el perro a su vómito, así el necio insiste en su necedad" (Prov. 26:11). El apóstol Pedro, citando al sabio, amplía la imagen, diciendo: "Y 'la puerca lavada, a revolcarse en el lodo'" (2 Ped. 2:22). Lo más lamentable del mal que mora en la naturaleza humana, es que nubla el entendimiento y destruye el deseo de buscar a Dios. Dice el salmista: "No seas como el mulo o el caballo, que no tienen discernimiento, y cuyo brío hay que domar con brida y freno, para acercarlos a ti" (Sal. 32:9). El pecado nos causa desorientación y no sabemos qué hacer. Tal vez la ilustración más triste es la usada por los profetas que compararon al ser humano con un rebaño de ovejas; pero no porque seamos mansos, sino porque nos apartamos del camino de Dios y luego no podemos regresar solos: "Todos andábamos perdidos, como ovejas; cada uno seguía su propio camino" (Isa. 53:6).

Este cuadro lamentable pintado por la Palabra de Dios es algo que nos cuesta mucho aceptar. Normalmente pensamos que no somos así. Después de todo, conocemos a personas buenas, buenos vecinos, hombres y mujeres honorables, gente consagrada y dadivosa que asiste frecuentemente a la iglesia. Vemos solo lo que tenemos delante de nuestros ojos; no podemos ver el corazón de las personas. Además, el pecado nos engaña y nos conduce a pensar bien de nosotros. No matamos, no robamos, no mentimos, no adulteramos. Como el fariseo de la parábola, vemos a los demás y nos consideramos buenos. Esa puede ser la tragedia más grande que vivamos. Para que el evangelio tenga significado, es mejor decir: "¡Oh Dios, ten compasión de mí, que soy pecador!" (Luc. 18:13).

Autoengaño

¡Soy un pobre miserable! ¿Quién me librará de este cuerpo mortal? ¡Gracias a Dios por medio de Jesucristo nuestro Señor! (Romanos 7:24, 25).

EL AUTOENGAÑO ES UNO DE LOS EFECTOS más terribles del pecado en la vida humana. Dijimos que nubla el entendimiento, de modo que no nos damos cuenta de lo que realmente somos. En tiempos de Jesús había un grupo de personas que eran admiradas por su estricto apego a la ley. Eran los religiosos más devotos de sus días. Ayunaban dos veces a la semana, daban el diezmo hasta de las minucias de sus ganancias, oraban tres veces al día, asistían fielmente a la sinagoga, estudiaban las Escrituras con ahínco y devoción, y eran misioneros celosos que recorrían el mundo entero para hacer un converso al judaísmo. Tan estrictos eran en la práctica religiosa, que se cree que a este grupo selecto solo pertenecían unos cinco o seis mil adeptos en toda la nación.

Resulta inaudito que Jesús dijera que eran "hipócritas, generación de víboras y sepulcros blanqueados" (Mat. 23). ¡No puede ser! ¡Si todo el mundo hablaba bien de ellos! Era un orgullo ser fariseo. El problema no estaba en lo que creían, sino en lo que pensaban de sí mismos. Es bueno hacer el bien, pero no es bueno pensar que uno es bueno.

Esto de que el pecado entenebrece la mente, se ilustra claramente con la experiencia de David, el hombre según el corazón de Dios. ¿Cómo un rey tan bueno, consagrado a Dios, noble y justo podría cometer algo tan ruin como lo que hizo David? ¿Cómo podría adulterar con la esposa de uno de sus mejores amigos y leal servidor? ¿Cómo podría asesinar a quien había arriesgado la vida tantas veces por él? Y cuando el profeta vino a contarle la historia de aquel que había tomado la única oveja de su amigo, ¿cómo es posible que todavía dictara una sentencia que reflejaba su indignación hacia la injusticia, y que no pudiera ver dibujado en el relato un cuadro de sí mismo? No, David no era un hipócrita. Lo que sucede es que el pecado lo había cegado hasta el punto que no veía su verdadera condición. Tal es la sutileza del pecado en la vida humana.

El caso más desesperado

Les digo que así es también en el cielo: habrá más alegría por un solo pecador que se arrepienta, que por noventa y nueve justos que no necesitan arrepentirse (Lucas 15:7).

ES IMPORTANTE TENER UNA COMPRENSIÓN adecuada de la naturaleza humana y su corrupción inherente, a fin de que el evangelio pueda tener sentido en nuestra vida. Quienes no comprenden este asunto y deforman la opinión bíblica y divina de lo que es realmente el ser humano, se colocan fuera del alcance de la salvación y del poder del evangelio.

Por eso, los héroes en la enseñanza de Jesús no eran las personas que pensaban bien de sí mismas. Al contrario, el foco de su enseñanza giraba alrededor de quienes podríamos pensar eran gente mala. Los héroes de Jesús eran los pobres, los pródigos, los publicanos y las rameras.

Diríamos, la peor ralea de sus días. Si Jesús viviera hoy, sin duda que incluiría en su mensaje a drogadictos, homosexuales, pandilleros, secuestradores y violadores de niños. A los ortodoxos de sus días, les dijo: "Les aseguro que los recaudadores de impuestos y las prostitutas van delante de ustedes hacia el reino de Dios" (Mat. 21:31). No quiere decir que Jesús admirara o solapara el mal. Lo que indica es que Jesús admiraba a las personas que reconocían su condición pecaminosa, sin importar quiénes fueran. Él sabía que esa gente era tierra fértil para el evangelio que predicaba.

El principio básico que subyace en el evangelio lo expresó el Señor cuando dijo: "No son los sanos los que necesitan médico sino los enfermos [...]. No he venido a llamar a justos sino a pecadores" (Luc. 5:31-32). El caso más desesperado para él era el de aquel que no reconocía su condición pecaminosa. Porque es como el que se está ahogando, pero cree que nada placenteramente; como aquel que se cree sano, pero un cáncer le corroe las entrañas. Reconocer nuestra condición es vital para entender el mensaje de la justificación por fe, que es la esencia del evangelio. Por eso Dios ha enviado su Espíritu para convencernos de nuestra condición (Juan 16:8). Tristemente, hay muchos que no lo dejamos hacer su obra.

Se requiere justicia

¿Quién puede subir al monte del Señor? ¿Quién puede estar en su lugar santo? Solo el de manos limpias y corazón puro, el que no adora ídolos vanos ni jura por dioses falsos (Salmo 24:3, 4).

A MANERA DE REPASO LE DIRÉ que el primer fundamento sobre el que se basa el evangelio es lo que la Biblia dice y la experiencia humana confirma: somos inherentemente malos. Para enfatizar esto, la Biblia no solo nos dice lo que somos, sino que compara al hombre caído con seres irracionales. Este cuadro de corrupción moral es algo que a los seres humanos se nos dificulta aceptar, porque el pecado oscurece nuestra comprensión propia. Negar nuestra condición neutraliza el poder del evangelio en la vida humana, ya que el evangelio son las buenas nuevas de salvación del mal; y si no somos malos, entonces no hay buenas nuevas y no hay salvación.

El segundo fundamento sobre el que se basa el evangelio es que el ser humano necesita justicia. Este es un corolario del primero. Si somos pecadores, entonces no somos justos; si no somos justos, necesitamos justicia. Esto, a su vez, nos lleva a hacernos la pregunta: ¿Por qué necesitamos justicia? Para responder esta pregunta necesitamos pensar un poco.

La salvación que Dios nos ofrece en su evangelio es el regreso a nuestra condición original. Cuando Adán y Eva fueron creados, Dios los hizo perfectos y rectos. La Biblia dice que fueron creados a imagen de Dios (Gén. 1:26). El Señor es recto y perfecto. Cuando creó el universo, lo hizo todo en armonía con lo que él es. Por eso nuestros primeros padres fueron hechos así. El universo era armónico porque todo era como Dios es. Cuando el pecado entró, se introdujo la desarmonía, que es rebelión contra Dios. Es el propósito del Creador terminar con esta desarmonía y traer todas las cosas a la norma que él mismo es. En esencia, la salvación significa conducir al ser humano a la armonía con su Creador. Implica que el ser humano, una vez salvado, debe ser como el Creador, es decir, ser recreado a la imagen de su Hacedor. Puesto que Dios es justo, la Biblia dice que para estar en su presencia debemos ser justos. Por eso es que necesitamos justicia.

El ideal de Dios para el hombre

Dichosos los de corazón limpio, porque ellos verán a Dios (Mateo 5:8).

EL SER HUMANO ES MALO, por lo tanto, necesita justicia. El hombre está manchado por el mal, luego necesita limpieza del pecado. La raza humana es impura por causa del pecado, necesita santidad. Sin estas características nunca podremos estar en la presencia de Dios. Por eso el Señor lo dijo claramente: "Dichosos los que tienen hambre y sed de justicia, porque serán saciados" (Mat. 5:6). "Busquen la paz con todos, y la santidad, sin la cual nadie verá al Señor" (Heb. 12:14). El ideal que Dios tiene para sus hijos lo constituye él mismo: "El blanco a alcanzarse es la piedad, la semejanza a Dios [...]. Tiene que alcanzar un objeto, lograr una norma que incluye todo lo bueno, puro y noble" (*La educación*, p. 16).

Para ser salvos necesitamos una justicia que no tenemos, porque somos seres naturalmente manchados por el mal. Surge en nuestra mente una pregunta crucial: ¿Cómo podemos conseguir esta justicia? ¿Podremos obtenerla mediante nuestra fuerza de voluntad y nuestros esfuerzos personales?

Estamos acostumbrados a pensar que muchas cosas las podemos conseguir con la fuerza de voluntad. Conocemos el dicho popular: "El que quiere, puede". O, dicho de otra manera: "Querer es poder". ¿Funciona esto en el mundo espiritual? ¿Podremos ser buenos si nos lo proponemos?

Es en esta coyuntura que se nos confunden las ideas. Pensamos que hacer el bien es lo mismo que ser buenos. Que si logramos hacer cosas buenas, entonces seremos buenos. Sabemos que el buen ciudadano es aquel que se comporta civilmente bien. Si pagas tus impuestos y no le haces mal a nadie, eres bueno. Si vas a la iglesia y cumples con sus normas y reglamentos, eres bueno. Pensamos que la bondad se mide con acciones. Solo basta un momento de reflexión para darnos cuenta que hacer el bien no es lo mismo que ser buenos. Hay tantas personas que hacen cosas buenas, pero que están muy lejos de ser buenas. Podemos hacer el bien y tener motivos malos. El hacer no siempre corresponde al ser. El único que es bueno es Dios (Mat. 19:17), porque en él, el ser y el hacer se corresponden absolutamente. ¿Podremos, nosotros seres humanos manchados por el mal, hacer lo bueno y ser buenos al mismo tiempo?

Naturaleza corrupta

Me doy cuenta de que en los miembros de mi cuerpo hay otra ley, que es la ley del pecado. Esta ley lucha contra la ley de mi mente, y me tiene cautivo (Romanos 7:23).

A CAUSA DE QUE COMO SERES HUMANOS estamos saturados del mal en nuestra naturaleza, aunque podemos con nuestra fuerza de voluntad hacer cosas buenas, no podemos ser buenos. El ser buenos implica cambiar nuestra naturaleza, y eso no lo podemos hacer con nuestras propias fuerzas.

Cuando fueron creados nuestros primeros padres, no tenían inclinaciones hacia el mal. Su naturaleza era semejante a la de su Hacedor. Como resultado de la desobediencia, introdujeron un principio que llegó a ser parte de la naturaleza humana; este principio es el pecado, que es rebelión contra Dios.

El pecado se revela en la vida humana por lo menos de dos maneras. Primero, el hombre llega a practicar tanto el pecado que no lo puede vencer; es un amo duro que demanda obediencia. Quisiera liberarse de él, pero no puede. Trata con todas sus fuerzas, pero cae vencido. Su voluntad ha sido quebrantada por el mal. A esto se refería el apóstol Pablo cuando dijo: "No entiendo lo que me pasa, pues no hago lo que quiero, sino lo que aborrezco [...]. Yo sé que en mí, es decir, en mi naturaleza pecaminosa, nada bueno habita. Aunque deseo hacer lo bueno, no soy capaz de hacerlo. De hecho, no hago el bien que quiero, sino el mal que no quiero. Y si hago lo que no quiero, ya no soy yo quien lo hace sino el pecado que habita en mí" (Rom. 7:15-20).

La otra forma como el pecado actúa en el ser humano, es corrompiendo su naturaleza, de tal manera que la persona puede hacer lo que Dios pide, pero no lo hace a gusto. Intenta cumplir con lo que Dios requiere en su ley, pero le gustaría hacer algo distinto. En este caso existe la fuerza de voluntad para hacer las cosas, pero la naturaleza corrupta no está a gusto. En el fondo preferiría hacer algo diferente. La naturaleza humana no está en armonía con Dios y no le gusta lo que le agrada a él. No mata, no miente, no roba, no adultera, pero le gustaría hacerlo. Eso revela la corrupción de la naturaleza humana por el mal. No hacemos lo malo, pero no somos buenos.

Una imposibilidad

Si tú, Señor, tomaras en cuenta los pecados,
¿quién, Señor, sería declarado inocente? (Salmo 130:3).

EL TERCER FUNDAMENTO DEL EVANGELIO es que el hombre no puede alcanzar la justicia por sí mismo. Muchas veces podemos modificar nuestra conducta, pero cambiar nuestra naturaleza está más allá de nuestras posibilidades. Algunos centran su esperanza en la ingeniería genética, que, según dicen, algún día podría modificar de tal modo el genoma humano que se podrán crear seres humanos perfectos. Mientras llega ese día (algunos creen que ya ha llegado), el evangelio ofrece la única esperanza.

Alcanzar la norma de justicia y santidad que se requiere para estar en la presencia de Dios, es imposible para el ser humano con una naturaleza corrompida por el mal. De acuerdo a la Palabra de Dios, hombres sensibles del pasado se dieron cuenta de eso: Job declaró: "Aunque sé muy bien que esto es cierto, ¿cómo puede un mortal justificarse ante Dios?" (Job 9:1, 2). "¿Qué es el hombre para creerse puro, y el nacido de mujer para alegar inocencia? Si Dios no confía ni en sus santos siervos, y ni siquiera considera puros a los cielos, ¡cuánto menos confiará en el hombre, que es vil y corrupto y tiene sed del mal!" (Job 15:14-16). "¿Cómo puede el hombre declararse inocente ante Dios? ¿Cómo puede alegar pureza quien ha nacido de mujer? Si a sus ojos no tiene brillo la luna, ni son puras las estrellas, mucho menos el hombre, simple gusano; ¡mucho menos el hombre, miserable lombriz!" (Job 25:4-6). El profeta Isaías exclamó cuando tuvo una revelación de Dios: "¡Ay de mí, que estoy perdido! Soy un hombre de labios impuros y vivo en medio de un pueblo de labios blasfemos, ¡y no obstante mis ojos han visto al Rey, al Señor Todopoderoso!" (Isa. 6:5).

Por tener una naturaleza contaminada por el mal, no podemos ser justos, aunque hagamos cosas justas. El profeta Jeremías decía: "¿Puede el etíope cambiar de piel, o el leopardo quitarse sus manchas? ¡Pues tampoco ustedes pueden hacer el bien, acostumbrados como están a hacer el mal!" (Jer. 13:23). "Aunque te laves con lejía, y te frotes con mucho jabón, ante mí seguirá presente la mancha de tu iniquidad —afirma el Señor omnipotente—" (Jer. 2:22).

Nuestra única esperanza

El Señor es nuestra justicia (Jeremías 33:16).

LA IMPOSIBILIDAD HUMANA de llegar a ser justos por nuestros propios esfuerzos es el segundo fundamento del evangelio. Si pudiéramos ser justos y santos por nuestra voluntad o esfuerzo personal, no necesitaríamos el evangelio. Esto implica que Cristo no hubiera tenido que venir a morir por nosotros, y el plan de salvación del hombre no se habría elaborado bajo esas premisas. Cada quien tendría que salvarse por sí mismo. El mérito sería personal.

Pero, humanamente hablando, no hay remedio para nuestro mal espiritual. El profeta preguntaba: "¿No queda bálsamo en Galaad? ¿No queda allí médico alguno? ¿Por qué no se ha restaurado la salud de mi pueblo?" (Jer. 8:22). Ya vimos que el apóstol Pablo exclamaba: "¿Quién me librará de este cuerpo mortal?" (Rom. 7:24). Desde el punto de vista humano, el apóstol no hallaba ninguna solución. Dejados a nuestras fuerzas, no podemos alcanzar la elevada norma que se requiere para estar en la presencia de Dios.

Es por eso que el evangelio solo tiene sentido para los que reconocen esa imposibilidad. Al darnos cuenta que se requiere justicia y santidad para estar en la presencia de Dios, que no tenemos esa justicia y que desde el punto de vista humano no podemos alcanzarla, entonces el mensaje del evangelio tiene una gran trascendencia en nuestra experiencia personal.

Si no creemos que se requiere justicia y santidad para estar delante de Dios, el evangelio pierde su importancia; si reconocemos esto pero creemos que somos justos, no necesitamos el evangelio; si aceptamos esto otro pero concluimos que podemos ser justos por nuestro esfuerzo personal, tampoco necesitamos el evangelio. Es por eso que una comprensión cabal del evangelio envuelve el entendimiento de estas tres premisas fundamentales. Esto nos prepara para el último fundamento del evangelio: Esa justicia que se requiere, que no tenemos y que no podemos conseguir con nuestro esfuerzo, solo se puede obtener de una fuente externa. Esa fuente externa es Dios, es el único que nos la puede dar, porque él es realmente justo. Por eso el profeta decía que en el día final se dirá: "El Señor es nuestra justicia" (Jer. 33:16).

Solo por fe

*En él, mediante la fe, disfrutamos de libertad y confianza
para acercarnos a Dios (Efesios 3:12).*

UNA VEZ ANALIZADOS los fundamentos sobre los que descansa el evangelio, está listo para analizar los componentes básicos del mensaje de la justificación por la fe, que, como se ha dicho muchas veces, es la esencia del evangelio. El primer componente que se destaca en este mensaje es que la justificación es por la fe. Hicimos referencia a esto anteriormente. Ahora lo vamos a considerar con más detenimiento.

Parece de Perogrullo que sea la fe la condición esencial de la justificación. Pero, por lo que implica, merece nuestra consideración. La justificación que necesitamos, que no tenemos, que no podemos conseguir por nuestro esfuerzo y que solo puede venir de Dios, la podemos obtener de él solo por la fe.

Pero obligadamente tenemos que preguntarnos: ¿Qué es fe? ¿Qué significa tener fe? ¿Cómo podemos tenerla? Primero analicemos qué es la fe. La consulta de un diccionario nos diría que fe es, entre otras cosas, confianza, seguridad. El término implica dependencia. Así que diríamos que la justificación la obtenemos por confianza, por dependencia. Que la justificación sea por la fe está claramente enseñado en la Biblia, especialmente en los escritos del apóstol Pablo. Pero en estos hallamos tres variantes interesantes, que nos ayudarán a comprender qué significa la fe.

En primer lugar, tenemos una serie de declaraciones que no tienen especificación alguna. Por ejemplo: "A la verdad, no me avergüenzo del evangelio, pues es poder de Dios para la salvación de todos los que creen" (Rom. 1:16). No se dice cuál es el contenido de su creencia. Más adelante se nos dice: "De hecho, en el evangelio se revela la justicia que proviene de Dios, la cual es por fe de principio a fin, tal como está escrito: El justo vivirá por la fe" (vers. 17). Una más: "Porque sostenemos que todos somos justificados por la fe" (Rom. 3:28). No se dan indicaciones concretas de cuál es el significado de la fe. Sin embargo, aunque no lo aclaren, son declaraciones valiosas, como leerá más adelante.

Un poco más claro

---

*De hecho, Cristo es el fin de la ley, para que todo
el que cree reciba la justicia (Romanos 10:4).*

EN LOS ESCRITOS DE PABLO hay varias declaraciones con respecto a que la justificación se obtiene por la fe, pero esta fe no está definida con claridad. Alguien podría concluir que el apóstol habla de la fe en general, sin ningún contenido explícito. En los pasajes que consideraremos hoy veremos que lo que Pablo quiere decir se revela con un poco más de claridad.

Las siguientes declaraciones que hace Pablo sobre la justificación son más precisas acerca del contenido de la fe. Por ejemplo: "Sin embargo, al que no trabaja, sino que cree en el que justifica al malvado, se le toma en cuenta la fe como justicia" (Rom. 4:5). Aquí la fe que justifica es una fe que se dirige al que justifica. El contenido de la fe empieza a aclararse aunque todavía no está completamente explicada. El siguiente pasaje es un poco más revelador: "En consecuencia, ya que hemos sido justificados mediante la fe, tenemos paz con Dios por medio de nuestro Señor Jesucristo" (Rom. 5:1). Se puede concluir en este pasaje que la fe de la que se habla tiene que ver con nuestro Señor Jesucristo, porque es por él que tenemos paz con Dios.

Otro pasaje nos dice: "Ustedes no pudieron ser justificados de esos pecados por la ley de Moisés, pero todo el que cree es justificado por medio de Jesús" (Hech. 13:39). La justificación viene de Jesús y se da al que cree. Falta solo un paso para que el contenido de la fe sea completo. Uno más: "Así que la ley vino a ser nuestro guía encargado de conducirnos a Cristo, para que fuéramos justificados por la fe" (Gál. 3:24). El sentido parece indicar que para ser justificados tenemos que tener fe en Cristo, aunque todavía no se aclara plenamente. El mismo pensamiento lo hallamos en nuestro pasaje clave anotado arriba (Rom. 10:4). El apóstol nos ha empezado a revelar lo que quiere decir cuando habla de que la justicia viene por la fe.

Fe en una persona

No quiero mi propia justicia que procede de la ley, sino la que se obtiene mediante la fe en Cristo, la justicia que procede de Dios, basada en la fe (Filipenses 3:9).

EL APÓSTOL Pablo va clarificando cada vez más lo que quiere decir con sus declaraciones contundentes de que la justificación se obtiene por fe. Ahora leeremos algunos pasajes que explican claramente lo que significa tener una fe que justifica. Notemos: "Esta justicia de Dios llega, mediante la fe en Jesucristo, a todos los que creen" (Rom. 3:22). Finalmente llegamos a lo que Pablo quiere decir. Él no está hablando de fe en general. Él habla de una fe que se dirige a una persona, Jesucristo. No se trata de tener fe en algo, sino en alguien. No es fe en un conjunto de doctrinas, sino fe en una persona. No es fe en una iglesia, sino en un individuo.

Pero, ¿qué significa creer en una persona? ¿Qué implica creer en la persona de Cristo? Veamos un pasaje más: "Dios lo ofreció como un sacrificio de expiación que se recibe por la fe en su sangre, para así demostrar su justicia" (Rom. 3:25). Creer en Cristo significa creer en su sangre. Sangre es sinónimo de vida: perderla, es perder la vida. Entonces, no es solo creer en una persona, sino creer en lo que esa persona hizo, es decir, que derramó su sangre, entregó su vida como un sacrificio. Este sacrificio fue una expiación o propiciación. Debe entenderse, expiación por el pecado, por mis pecados. Debo tener fe que el sacrificio de Cristo fue por mis pecados. Si no tengo fe en eso, no hay justificación.

En nuestro texto de hoy se revela que hay una justicia que se puede obtener, y que está basada en lo que hacemos, es decir, en el mérito propio. Es la justicia propia, que no sirve para justificarse ante Dios. La justicia verdadera es la que se obtiene mediante la fe en Cristo. El mérito es de Cristo, no de nosotros. No podemos hacer nada meritorio delante de Dios. Lo único que podemos hacer para alcanzar la justificación divina es creer en lo que Cristo hizo en nuestro favor. Esa es la justicia basada en la fe.

Justificados por su sangre

Pero ahora en Cristo Jesús, a ustedes que antes estaban lejos,
Dios los ha acercado mediante la sangre de Cristo (Efesios 2:13).

TENER FE EN CRISTO es tener fe en su sangre, es decir, tener fe en que entregó su vida, que murió como sacrificio por el pecado. Para el apóstol Pablo era muy importante este concepto de tener fe en la sangre de Cristo. Veamos este pasaje: "Pero Dios demuestra su amor por nosotros en esto: en que cuando todavía éramos pecadores, Cristo murió por nosotros. Y ahora que hemos sido justificados por su sangre, ¡con cuánta más razón, por medio de él, seremos salvados del castigo de Dios!" (Rom. 5:8, 9). Notemos: Cristo murió por nosotros, hemos sido justificados por su sangre. Esta justificación nos salva del castigo de Dios, porque Cristo murió en nuestro lugar. La fe que salva es la fe que se enfoca en la persona de Cristo, particularmente, en su muerte, porque su muerte fue una muerte expiatoria, no una muerte cualquiera.

Esta es la razón por la que la sangre de Cristo se conecta con la redención: "En él tenemos la redención mediante su sangre, el perdón de nuestros pecados, conforme a las riquezas de la gracia" (Efe.1:7). Esta redención no es otra cosa que la redención del pecado, que solo es posible mediante el perdón de Dios. Al justificarnos, Dios nos perdona, y al perdonarnos, nos redime. Así que la justificación es, en esencia, la redención del ser humano.

Otra idea importante que se vincula con la sangre de Cristo es la reconciliación: "Y, por medio de él, reconciliar consigo todas las cosas, tanto las que están en la tierra como las que están en el cielo, haciendo la paz mediante la sangre que derramó en la cruz" (Col. 1:20). La muerte de Cristo logró hacer la reconciliación de Dios con el hombre y del hombre con Dios. Por su muerte Dios está en paz con nosotros, porque nos ha justificado: "Ya que hemos sido justificados mediante la fe, tenemos paz con Dios por medio de nuestro Señor Jesucristo" (Rom. 5:1). La reconciliación es un corolario de la justificación que recibimos por la fe en su sangre.

El único camino

Separados de mí no pueden ustedes hacer nada (Juan 15:5).

LA FE QUE SALVA debe dirigirse hacia una persona, es decir, la fe es una condición que implica una relación personal con Cristo. Uno puede creer en muchas cosas o personas, pero para alcanzar la justificación delante de Dios hay que tener fe en Jesús.

Esto está en armonía con las enseñanzas de Cristo registradas en los evangelios. Él dijo: "Yo soy la puerta; el que entre por esta puerta, que soy yo, será salvo" (Juan 10:9). Es interesante que Jesús no dijo que él era "una" de muchas puertas que conducen al redil de Dios y a la salvación. Dijo que era "la puerta". Es obvio que para él no hay tantas puertas, no hay tantas maneras de llegar a Dios y de salvarse. Si queremos ser salvos tenemos que entrar por esa puerta, que es él; es decir, tenemos que creer en él.

Cristo también hizo otra declaración impresionante: "Yo soy el camino, la verdad y la vida [...]. Nadie llega al Padre sino por mí" (Juan 14:6). También es importante notar que Jesús no dijo que era un camino para llegar a Dios. Para él no había muchos caminos para llegar al Padre. Dijo que había uno solo, y que él era ese camino. También dijo que era la verdad. Vino a revelar el plan de la salvación que incluía su muerte para redimir al hombre. Y también dijo que era la vida. Es decir, la vida eterna, que hay solo una. Para hallar el camino de regreso a Dios, tenemos que creer en Jesús. No hay otra fórmula.

Los seres humanos han inventado muchos caminos para llegar a Dios, muchas maneras de salvarse. Llámese Buda, Confucio, Lao Tsé, Mahoma, Krishna, etcétera, todos son caminos falsos que no llevan al Dios verdadero. Pedro lo dijo con claridad meridiana: "De hecho, en ningún otro hay salvación, porque no hay bajo el cielo otro nombre dado a los hombres mediante el cual podamos ser salvos" (Hech. 4:12).

¿Es la fe merecida?

Jesús se dio vuelta, la vio y le dijo: "¡Ánimo, hija! Tu fe te ha sanado"
(Mateo 9:22).

LA FE ES TENER FE EN JESÚS. Es decir, confiar en una persona, específicamente, en lo que hizo esa persona. Así que la fe no es un mero asentimiento intelectual. Implica depositar nuestra confianza en una persona, lo que requiere una relación personal. Por lo tanto, somos justificados por tener una relación personal de confianza con Cristo.

A veces, cuando leemos la Biblia sin tomar en cuenta su contexto más amplio, podemos concluir que la fe es un mero asentimiento intelectual, solo un ejercicio mental. Jesús dijo a varias personas a las que iba a sanar: "Ten fe". En otra ocasión dijo a sus discípulos: "Si tuviereis fe". Con esto, sin mucha reflexión, podríamos concluir que la fe es solo un ejercicio abstracto de la mente. Pero no es así cuando lo vemos a la luz de lo que afirman los escritos de Pablo.

La cuestión de la fe se complica un poco más cuando le atribuimos a ese ejercicio mental una cualidad meritoria. Es decir, llegamos a pensar que la fe es un mérito, porque si no tienes fe, no puedes conseguir lo que quieres. Entonces, la fe se convierte en un mérito propio, porque el que tiene la fe es la persona involucrada; por lo tanto, es su mérito personal. Este concepto es muy peligroso cuando lo llevamos a la justificación o salvación. Si la fe es un mérito personal, entonces somos justificados por tener ese mérito. En este caso sería: es por la fe, pero por la fe que yo tengo. Por lo tanto, me salvo por mérito propio.

En la Biblia se oponen la salvación por obras y la salvación por fe. La fe es el medio que nos lleva a aferrarnos de Cristo, quien es el que nos salva. La fe no salva; el que salva es Cristo. No se debe poner mérito alguno en la fe porque distorsiona el evangelio de Cristo. Notemos: "Es peligroso considerar que la justificación por la fe pone mérito en la fe" (*Fe y obras*, p. 24).

La fe es un don de Dios

*Para el que cree, todo es posible
(Marcos 9:23).*

N O SE DEBE poner mérito en la fe, ya que distorsiona el mensaje del evangelio. Hace que la salvación se base en el mérito propio, no en los méritos de Cristo. Es verdad que debemos tener fe, pero esta no debe nunca considerarse un mérito.

Digamos que hay una persona que se está ahogando en un río. Nadie la puede sacar. Lucha desesperadamente por mantenerse a flote, pero es imposible. Cuando está a punto de perder el conocimiento, alguien le extiende una rama para que se aferre a ella. La persona se aferra desesperadamente a la rama. La llevan a la orilla y le dan los primeros auxilios. Cuando ya está recuperada, imagínense que exclama: "¡Qué bueno soy, porque me aferré de la rama!". Eso sería inaudito. Se supone que el mérito es de la persona que le arrojó la rama. Así sucede con la concepción de la fe como mérito. El mérito es de Cristo que nos salvó, no de nosotros que tenemos fe en él. La señora Elena G. de White dijo: "La fe es rendir a Dios las facultades intelectuales, entregarle la mente y la voluntad, y hacer de Cristo la única puerta para entrar en el reino de los cielos" (*Fe y obras*, p. 24).

Otra consideración que prohíbe que consideremos la fe como un mérito es el hecho de que la fe es un don de Dios. Nosotros no tenemos fe por nosotros mismos, es decir, no producimos la fe. La recibimos de Dios. Dice el apóstol: "Nadie tenga un concepto de sí más alto que el que debe tener, [...] según la medida de fe que Dios le haya dado" (Rom. 12:3). A todos los seres humanos Dios no ha dado la capacidad de creer. Todos tenemos una medida de fe, es decir, podemos creer. Este don, como todos los dones que Dios da, puede usarse para bien o para mal. Al usar el don de la fe para el bien, el don se fortalece. Así desarrollamos la capacidad de creer en Dios. Esto es lo que quiere decir que Dios aumenta nuestra fe. Pero enorgullecernos de que tenemos fe y atribuirle un valor meritorio, es distorsionar el evangelio de Cristo.

Una maldición

> *Sin embargo, al reconocer que nadie es justificado por las obras que demanda la ley sino por la fe en Jesucristo, también nosotros hemos puesto nuestra fe en Cristo Jesús, para ser justificados por la fe en él y no por las obras de la ley; porque por estas nadie será justificado (Gálatas 2:16).*

LA SEGUNDA CARACTERÍSTICA DE LA JUSTIFICACIÓN por la fe, es que es por la fe sola; es decir, solo por fe. Este es uno de los postulados de la Reforma protestante del siglo XVI. Al estudiar la Epístola a los Romanos, Martín Lutero llegó a la conclusión de que la justificación se obtiene solo por la fe. Al margen de la palabra fe del texto "el justo vivirá por la fe", escribió la palabra "sola". Llegó al convencimiento personal de que somos justificados solo por la fe.

Si recordamos lo que hemos estado considerando acerca del significado bíblico de la fe, diríamos que somos justificados solamente por la fe en Cristo, y nada más. Frecuentemente, en los escritos de Pablo se opone la justificación por la fe con la justificación por las obras, o, como él lo dice, por las obras de la ley: "Porque sostenemos que todos somos justificados por la fe, y no por las obras que la ley exige" (Rom. 3:28). "Porque por gracia ustedes han sido salvados mediante la fe; esto no procede de ustedes, sino que es el regalo de Dios, no por obras, para que nadie se jacte" (Efe. 2:8, 9).

Para Pablo, decir que la justificación se podía obtener por las obras de la ley, es decir, obras meritorias, era una violación del evangelio. Esta violación o distorsión del evangelio involucra varios riesgos muy serios: el que concluya que la justificación se puede conseguir por obras meritorias, recibe una maldición de Dios. "Pero aun si alguno de nosotros o un ángel del cielo les predicara un evangelio distinto del que les hemos predicado, ¡que caiga bajo maldición! Como ya lo hemos dicho, ahora lo repito: si alguien les anda predicando un evangelio distinto del que recibieron, ¡que caiga bajo maldición!" (Gál. 1:8, 9).

Caer de la gracia

Aquellos de entre ustedes que tratan de ser justificados por la ley, han roto con Cristo; han caído de la gracia (Gálatas 5:4).

LAS PERSONAS QUE CREEN que se pueden justificar ante Dios por obras meritorias, corren el riesgo de caer bajo maldición. Una cosa es estar bajo la maldición de los hombres; otra muy distinta es estar bajo la maldición de Dios. La maldición de los hombres puede destruir tu cuerpo, pero eso es todo; la maldición de Dios puede destruir tu alma, y por consiguiente puedes perder la vida eterna. No es un riesgo de poca monta. Después de todo, es una distorsión del evangelio de Cristo.

Los que tratan de hallar la salvación por méritos propios corren otro riesgo también muy peligroso. Dice Pablo que es el riesgo de caer de la gracia. ¡Qué tremendo! Ahora nos damos cuenta por qué los que invocan la justificación propia están bajo maldición. ¡Es que se han desligado de Cristo! Cristo es el único medio que Dios proveyó para la redención del ser humano. Fuera de Cristo, entonces, no hay salvación. Así que los que dicen que se pueden salvar por sus propias obras, desdeñan la salvación que Dios les ofrece. Desprecian el sacrificio de Cristo provisto en lugar del pecador. Que los que creen en la justicia por obras se pierdan, no es para sorprenderse: Es el resultado natural de despreciar el sacrificio infinito de Dios por el pecador.

El apóstol considera que esa actitud implica romper con Cristo. Es, para todo fin práctico, darle la espalda a Cristo. Es como decirle: "Tú moriste por mí, pero, en realidad, no era necesario. Yo tengo otra forma como se podría haber logrado. He descubierto algo mejor". Las consecuencias de esta actitud son terribles. Dice Pablo que es caer de la gracia. La gracia es la bondad maravillosa de Dios que nos ofrece la salvación a través de lo que Cristo hizo. Caer de la gracia es rechazar esa oferta. ¡Con cuánto cuidado debiéramos considerar nuestra experiencia cristiana para no caer en este error fatal!

¿Murió en vano?

No desecho la gracia de Dios. Si la justicia se obtuviera mediante la ley, Cristo habría muerto en vano (Gálatas 2:21).

OTRO RIESGO QUE EL APÓSTOL PABLO menciona, y que está íntimamente relacionado con los ya mencionados, es hacer vano el sacrificio de Cristo. Resulta lamentable pensar que la actitud de justificarse por méritos propios invalida la muerte de Cristo. Decir que puedo salvarme de alguna otra manera hace, inútil el sacrificio de Cristo. Declara que Cristo murió por nada.

En el tiempo que Cristo fue crucificado había muchos que morían de esa manera. Cruces con cadáveres que pendían de ellas era una escena común en la Palestina de ese tiempo. ¿Creen ustedes que alguna de las personas que pasaban junto a esas cruces clavadas a la vera del camino, levantaban su rostro para mirar a los que estaban crucificados, y decir: "Él murió por nosotros?" Obviamente, no. Por lo menos deben haberse preguntado: "¿Por qué habrán crucificado a este? ¿Qué crimen debe de haber hecho que lo crucificaron?" Porque los que morían crucificados en ese tiempo eran ladrones, asesinos, asaltantes, secuestradores y esclavos fugitivos.

Tratar de justificarnos por méritos propios es invalidar la razón por la que Cristo murió en la cruz. Equivale a haber pasado debajo de su cruz, y haber exclamado: "¡Quién sabe por qué murió!".

Los sacerdotes y dirigentes judíos que conspiraron para que Cristo fuera crucificado decían saber por qué murió Jesús: "Señor —le dijeron—, nosotros recordamos que mientras ese engañador aún vivía, dijo: 'A los tres días resucitaré'" (Mat. 27:63). De acuerdo a ellos, Jesús era un engañador que merecía morir porque decía que era el Mesías, y no lo era. Por eso, decían ellos, murió en una cruz. Hicieron vano el sacrificio de Cristo porque hacían que hubiese muerto por sus propios delitos, no por los pecados de la humanidad.

Cuando creemos que la salvación depende de lo que hagamos, no de lo que Cristo hizo, hacemos vano su sacrificio y muerte. Proclamamos que Cristo murió de balde. Los escritores bíblicos no hacían vano el sacrificio de Cristo; creían que Cristo murió por nosotros.

Fracaso espiritual

Así dice el Señor: "¡Maldito el hombre que confía en el hombre! ¡Maldito el que se apoya en su propia fuerza y aparta su corazón del Señor!" (Jeremías 17:5).

OTRO GRAN RIESGO QUE corre el que busca la justificación por méritos propios, es fracasar en la experiencia cristiana. El apóstol lo puso de esta manera: "¿Qué concluiremos? Pues que los gentiles, que no buscaban la justicia, la han alcanzado. Me refiero a la justicia que es por la fe. En cambio Israel, que iba en busca de una ley que le diera justicia, no ha alcanzado esa justicia. ¿Por qué no? Porque no la buscaron mediante la fe sino mediante las obras, como si fuera posible alcanzarla así. Por eso tropezaron con la piedra de tropiezo" (Rom. 9:30-32).

Es lamentable que el pueblo de Israel cayera en el fracaso espiritual cuando iban en busca de la justicia. La razón de su fracaso es que, aunque querían justicia, deseaban la justicia de ellos, no la justicia que Dios les prometió. Dios les había prometido la justicia que se alcanza por la fe en Cristo, pero ellos querían la justicia que se alcanza por el mérito propio, es decir, con el esfuerzo personal.

El fracaso espiritual es el resultado seguro de buscar una justicia basada en el mérito. El éxito en la vida espiritual depende de nuestra relación estrecha con Cristo, una relación que se realiza por fe, es decir, por tener confianza en él. Cuando confiamos en nosotros mismos, entonces el fracaso está a las puertas. La confianza propia es señal segura de fracaso.

La razón de esto estriba en que nuestra naturaleza es una naturaleza débil y frágil. No tenemos las fuerzas morales para resistir el mal. Podemos resistir algunas cosas, pero el bombardeo del mal es tan persistente que finalmente caemos. Ya hemos mencionado que el apóstol Pablo exclamaba: "¿Quién me librará de este cuerpo mortal?" (Rom. 7:24). La naturaleza humana contaminada por el mal es impotente para oponerse a este enemigo poderoso. La justificación por la fe implica que colocamos nuestra confianza en lo que Dios puede hacer por nosotros, y no en lo que nosotros podemos hacer con nuestra propia fuerza. Si confiamos en nosotros, fracasaremos espiritualmente como sucedió con Israel.

El invento de Satanás

No he venido a llamar a justos sino a pecadores
para que se arrepientan (Lucas 5:32).

ESTE ASUNTO DE TRATAR DE JUSTIFICARSE por obras meritorias no era tan usual en el judaísmo como lo era en el paganismo. Todas las religiones paganas, sin excepción, son religiones que se basan en el mérito propio para alcanzar la salvación. Las religiones antiguas que ofrecían sacrificios como parte de su adoración, lo hacían con el propósito de aplacar la ira de sus dioses.

La religión judaica, con el tiempo, se convirtió en una religión que enfatizaba el mérito personal para alcanzar el favor de Dios. Notemos: "El principio de que el hombre puede salvarse por sus obras, que es fundamento de toda religión pagana, era ya principio de la religión judaica. Satanás lo había implantado; y doquiera se lo adopte, los hombres no tienen defensa contra el pecado" (*El Deseado de todas las gentes*, p. 26).

De acuerdo con esa declaración, el principio de la religión basada en el mérito tiene varios problemas. En primer lugar, es un invento satánico. En segundo lugar, es un principio que viene del paganismo. En tercero, cuando se lo adopta no hay defensa contra el pecado. Puesto que la presencia de Cristo en el alma es lo que nos ayuda a vencer nuestra naturaleza carnal, cuando creemos que lo podemos hacer con nuestro esfuerzo personal, caemos en un autoengaño. Ante tal situación, la victoria contra el mal es imposible.

Cuando muchos judíos se hicieron cristianos, trajeron consigo esa manera de ver la relación con Dios. De acuerdo al libro de Hechos, había muchos que, educados en ese sistema, veían la religión cristiana desde esa perspectiva. Sin embargo, no era la salvación por obras descarada del paganismo, sino la forma en que los judíos la habían adoptado. Una forma sutil de religión por obras: necesitas tener buenas obras para que Dios te acepte. Esto significaba simplemente: para que Dios te acepte, necesitas tener méritos. Dios le preguntaría a las personas: ¿Dónde están tus méritos para que me convenzas que te acepte? De acuerdo a la religión de la Biblia, Dios no pide eso. Quiere que vayamos a él como somos, a fin de limpiarnos y capacitarnos para vencer el mal.

La religión sutil del mérito

Algunos que habían llegado de Judea a Antioquía se pusieron a enseñar a los hermanos: "A menos que ustedes se circunciden, conforme a la tradición de Moisés, no pueden ser salvos" (Hechos 15:1).

E N LA FE CRISTIANA, LA RELIGIÓN DEL MÉRITO se importó, como era natural, del judaísmo de sus días. Los judíos convertidos a la religión de Cristo, especialmente los de origen sacerdotal y farisaico, no podían entender cómo los gentiles que se convertían a la fe de Cristo podían unirse a lo que llamaban el remanente de Israel, sin ser judíos. Estos creían que la única forma era convirtiéndolos al judaísmo primero. Por eso insistían en que debían circuncidarse en armonía con la ley de Moisés. Notemos: La circuncisión era la señal del pacto que Dios hizo con Abraham. Era natural que ellos, siendo judíos, pensaran que para tener derecho a las promesas de Abraham deberían circuncidarse. Así que insistían que los gentiles debían circuncidarse. Pero el problema real detrás de la escena era que decían algo así: "Está bien que hayan creído en Cristo, ¡pero si no se circuncidan de nada les vale creer!".

El apóstol Pablo se dio cuenta del verdadero problema: No es Cristo el que salva, es la circuncisión. Ese es el problema de la religión del mérito. Sí, Cristo está bien, pero necesitas hacer algo más para que Dios te acepte, entonces Cristo no es el único camino.

En la actualidad ya no tenemos el problema de la circuncisión o cualquier otro requerimiento de la ley ceremonial mosaica, pero puede ser otra cosa más sutil. Como por ejemplo, fe y buenas obras. Pero siempre es Cristo y algo más la fórmula engañosa de la religión del mérito. Como la circuncisión era algo razonable, así las buenas obras son algo razonable. Notemos estas palabras oportunas: "No hay un punto que precisa ser considerado con más fervor, repetido con más frecuencia o establecido con más firmeza en la mente de todos, que la imposibilidad de que el hombre caído haga mérito alguno por sus propias obras, por buenas que estas sean. La salvación es solamente por fe en Cristo Jesús" (*Fe y obras*, p. 16).

Es increíble, pero gratis

¡No puede ser! Más bien, como ellos, creemos que somos salvos
por la gracia de nuestro Señor Jesús (Hechos 15:11).

EN ESTE DÍA LE INVITO a reflexionar en otra característica de la justificación que se menciona frecuentemente en el Nuevo Testamento: La justificación es por gracia. Este, de paso, es otro de los postulados de la Reforma: "Sola gratia", solo por gracia. A esta premisa podríamos llegar por puro razonamiento, si no tuviéramos una declaración bíblica contundente. Si la justificación no se puede obtener por obras meritorias, y si la fe por la que se obtiene no es un mérito, entonces se obtiene gratis. Eso es lo que significa gracia: Algo que se recibe gratis, un don inmerecido que da la misericordia de Dios.

Pero hallamos declaraciones categóricas en este respecto. Por ejemplo: "Pero por su gracia son justificados gratuitamente mediante la redención que Cristo Jesús efectuó" (Rom. 3:24). La gracia es un sinónimo de misericordia. Nos salvó por su misericordia, porque no teniendo ningún mérito propio, nos hallábamos perdidos y sin esperanza. Su don inmerecido de justicia fue concedido por su bondad sin límites. Puesto que no pudimos hacer nada, se nos dio gratis.

Pero resulta increíble que este elemento gratuito de la salvación haga tropezar a muchos. Cuando nos dan algo gratis, lo pensamos dos veces. No estamos acostumbrados a que nos den gratis las cosas. Lo que es gratis resulta sospechoso en nuestra cultura moderna. ¿Qué pensaría si recibiera una carta o una llamada telefónica donde le dicen que se ha ganado una casa gratis? ¿Lo creería? Muy a pesar de los sorteos radiofónicos y televisivos, estoy seguro que lo pensaría dos veces, y haría averiguaciones antes de creerlo. Las cosas gratis no son creíbles. Como dice el refrán popular: "No hay nada gratis en esta vida; si hay algo, ponlo bajo sospecha". Por esta razón, cuando se nos dice que la salvación es gratis, nos cuesta trabajo aceptarlo. No debiéramos tener duda, porque el que lo dice es Dios. Y él no miente ni estafa.

Demasiado bueno para ser cierto

Y si es por gracia, ya no es por obras; porque en tal caso la gracia ya no sería gracia (Romanos 11:6).

E N ESTE MUNDO A NADIE le pagan primero para que trabaje después. Primero trabajamos y después nos pagan. Ningún estudiante recibe un diploma legal de estudios si primero no ha estudiado para ganárselo. Somos condicionados a pensar que si algo es gratis o no requiere esfuerzo, no vale la pena. Cuando algo nos ha costado mucho esfuerzo y trabajo, entonces nos sentimos orgullosos de ello. Este condicionamiento de la cultura moderna para poner en tela de juicio lo que es gratis, hace que algunas personas duden de que la salvación sea realmente gratuita. Cuando leemos en la Palabra de Dios que él nos perdona gratuitamente, que la salvación es por gracia, que es un regalo de Dios, nos parece que es solo una manera de decir las cosas para que entendamos que Dios nos ama, pero que debe haber algo que nosotros tenemos que hacer para ganar la salvación. Allá en el fondo de nuestra mente albergamos la idea de que algo tenemos que hacer para ser dignos de la salvación.

Se dice que el director médico de un hospital psiquiátrico de Londres dijo una vez: "Si los pacientes que están aquí creyeran en el perdón, mañana podría enviar a la mitad de ellos a sus casas". Mucha gente cree que Dios no perdona a menos que se haga alguna obra meritoria. Todos los años vemos en alguna parte largas filas de personas que van a pagar una promesa, o hacer algún sacrificio a algún centro religioso, con el propósito de que Dios les conceda alguna petición o sanidad. Están convencidos de que tienen que hacer méritos, para que algún santo patrono o divinidad los escuche.

Es que la religión del mérito apela mucho a los seres humanos. No es lo mismo que digamos que nos regalaron algo a que digamos que lo ganamos con nuestro esfuerzo personal. Por eso pensamos que algo tenemos que hacer para tener mérito ante Dios; nos hace sentirnos seguros, porque es nuestro esfuerzo personal.

Crédito inmerecido

Hemos dicho que a Abraham se le tomó en cuenta la fe como justicia (Romanos 4:9).

LA CUARTA CARACTERÍSTICA de la justificación es que es imputada. El verbo imputar se usa tradicionalmente para hablar de la concesión de la justicia. Significa atribuir, conceder, acreditar. Tiene que ver con la manera en que recibimos la justificación. Porque podemos hacernos la pregunta: si la justificación es un regalo divino, ¿cómo se nos da? ¿Cómo la recibimos? La respuesta es que la recibimos por imputación; es decir, se nos atribuye, se nos cuenta, se nos acredita. Como decíamos antes, somos declarados justos. Dios nos dice que somos justos, porque nos ha atribuido la justicia.

Notemos estas declaraciones interesantes: "Pues, ¿qué dice la Escritura? 'Le creyó Abraham a Dios, y esto se le tomó en cuenta como justicia'" (Rom. 4:3). "Ahora bien, cuando alguien trabaja, no se le toma en cuenta el salario como un favor sino como una deuda. Sin embargo, al que no trabaja, sino que cree en el que justifica al malvado, se le toma en cuenta la fe como justicia" (vers. 4 y 5).

Aquí se expresa la razón por la que se recibe la justicia. Al que tiene fe, esta se le cuenta por justicia. Para que alguien pueda ser declarado justo, necesita tener fe; la fe debe ser dirigida a aquel que se levantó de los muertos: Jesús. Por razón de nuestra fe en Jesucristo, Dios nos declara justos. Esta declaración de justicia se hace sobre la base de que a la persona que tiene fe se le atribuye justicia. A la persona de fe se la considera justa porque se le ha acreditado justicia. No es una ficción legal, como algunos dicen. Es decir, no es que Dios nos considere justos, aunque no seamos justos realmente. Eso no es lo que dice el apóstol. Él dice que Dios nos cuenta, nos atribuye, nos concede la justicia. Claro, se usa una metáfora del mundo financiero: se nos acredita. Es como si alguien deposita en nuestra cuenta bancaria un dinero que no es nuestro, pero que se nos da.

Cristo recibió el cargo

Al que no cometió pecado alguno, por nosotros Dios lo trató como pecador, para que en él recibiéramos la justicia de Dios (2 Corintios 5:21).

LA QUINTA CARACTERÍSTICA DE LA JUSTIFICACIÓN es que está basada en lo que Cristo hizo. He dicho que la justificación es imputada, es decir, acreditada. Se nos acredita a nuestra cuenta algo que no es nuestro. Este vocablo, dijimos, viene del mundo de los negocios. Siguiendo con esa imagen de las finanzas, diríamos que cuando algo se acredita a alguien tiene que haber un cargo correspondiente, a fin de balancear las cuentas. No sería justo que algo se acreditara a alguien sin que hubiera un cargo al respecto. Diríamos que ha habido una estafa, un mal manejo de las cuentas.

A nosotros, de acuerdo a la teología del Nuevo Testamento, se nos acreditó la justicia. Dios nos declaró justos y nos atribuyó justicia. Recibimos un crédito. ¿A quién se le cargó? Para que Dios sea un juez justo, tiene que haber un cargo correspondiente; de otro modo, Dios no sería justo.

Decíamos anteriormente que cuando Dios trató con el pecado, no lo hizo con el principio de borrón y cuenta nueva. No le dio una palmadita en el hombro a Adán y le dijo: "No te preocupes, aquí no ha pasado nada". De ninguna manera. De acuerdo a la justicia divina, el pecador debe morir. La Biblia lo dice claro: "Porque la paga del pecado es muerte" (Rom. 6:23). Pero Dios tuvo compasión de los seres humanos porque el pecado se originó por un engaño. Dios nos dio otra oportunidad, pero para ser justo debía castigar el pecado. El Señor encontró la manera de darnos otra oportunidad sin violar su justicia. Su Hijo sería condenado por el pecado de la humanidad, y moriría en lugar del ser humano.

En otras palabras, y siguiendo con la imagen del mundo de los negocios, Cristo recibió el cargo que correspondía a nuestro crédito. A nosotros se nos atribuyó justicia, y a Cristo se le atribuyó el pecado con el castigo consiguiente. Cristo llevó nuestro castigo y sufrió la muerte que nos correspondía sufrir a los seres humanos. Como dice el profeta: "Sobre él recayó el castigo, precio de nuestra paz, y gracias a sus heridas fuimos sanados" (Isa. 53:5).

Dios justifica al impío

Este mensaje es digno de crédito y merece ser aceptado por todos: que Cristo Jesús vino al mundo a salvar a los pecadores, de los cuales yo soy el primero (1 Timoteo 1:15).

LA JUSTIFICACIÓN QUE RECIBIMOS POR GRACIA es un don gratuito de parte de Dios, está apoyada y garantizada por lo que Cristo hizo para salvarnos. Pero hay preguntas importantes que debemos hacernos y que tienen que ver con el objeto de la justificación. ¿A quién se concede? ¿Quién califica para recibir la justicia de Dios en forma gratuita? Es obvio que no todo el mundo recibe la justificación divina. ¿Hay algún requisito? Esto nos lleva a la sexta característica de la justificación.

Lea lo que dice Pablo: "Sin embargo, al que no trabaja, sino que cree en el que justifica al malvado, se le toma en cuenta la fe como justicia" (Rom. 4:5). "Pero Dios demuestra su amor por nosotros en esto: en que cuando todavía éramos pecadores, Cristo murió por nosotros" (Rom. 5:8). "Porque no he venido a llamar a justos sino a pecadores" (Mat. 9:13). Estos versículos nos enseñan que el plan de la salvación se elaboró para los pecadores. Si una persona no es pecadora, no califica para recibir la justificación gratuita.

La razón de esto es obvia. Si alguien se cree justo, no necesita justicia. El justo ya tiene justicia; no hay necesidad de recibirla. Eso pasaba en tiempos de Jesús. Había algunos que se creían justos ante Dios, y que, por lo tanto, no recibieron el don de la justicia divina. El fariseo de la parábola regresó a su casa con su propia justicia, que no valía nada ante Dios.

Para que una persona califique a fin de recibir la justicia de Dios por gracia, debe ser pecadora. Solo los pecadores son justificados. Si alguien, siendo pecador, se considera justo, no recibe la justificación, porque ante sus propios ojos es justo, no pecador. El plan de salvación fue ideado para los que se consideran pecadores, no para los que creen que son justos. Ese es el problema de la justicia propia, que no nos permite ver nuestra verdadera condición, lo que nos deja sin la justicia de Dios.

No hay discriminación

Ya no hay judío ni griego, esclavo ni libre, hombre ni mujer, sino que todos ustedes son uno solo en Cristo Jesús (Gálatas 3:28).

D E ACUERDO A LA BIBLIA, la justificación tiene como objeto salvar al pecador, no al justo. Si alguien se considera justo, se coloca fuera del alcance de la misericordia de Dios. Pero, ¿no es esto discriminatorio? ¿Por qué solo pueden recibir la justificación divina los pecadores y no los que luchan decididamente para ser justos por su propio esfuerzo?

El fondo del asunto es que no hay nadie que sea justo o pueda serlo. De acuerdo a Pablo, todos somos pecadores y estamos destituidos de la gloria de Dios (Rom. 3:23). Por lo tanto, cuando Dios elaboró el plan de la salvación, lo hizo para todos, sin excepción.

Sin embargo, cuando alguien se considera justo delante de Dios, por este mismo hecho se incapacita para recibir la gracia de Dios, pues la única justicia que vale es la que Dios nos da gratuitamente. Es rechazar la gracia inmerecida de Dios y declarar que el sacrificio de Cristo fue vano. De ahí la importancia de reconocer nuestra condición pecaminosa, y de aceptar el hecho de que no podemos ser justos por nuestros propios esfuerzos.

Muchas personas tienen la idea de que solo es pecador el que comete pecados muy graves; los pecados pequeños no hacen que una persona sea pecadora. Años atrás comencé a estudiar la Palabra de Dios con una dama que ya había estudiado la Biblia. Cuando llegamos a un punto del estudio, dije, sin mayor reflexión, que nosotros somos pecadores. La señora abrió desmesuradamente los ojos, y me dijo: "Pero yo no soy pecadora". Le pregunté qué quería decir con eso, y me respondió: "Yo no robo ni mato ni adultero; me llevo bien con la gente". Me di cuenta que necesitábamos retroceder en nuestra investigación y abordar el tema del pecado.

Si no reconocemos nuestra condición, no vamos a sentir necesidad del evangelio. El evangelio es para los pecadores, los enfermos por el mal, los destituidos de la moral y los parias de la sociedad. Cuando estos reconocen su condición y se aferran a Cristo, el Señor los declara justos por lo que él ya hizo por ellos.

Dios es justo

*En el tiempo presente ha ofrecido a Jesucristo para manifestar su justicia.
De este modo Dios es justo y, a la vez, el que justifica
a los que tienen fe en Jesús (Romanos 3:26).*

EL RECONOCIMIENTO DE QUE LA JUSTIFICACIÓN se da al pecador, es difícil de comprender para algunas personas. Algunos se preguntan: "¿Por qué Dios puede declarar justo al impío y pecador? En nuestro concepto humano de justicia no se supone que el injusto sea declarado inocente, y el inocente sea condenado. ¿Dónde estaría la justicia humana si eso se diera como provisión de ley? ¿Cómo es que Dios, que es justo por excelencia, puede justificar al impío? ¿No protestamos cuando eso ocurre en la justicia humana?"

Imaginemos este cuadro: Usted comete un delito y es llevado ante un juez para recibir la condena que merece por su violación de la ley. Cuando el juez va a dictar su sentencia, aparece un amigo suyo que pide al juez que lo condene a él en lugar de a usted. ¿Cree que el juez accedería a su pedido? Por supuesto que no. En la justicia humana, "el que la hace la paga"; no hay provisión para que una persona pueda ser condenada por los delitos de otra. Si eso se da en la justicia humana, que es falible e imperfecta, ¿por qué la justicia divina puede condenar al inocente y justificar al pecador?

Lo que pasa es que cuando Dios condenó a Cristo como pecador, se echó la culpa del problema del pecado. La justicia divina no podía pasar por alto el pecado. Así que Dios pagó la pena del pecado, lo que significaba que llevó la culpabilidad. De esa manera, Dios obtuvo el derecho de justificar al pecador. Por eso Pablo dice: "Al que no cometió pecado alguno, por nosotros Dios lo trató como pecador, para que en él recibiéramos la justicia de Dios" (2 Cor. 5:21). ¿No es esto maravilloso?

El perdón y la justificación

David dice lo mismo cuando habla de la dicha de aquel a quien Dios le atribuye justicia sin la mediación de las obras: "¡Dichosos aquellos a quienes se les perdonan las transgresiones y se les cubren los pecados! ¡Dichoso aquel cuyo pecado el Señor no tomará en cuenta!"
(Romanos 4:6-8).

OTRO ASPECTO DE LA JUSTIFICACIÓN es que se vincula con el perdón. Para que Dios pueda declarar justa a una persona, primero tiene que resolver el problema de su pecado. Es allí donde aparece el perdón. Dios perdona al ser humano; y sobre la base de ese perdón, lo declara justo.

Ayer leyó acerca de la vindicación. Decíamos que Dios vindica al pecador al declararlo justo. En realidad, Dios vindica al pecador sobre la base del perdón. Pero el perdón ya nos induce a pensar que el pecador no es inocente. Si fuera inocente, no habría necesidad de perdón. Luego, la vindicación no implica que el ser humano no sea culpable. Es vindicado porque Dios se echa la culpa; pero eso lo hace por un acto de misericordia y amor por el pecador. En realidad, el pecador merece su condena. En el concepto bíblico de la justificación, el pecador nunca es inocente. Es vindicado ante la justicia divina, es perdonado, pero es culpable.

En la parábola del fariseo y el publicano, el Señor dijo que el publicano ni siquiera levantaba los ojos al cielo, sino que decía: "¡Oh Dios, ten compasión de mí, que soy pecador!" (Luc. 18:13). Este, dijo Jesús, regresó a su casa justificado. Aceptando el hecho de ser pecador, y pidiendo perdón por sus pecados, fue declarado justo por Dios, y regresó a su casa justificado. Dios lo perdonó por su actitud; y al solucionar su pecado, recibió la justificación divina.

Podríamos decir que la justificación está fincada sobre el perdón. De ahí la vinculación estrecha que hay entre el perdón y la justificación. En el proceso de la salvación: Somos justificados porque fuimos perdonados, porque reconocimos nuestros pecados, porque somos pecadores, porque el mal existe, porque Dios hizo un plan para salvarnos del mal.

En paz con Dios

En consecuencia, ya que hemos sido justificados mediante la fe, tenemos paz con Dios por medio de nuestro Señor Jesucristo (Romanos 5:1).

CUANDO DIOS, POR UN ACTO DE MISERICORDIA y amor, perdona al pecador, soluciona el pecado en el ser humano, que es un obstáculo para que Dios se reconcilie con él. La justicia y la santidad divinas condenan el pecado. Decíamos que esto es lo que la Biblia llama la ira de Dios. Pero una vez que Dios perdona al hombre, este no está más bajo la condenación divina. Por eso, si somos perdonados, no somos condenados. Si somos justificados, somos absueltos de nuestra culpa. La condenación es contraria a la justificación.

El apóstol Pablo lo pone de una manera interesante: "Por tanto, así como una sola transgresión causó la condenación de todos, también un solo acto de justicia produjo la justificación que da vida a todos. Porque así como por la desobediencia de uno solo muchos fueron constituidos pecadores, también por la obediencia de uno solo muchos serán constituidos justos" (Rom. 5:18, 19). Este es el contraste entre la condenación y la justificación. Si no hay condenación, entonces hay justificación.

Una vez que hemos sido justificados por Dios, estamos en paz. Esto significa que Dios ya no nos condena. Esta paz de la que Pablo habla no es primariamente una paz interior, sino la paz que tiene que ver con una relación restaurada. A causa de que Dios ya no nos condena, ni es nuestro enemigo, entonces estamos en paz con él. Ya no estamos bajo condenación, porque hemos sido justificados. Así como el perdón nos lleva a la justificación, del mismo modo la justificación nos conduce a la paz con Dios.

Esta paz se obtuvo por lo que Cristo hizo por nosotros. Dice el apóstol que "él es nuestra paz" (Efe. 2:14). Esta paz que Dios nos da es imposible que no se convierta también en una paz interna, porque tener paz con Dios nos debe traer también paz interior. Del mismo modo, si estamos en paz con él y en paz con nosotros mismos, es muy difícil que no estemos en paz con lo demás.

La convicción de pecado

Y cuando él venga, convencerá al mundo de su error
en cuanto al pecado, a la justicia y al juicio (Juan 16:8).

EN ESTE PUNTO SE DEBE HACER la pregunta: ¿cómo funciona la justificación en la vida práctica? Es evidente que la justificación es un proceso. ¿Cuáles son los pasos de ese proceso? ¿Cómo es que llegamos a estar justificados? ¿Cuál es la parte del hombre, si tiene alguna, en este proceso? Por estas interrogantes, y otras que se suscitan en la vida diaria, es necesario que reflexionemos en la dinámica de la justificación.

Como sucede con otros asuntos espirituales, frecuentemente es muy difícil describir los pasos que llevan a una persona a la justificación. Esto es especialmente cierto en lo que se refiere al orden en que las cosas se deben dar.

El primer paso para alcanzar la justificación es la convicción de pecado. Esto se refiere al reconocimiento de que uno es pecador. Implica llegar al convencimiento de que somos culpables, y que para salvarnos necesitamos la justicia delante de Dios. Requiere hacer algo parecido a lo que hizo Pedro: "Al ver esto, Simón Pedro cayó de rodillas delante de Jesús y le dijo: '¡Apártate de mí, Señor; soy un pecador!'" (Luc. 5:8); o en decir lo que decía el publicano de la parábola: "¡Oh Dios, ten compasión de mí, que soy pecador!" (Luc. 18:13).

Actitudes como estas tienen, por lo menos, dos premisas: debe uno entender que el mal existe; también debe uno entender que Dios existe, y tener una comprensión de su carácter justo, santo y amoroso. Dadas estas circunstancias, el Espíritu de Dios guía al ser humano a reconocer su pecado y a buscar a Dios. La única manera en que podemos llegar a la convicción de pecado, es por el Espíritu de Dios que nos guía a esa conclusión. Dejados solos a nuestra comprensión natural del mundo, es muy difícil que concluyamos que somos pecadores y necesitamos ir a Dios. Se nos dice: "Toda convicción de nuestra propia pecaminosidad, es una prueba de que su Espíritu está obrando en nuestro corazón" (*El camino a Cristo*, p. 24).

La fe

¡Sí creo! —exclamó de inmediato el padre del muchacho—.
¡Ayúdame en mi poca fe! (Marcos 9:24).

EL SEGUNDO PASO EN LA DINÁMICA de la salvación, es tener fe en Dios. Como dijimos anteriormente, todos los seres humanos tenemos la capacidad de tener fe (Rom. 12:3). Nacemos con el don natural de ser capaces de depositar nuestra confianza en algo o en alguien. Dijimos que el reconocimiento de que somos pecadores se basa en la premisa de que creemos en la existencia de un Dios que es justo y que demanda justicia de nosotros. Tenemos, entonces, la opción de depositar nuestra confianza en ese Dios. No somos dejados a la deriva. El Espíritu Santo, que nos dio la convicción de pecado, ahora nos guía a poner nuestra confianza en Dios. Si nos quedáramos solo con la convicción de pecado, entonces corremos un gran riesgo. El enemigo de Dios puede usar esa situación interna nuestra, y exagerarla con la idea de que no hay nada que podamos hacer, a fin de llevarnos a la desesperación y a la ruina.

Pero cuando aceptamos la guía divina, esta dirige nuestra confianza hacia Dios, quien sí puede ayudarnos. Así, la fe se fortalece, de modo que aprendemos a tener más y más confianza en Dios, quien tiene la solución para nuestra situación pecaminosa. De ese modo, un don natural como la confianza, se transforma en un don espiritual, que es la fe en Dios.

Hay muchos que deciden no creer en Dios (2 Tes. 3:2). Deciden creer en sí mismos, en algo o en alguien más. Esto es la perversión de la fe. Por esta razón, somos estafados frecuentemente, o nos frustramos, porque ponemos nuestra confianza en alguien que no es fiel. Dios mismo nos guía para que el objeto de nuestra fe sea el correcto. Así que, él no solo es el autor de la fe, en el sentido que nos ha dado una medida de ella a todos, sino que es el consumador de la fe, porque nos ayuda a dirigir correctamente nuestra fe cuando respondemos a la orientación de su Espíritu. Como dijo el apóstol: "Fijemos la mirada en Jesús, el iniciador y perfeccionador de nuestra fe" (Heb. 12:2).

La contrición

La tristeza que proviene de Dios produce el arrepentimiento que lleva a la salvación, de la cual no hay que arrepentirse, mientras que la tristeza del mundo produce la muerte (2 Corintios 7:10).

EL SIGUIENTE PASO EN LA DINÁMICA de la salvación es lo que los teólogos llaman contrición. Esta se define como el dolor profundo que una persona siente por haber ofendido a Dios. Cuando la fe nos confronta con la persona de un Dios amoroso que quiere ayudarnos a resolver el mal en nosotros, nos sentimos tristes y apenados. Este sentimiento también es producido por el Espíritu de Dios. Es parte del proceso divino para llevarnos a la sanidad espiritual y mental.

La Biblia nos dice que hay dos clases de tristeza. La tristeza según Dios nos lleva a la salvación. Hace que nuestro corazón se duela por haber ofendido a un Dios que nos ama y quiere nuestro bien. Así como nos sentimos mal cuando ofendemos a alguien a quien amamos, así nos duele saber que hemos ofendido a Dios que nos ama tanto.

Pero la tristeza según el mundo la provoca Satanás. Es el mismo sentimiento que el anterior, pero de signo contrario: no se enfoca en Dios. Se concentra en las consecuencias del mal, con el objeto de traer angustia y desesperación al corazón humano. Hace que las personas desarrollen terror a las consecuencias de su pecado. Dice el apóstol que esta tristeza lleva a la muerte. En efecto, cuando este sentimiento de dolor se descontrola, puede llevar a las personas a la pérdida de la razón y al suicidio. Frecuentemente oímos de personas que se cortan las venas, se suben a puentes o edificios altos, y se lanzan al vacío, toman dosis elevadas de ciertos medicamentos o dirigen su automóvil a un barranco para poner fin a la angustia mental en la que viven. Muchas de esas situaciones son provocadas por un profundo complejo de culpa que Satanás manipula para el perjuicio de las personas. Sin embargo, el Espíritu Santo nos lleva a Cristo, que nos da alivio y descanso.

Ejemplos de contrición

Por eso los fieles te invocan en momentos de angustia; caudalosas aguas podrán desbordarse, pero a ellos no los alcanzarán (Salmo 32:6).

CUANDO LA PERSONA angustiada por su pecado está bajo la influencia divina, descansa en Dios. Cuando está bajo la influencia del poder de las tinieblas, puede descontrolarse y terminar en el suicidio y la muerte.

Estos dos casos se ilustran vívidamente en las Escrituras. En el primero, tenemos la experiencia por la que pasó el apóstol Pedro. Él amaba entrañablemente a Jesús, y estaba dispuesto aun a entregar su vida por él. Pero como muchas personas en el mundo, no tenía un concepto claro de sí mismo. Creía que se conocía bien, y pensaba que estaría dispuesto a todo para seguir a Jesús. Pero estaba equivocado. Cuando el Señor, tratando de protegerlo, le reveló un aspecto oculto de su personalidad, no lo aceptó. Jesús le dijo: "Simón, Simón, mira que Satanás ha pedido zarandearlos a ustedes como si fueran trigo" (Luc. 22:31). Simón replicó: "Señor, estoy dispuesto a ir contigo tanto a la cárcel como a la muerte" (vers. 33). Jesús, trató de convencerlo, le contestó: "Pedro, te digo que hoy mismo, antes de que cante el gallo, tres veces negarás que me conoces" (vers. 34). Pero Pedro era porfiado. Lo que no sabía era que, aunque no se intimidaba ante la muerte, le tenía un horrendo miedo al ridículo y al escarnio. Esto lo llevó a negar que conociera a Jesús. Cuando se dio cuenta de quién realmente era, su enorme pecado lo agobió y salió corriendo del lugar. Reflexionó en la ignorancia y terquedad que lo llevaron a cometer tan vil pecado. Pensó en el amor de su Maestro, que trataba de librarlo del mal, y el Espíritu de Dios lo llevó de vuelta a Cristo y a la vida.

Así nos sucede a muchos. Necesitamos pasar por una experiencia traumática de dolor y tristeza espirituales para darnos cuenta de lo que somos. Con la ayuda del Espíritu, podemos reencauzar nuestra vida hacia Dios. Como Pedro, algunas veces tenemos que llorar amargamente por haber hecho algo que ofendió al Dios que nos ama. Ese Dios está todavía allí para ayudarnos a hallar descanso.

El ejemplo más triste

Cuando Judas, el que lo había traicionado, vio que habían condenado a Jesús, sintió remordimiento y devolvió las treinta monedas de plata a los jefes de los sacerdotes y a los ancianos. He pecado —les dijo— porque he entregado sangre inocente. ¿Y eso a nosotros qué nos importa? —respondieron—. ¡Allá tú! Entonces Judas arrojó el dinero en el santuario y salió de allí. Luego fue y se ahorcó (Mateo 27:3-5)

TAL VEZ EL EJEMPLO MÁS TRISTE en todo el Nuevo Testamento es el caso de Judas Iscariote. Hombre talentoso y educado que se unió a Jesús porque estaba convencido de que era el Mesías, y que pronto establecería su reino. Anhelaba el establecimiento del reino de Dios y deseaba que Jesús lo hiciera rápido y a su manera. Con el paso del tiempo, se dio cuenta de que Jesús se demoraba. Luego llegó a la conclusión que era necesario presionar al Maestro para que se viera obligado a actuar con más agresividad. Fue entonces que decidió poner a Jesús en una situación en la que no le quedaría otra opción que actuar.

Como sabía del odio criminal de los dirigentes hacia Jesús, fue a ellos para ofrecerles la oportunidad que buscaban: Hallar un lugar solitario dónde aprehender a Jesús. Como también amaba el dinero, no quiso hacerlo gratis. Cobró treinta piezas de plata para entregar a su Maestro. Pensó que sería una ganancia doble, ya que ganaría dinero por algo que los dirigentes judíos nunca podrían hacer, y, por otro lado, obligaría a Jesús a establecer su reino esperado. Pero se asustó cuando vio que Jesús no hizo nada para evitar ser aprehendido. Tampoco hizo nada ante los insultos y las vejaciones. Cuando se dio cuenta de que lo iban a condenar a la pena capital, se llenó de terror y desesperación. Se dio cuenta de que había cometido un error fatal. Bajo la dirección del poder de las tinieblas, que hizo que se enfocara en el castigo, fue llevado a tal grado de dolor y sufrimiento interno, que no pudo hacer otra cosa para hallar descanso que lo que muchos hacen en circunstancias análogas, quitarse la vida. Como dice el apóstol: "La tristeza del mundo produce la muerte" (2 Cor. 7:10).

Tan cerca y tan lejos de la salvación

*Judas Iscariote [...] objetó: "¿Por qué no se vendió este perfume,
que vale muchísimo dinero, para dárselo a los pobres?" Dijo esto,
no porque se interesara por los pobres sino porque [...]
como tenía a su cargo la bolsa del dinero, acostumbraba robarse
lo que echaban en ella (Juan 12:4-6).*

DIOS HA PUESTO EN LOS SERES HUMANOS la conciencia moral, cuya violación produce dolor y quebranto interno. Este mecanismo puede ser anulado mediante una racionalización, que hace que el pecado repetido cauterice la conciencia. Las personas que de este modo insensibilizan su conciencia moral, se colocan fuera del alcance de la misericordia divina y cometen lo que se llama el pecado "imperdonable".

Pero este no fue el caso de Judas. Él tenía la oportunidad del perdón, como Pedro la tuvo. La diferencia entre uno y otro fue que Pedro se dejó guiar por el Espíritu de Dios, y su dolor y tristeza se enfocaron en la vergüenza de su acto contra su Amigo y Maestro. Judas, en cambio, se dejó llevar por el enemigo de Dios, y en lugar de concentrarse en su acto vergonzoso hacia Jesús, que lo había tratado con amor y simpatía, se concentró en el castigo que podría venirle por tal infamia. Satanás lo engañó una vez más y lo condujo al suicidio. De esta manera, le robó la gracia del perdón que Jesús pudo darle.

Por más que generaciones posteriores trataron de reivindicar el carácter de Judas, su traición y suicidio lo hicieron imposible. *El Evangelio de Judas*, descubierto hace unos veinte años, trató de hacer eso. Dice que Judas debería ser considerado un héroe. Por supuesto, ese evangelio no fue escrito por Judas, sino por alguien que creía que, siendo que su traición obtuvo un buen resultado, no deberíamos pensar mal de él. Los que participaron en el complot contra el Hijo de Dios, y no se arrepintieron, tendrán que recibir el castigo que merecen sus acciones. Judas, lamentablemente, fue uno de ellos.

Es triste que Judas, motivado por su egoísmo y avaricia personales, permitiera que Satanás controlara su vida y lo alejara de Jesús. Es el ejemplo clásico de alguien que estuvo tan cerca de la salvación... y la perdió.

Arrepentimiento

*Entonces el faraón mandó llamar a Moisés y a Aarón, y les dijo: "Esta vez
reconozco mi pecado. El Señor ha actuado con justicia, mientras que yo
y mi pueblo hemos actuado mal. No voy a detenerlos más tiempo;
voy a dejarlos ir. Pero rueguen por mí al Señor" (Éxodo 9:27, 28).*

LA CONTRICIÓN CONDUCE AL ARREPENTIMIENTO. Este
dolor y tristeza por haber pecado se hayan tan íntimamente unidos
al arrepentimiento, que muchas veces se los considera como parte
de él. Pero la palabra arrepentimiento en sí, tanto en su origen hebreo
como griego, denota un cambio de rumbo, de actitud, de pensamiento.
En la mentalidad hebrea, es cambiar de dirección, en la griega es cambiar
de mentalidad. Ambas cosas están relacionadas, pero primero cambiamos
de pensamiento, y luego decidimos ir por otro rumbo. Lo importante es
que cambiar de opinión afecta las decisiones de la vida.

La tristeza y el dolor por el pecado se relacionan estrechamente con el
arrepentimiento; y así como hay dos clases de tristeza, hay dos clases de
arrepentimiento: el genuino y el falso. La tristeza inducida por el Espíritu
de Dios lleva al arrepentimiento genuino, mientras que la inducida por
Satanás conduce al falso arrepentimiento. Ambos se parecen tanto, que
solo Dios que conoce el corazón y los pensamientos puede saber cuál es
cuál. En otras ocasiones, resulta evidente cuál es el genuino y cuál el falso,
siguiendo el principio mencionado por el Señor de que por sus frutos los
conoceréis.

Tal es el caso de faraón en conexión con el éxodo israelita. En el relato
bíblico, varias veces se presenta al faraón como una persona arrepentida.
Hasta le pidió a Moisés que orara por él y reconoció su pecado de obstina-
ción. Pero después de pensarlo mejor, cambiaba de opinión. Demostraba
con ello que su arrepentimiento no era sincero. Sí, parecía que era una
persona arrepentida, pero sus acciones posteriores revelaban lo contrario,
porque el genuino arrepentimiento implica no solo cambio de parecer,
sino también de conducta. Lo mismo sucedió con Balaam y con Judas.
Parecían arrepentidos, pero no lo estaban. Satanás es el maestro de la
falsificación. Lleva a las personas a creer que están arrepentidos, pero es
un arrepentimiento falso de principio a fin.

Agobio por el pecado

Desde entonces comenzó Jesús a predicar: "Arrepiéntanse, porque el reino de los cielos está cerca" (Mateo 4:17).

RESULTA INTERESANTE QUE, desde el punto de vista bíblico, Dios es el que produce el arrepentimiento. Veamos: "Por su poder, Dios lo exaltó como Príncipe y Salvador, para que diera a Israel arrepentimiento y perdón de pecados" (Hech. 5:31). "Al oír esto, se apaciguaron y alabaron a Dios diciendo: '¡Así que también a los gentiles les ha concedido Dios el arrepentimiento para vida!'" (Hech. 11:18).

Debemos entender el lenguaje bíblico. El hecho de que Dios produzca el arrepentimiento, no quiere decir que él hace que los hombres se arrepientan aun contra su propia voluntad; como si Dios lo forzara. Si así fuera el caso, entonces Dios obligaría a las personas a arrepentirse, lo que evidentemente no es cierto, porque Dios respeta el libre albedrío que nos concedió en la creación. También esto vale para lo opuesto: nadie puede acusar a Dios de parcialidad por no haber provocado el arrepentimiento en su corazón.

Lo que la Biblia quiere decir es que Dios guía al arrepentimiento. Notemos: "¿No ves que desprecias las riquezas de la bondad de Dios, de su tolerancia y de su paciencia, al no reconocer que su bondad quiere llevarte al arrepentimiento?" (Rom. 2:4). Dios, en su infinita bondad, quiere guiar a todos al arrepentimiento. Como él no fuerza a los seres humanos, hay muchos que no desean arrepentirse. Dios quisiera que todos se arrepintieran, pero respeta la decisión de cada uno. Es en este contexto que los llamamientos divinos al arrepentimiento tienen razón de ser. Dios invita, pero no fuerza. Después de todo, la salvación es una oferta, no una imposición. Podemos oír su llamado, y aceptar o rechazar su invitación.

El agente divino para guiarnos hacia el arrepentimiento es el Espíritu Santo. Es el representante de la divinidad que llama a nuestra conciencia al arrepentimiento. Es extremadamente importante no cerrar nuestra conciencia a su llamado insistente.

Arrepentimiento genuino

Ten compasión de mí, oh Dios, conforme a tu gran amor; conforme a tu inmensa bondad, borra mis transgresiones. Lávame de toda mi maldad y límpiame de mi pecado (Salmo 51:1, 2).

EL HECHO DE QUE DIOS NOS GUÍE al arrepentimiento nos habla de la incapacidad de los seres humanos para regresar a Dios. Por nosotros mismos no somos capaces de producir las condiciones necesarias para arrepentirnos. Dios, por su Espíritu, tiene que guiarnos; y si accedemos a esa guía, va a producir en nosotros el arrepentimiento que él quiere.

Veíamos anteriormente que hay dos clases de arrepentimiento, el genuino y el falso. Dios quiere guiarnos al arrepentimiento genuino, que es el único que califica para que Dios nos acepte. Como nosotros no podemos arrepentirnos por nuestra cuenta, cuando intentamos hacerlo caemos en un falso arrepentimiento, que Dios no aprueba. Eso fue lo que les pasó a algunas personas mencionadas en el relato bíblico. Forzaron un arrepentimiento sin la ayuda de Dios, y cayeron en el falso arrepentimiento. Dios es el único que capacita para el arrepentimiento verdadero.

Lo que sucede es que Satanás es el maestro del engaño y la falsificación, y hace creer a ciertas personas que están arrepentidas, cuando no lo están realmente. Ya vimos que el falso arrepentimiento es una tristeza que se enfoca en la pena y el castigo, no en el pecado mismo. Por el contrario, el genuino arrepentimiento produce una tristeza por el pecado cometido, y le pide a Dios un nuevo corazón, es decir, una mente nueva.

El ejemplo clásico de un arrepentimiento verdadero lo hayamos en la experiencia del rey David: "Yo reconozco mis transgresiones; siempre tengo presente mi pecado. Contra ti he pecado, solo contra ti, y he hecho lo que es malo ante tus ojos; por eso, tu sentencia es justa, y tu juicio, irreprochable [...]. Crea en mí, oh Dios, un corazón limpio, y renueva la firmeza de mi espíritu. No me alejes de tu presencia ni me quites tu santo Espíritu" (Sal. 51:3, 4, 10, 11). "Efectuar un arrepentimiento como este, está más allá del alcance de nuestro propio poder; se obtiene solamente de Cristo" (*El camino a Cristo*, p. 23).

La confesión

Quien encubre su pecado jamás prospera; quien lo confiesa
y lo deja, halla perdón (Proverbios 28:13).

EL SIGUIENTE PASO EN EL PROCESO de la justificación es la confesión del pecado. Uno se pregunta: ¿Por qué es necesaria la confesión? ¿No sabe Dios todo acerca de mí, que todavía necesito hacer una confesión? Es probable que la confesión haya sido ideada por Dios para darnos sanidad mental y espiritual. El pecado y su convicción producen tal daño en la conciencia humana, que nos destruye interiormente. Dios ideó la confesión como paso fundamental para emanciparnos del complejo de culpa, y capacitarnos para vencer el mal que hay en nosotros.

Para que la confesión cumpla estos propósitos, debe ser guiada por el Espíritu de Santo. Porque así como hay una confesión genuina, hay una que es falsa. La confesión arrancada a la fuerza, o la que se hace cuando hemos sido descubiertos y no tenemos otra alternativa, no es la confesión a la que nos guía el Espíritu de Dios. No tiene ningún valor sicoterapéutico, ni produce sanidad espiritual.

En el antiguo santuario hebreo aparecen ya los elementos básicos de una confesión genuina. Leemos: "Si alguien resulta culpable de alguna de estas cosas, deberá reconocer que ha pecado y llevarle al Señor en sacrificio expiatorio por la culpa del pecado cometido, una hembra del rebaño, que podrá ser una oveja o una cabra. Así el sacerdote hará expiación por ese pecado" (Lev. 5:5, 6). La confesión debe ser voluntaria, estar basada en un genuino reconocimiento de culpa, ser específica y aceptar la provisión de expiación hecha. El culpable confesaba su pecado poniendo sus manos sobre la víctima, y luego la degollaba para la expiación de su pecado. Después de esta ceremonia, el oferente regresaba a su casa con una conciencia libre de culpa. La confesión le daba higiene y sanidad mental.

Cuando se hace una confesión precisa del pecado, ocurren varias cosas en la mente del individuo involucrado. Tiene que recordar lo que hizo, lo cual lo lleva a recordar hechos y circunstancias. Esto lo capacita para estar alerta la siguiente vez, y lo prepara para vencer.

La confesión al prójimo

Si confesamos nuestros pecados, Dios, que es fiel y justo,
nos los perdonará y nos limpiará de toda maldad (1 Juan 1:9).

LA CONFESIÓN DEL PECADO es solo un aspecto del plan de Dios para ayudar a solucionar el pecado y sus consecuencias en la vida humana. Frecuentemente, el pecado no es contra Dios solamente, sino que hay otras personas a quienes nuestras faltas pueden afectar. El plan divino de la confesión requiere, si ha de haber sanidad total, que se haga confesión, no solo a Dios, a quien ofende toda falta, sino también al prójimo.

Esta es la razón por la que la Palabra de Dios nos dice: "Por eso, confiésense unos a otros sus pecados […] para que sean sanados" (Sant. 5:16). La confesión tiene en sí el poder de restaurar heridas. Es parte del plan divino que los seres humanos arreglen sus problemas unos con otros, a fin de hallar paz con el prójimo y con Dios.

A veces es más fácil confesar a Dios nuestros pecados, que pedir perdón a quienes hemos ofendido. Hacer esto requiere humildad y valentía. Por eso, hay personas que evitan el encuentro con su prójimo al ir directamente a Dios. Pero el Señor sabe que eso no nos va a ayudar a solucionar plenamente el problema. Por eso recomendó: "Por lo tanto, si estás presentando tu ofrenda en el altar y allí recuerdas que tu hermano tiene algo contra ti, deja tu ofrenda allí delante del altar. Ve primero y reconcíliate con tu hermano; luego vuelve y presenta tu ofrenda" (Mat. 5:23, 24). Dios no puede aceptar la confesión hecha a él si hemos pasado por alto a nuestro prójimo.

La confesión tiene otro aspecto difícil que hace que muchas personas la quieran pasar por alto. Cuando la falta es privada, debe confesarse privadamente; pero cuando la falta es pública debe hacerse públicamente. Si hacer una confesión privada requiere humildad y valor, la confesión pública lo requiere en mayor grado. Esta es la razón por la que no escuchamos muchas confesiones públicas.

El perdón

He disipado tus transgresiones como el rocío, y tus pecados como la bruma de la mañana. Vuelve a mí, que te he redimido (Isaías 44:22).

LA CONFESIÓN SINCERA LLEVA FINALMENTE al perdón, que, es sinónimo de justificación. Como resultado de estos pasos anteriores, Dios ha prometido perdonarnos. Es recorfontante y animador saber que cuando vamos a Dios en busca de una solución para nuestro pecado, nos encontramos con un Dios perdonador. Por eso, el salmista se alegraba cuando decía: "Pero en ti se halla perdón" (Sal. 130:4). No hay nada más devastador para el pecador, que llegar a la conclusión de que su pecado no tiene solución, y que Dios no puede perdonarlo. Si hay algo que resulta claro como el agua cristalina, es que el Dios de la Biblia se complace en el perdón.

El perdón divino es total y exige pocas condiciones. La Palabra de Dios nos asegura el perdón completo y absoluto de parte de Dios. El Señor usa algunas metáforas y analogías para asegurarnos que él se complace en el perdón de sus hijos. Dice el profeta: "¿Qué Dios hay como tú, que perdone la maldad y pase por alto el delito del remanente de su pueblo?" (Miq. 7:18). "Tan lejos de nosotros echó nuestras transgresiones como lejos del oriente está el occidente" (Sal 103:12). "Yo soy el que por amor a mí mismo borra tus transgresiones y no se acuerda más de tus pecados" (Isa. 43:25). "Vengan, pongamos las cosas en claro —dice el Señor—. ¿Son sus pecados como escarlata? ¡Quedarán blancos como la nieve! ¿Son rojos como la púrpura? ¡Quedarán como la lana!" (Isa. 1:18).

Por eso, resulta intrigante que haya personas que piensen que Dios no las puede perdonar. Sí, lo que resulta increíble es que Dios perdone todos nuestros pecados, no importando cuáles ni cuántos hayan sido. Alguien podría decir que es demasiado bueno para ser cierto. Pero eso es lo que la Biblia nos dice. A esto fue para lo que vino Jesús. El ángel dijo que le pondrían por nombre Jesús, "porque él salvará a su pueblo de sus pecados" (Mat. 1:21).

El pecado imperdonable

Les aseguro que todos los pecados y blasfemias se les perdonarán
a todos por igual, excepto a quien blasfeme contra el Espíritu Santo.
Este no tendrá perdón jamás; es culpable de un pecado eterno
(Marcos 3:28, 29).

E N MEDIO DE TODAS ESTAS PROMESAS de perdón y seguridad, resulta incomprensible, por lo menos para algunos, que haya un pecado que Dios no pueda perdonar. El Señor dijo lo siguiente: "Y todo el que pronuncie alguna palabra contra el Hijo del hombre será perdonado, pero el que blasfeme contra el Espíritu Santo no tendrá perdón" (Luc. 12:10).

¿En qué consiste este pecado contra el Espíritu Santo que no puede ser perdonado por Dios? ¿No puede el Espíritu Santo llevar a una persona al arrepentimiento por haber hablado contra él? ¿Qué implica este pecado que un Dios perdonador no pueda perdonar?

El contexto de la declaración del Señor en el Evangelio de Mateo es que los fariseos, que presenciaron la sanidad de un hombre que estaba endemoniado, dijeron que él expulsaba los demonios por el poder del príncipe de los demonios, no por el Espíritu Santo. Rechazaron la evidencia que se les dio, y rechazaron al Espíritu de Dios que los quería convencer del mesianismo de Jesús. Así que nos damos cuenta de que la blasfemia contra el Espíritu no es un acto pecaminoso, sino una actitud. Las personas, ante la evidencia que el Espíritu da, la rechazan y la atribuyen a Satanás. En eso consiste la blasfemia contra el Espíritu, en rechazar persistentemente el llamado del Espíritu Santo. ¿Puede Dios perdonar eso? No puede. Dios llama, pero no puede forzar a nadie. Dios invita, pero no puede obligar a que se acepte su invitación. Quienes rechacen persistentemente los llamados de la misericordia divina, finalmente se perderán. Dios, el Todopoderoso, ha decidido que no obligará a nadie a hacer algo contra su voluntad. Dios decidió darnos esa libertad, y la respetará hasta el fin.

El arrepentimiento imposible

Cuando la tierra bebe la lluvia que con frecuencia cae sobre ella, y produce una buena cosecha para los que la cultivan, recibe bendición de Dios. En cambio, cuando produce espinos y cardos, no vale nada; está a punto de ser maldecida, y acabará por ser quemada (Hebreos 6:7, 8).

EL PECADO IMPERDONABLE, también llamado pecado contra el Espíritu Santo, no es una acción contra el Espíritu, sino una serie de acciones que consiste en un rechazo constante del llamado que él hace a la conciencia; como es el desprecio del esfuerzo divino para despertar la conciencia de una persona y llamarla al arrepentimiento, no tiene perdón. Es, en realidad, una ofensa contra Dios, pero que se asocia con su Espíritu, porque es este el que guía y conduce a la salvación.

En la Epístola a los Hebreos encontramos que este mismo pecado se menciona de un modo diferente, pero que nos puede ayudar a entender un poco mejor sus implicaciones: "Es imposible que renueven su arrepentimiento aquellos que han sido una vez iluminados, que han saboreado el don celestial, que han tenido parte en el Espíritu Santo y que han experimentado la buena palabra de Dios y los poderes del mundo venidero, y después de todo esto se han apartado" (Heb. 6:4-6).

Aquí, el autor de Hebreos trata con un pecado del cual no hay arrepentimiento. Es similar al anterior en el sentido que quienes lo experimentan no sienten arrepentimiento. Pero se diferencian en que, en el primero, se rechaza al Espíritu que llama al arrepentimiento; en este se rechaza al Espíritu después de haber sido guiado al arrepentimiento. Es decir, este caso es un asunto de apostasía. La persona fue iluminada por el Espíritu Santo, saboreó el don celestial, fue guiada por el Espíritu de Dios, estudió y experimentó el poder de la Palabra de Dios y gozó los poderes del mundo venidero, pero después se apartó. Al hacer esto, crucificó de nuevo a Cristo, y lo expuso a la vergüenza pública. De acuerdo al texto, es imposible que los tales se arrepientan. Por lo tanto, tampoco hay perdón.

El punto de no retorno

¿Cuánto mayor castigo piensan ustedes que merece el que ha pisoteado al Hijo de Dios, que ha profanado la sangre del pacto por la cual había sido santificado, y que ha insultado al Espíritu de la gracia? (Hebreos 10:29).

MUCHOS ESTAMOS familiarizados con personas que una vez estuvieron en la iglesia, se apartaron, pero después regresaron al redil. No fue imposible para ellos arrepentirse de su descarrío y volver. Lo que sucede es que en este pasaje se habla de apostatar de Cristo, no de la iglesia o de alguna doctrina. Se refiere a los que dan la espalda a Cristo después de haber sido iluminados. Los individuos que se apartan de una comunidad religiosa o dejan de creer en alguna doctrina o punto de vista teológico, no necesariamente se apartan de Cristo. Puede ser que se cambien de una denominación cristiana a otra, por razones doctrinales o teológicas, pero eso no implica darle la espalda al Salvador.

De acuerdo a Pablo, es muy diferente lo que sucedía en tiempos apostólicos. Entonces había muchos judíos que se habían convertido a la fe cristiana, muchos de ellos eran antiguos fariseos o sacerdotes convertidos. Abrazaron la fe cristiana y experimentaron las bendiciones de la nueva era traída por Cristo. Luego vinieron problemas, dificultades y persecuciones a causa de su fe, y algunos se desanimaron de haberse hecho cristianos. Tenían ahora la tentación de volver al judaísmo, de donde habían salido. El autor los amonesta a no apostatar de la fe cristiana, porque si lo hacían, nunca volverían a ella.

Pareciera que hay un punto en la vida de cada ser humano que lo podríamos llamar "el punto de no retorno". Es una situación en la que no podemos dar marcha atrás. Es algo similar a lo que ocurre con los aviones: cuando van a despegar, llega un momento cuando no pueden abortar el despegue. Se lo considera el punto de no retorno. Del mismo modo, en la vida espiritual del apóstata hay un momento cuando, preso por circunstancias y por el propio pensamiento, no quiere ni puede volver al Cristo que conoció. Esto, también, es el pecado imperdonable.

¿Cuál es el mérito?

Y si es por gracia, ya no es por obras; porque en tal caso la gracia ya no sería gracia (Romanos 11:6).

SE HA ESTUDIADO LA DINÁMICA de la justificación, es decir, cómo funciona en la vida práctica el hecho de ser justificados por Dios. Lo hicimos con el propósito de determinar cuál es la parte que los seres humanos deben desempeñar en el proceso. Porque, aunque la justificación se puede dar en un instante, hay un proceso mental que nos lleva a ella.

Hemos visto que para alcanzar la justificación debemos tener convicción de pecado. Es decir, reconocer nuestra condición y nuestros actos pecaminosos. Vimos que no podríamos hacerlo si no fuera por el Espíritu Santo, que produce este convencimiento. Consideramos el asunto de la fe, y vimos que es un don de Dios que nos capacita para creer que Jesús nos puede ayudar. También vimos que junto con la convicción de pecado, viene la contrición, que es el dolor que se experimenta cuando nos damos cuenta de que hemos pecado contra Dios, esto también lo produce el Espíritu de Dios en el corazón humano. Luego consideramos que el Espíritu nos lleva al arrepentimiento; y que si no fuera por él, caeríamos en un arrepentimiento falso. Hablamos de la confesión, que es la obra divina que nos ayuda a emanciparnos del pecado y a solucionar el pernicioso complejo de culpa. Finalmente, discurrimos sobre el perdón y lo maravilloso que es tener a un Dios que perdona cualquier pecado, y nos limpia del mal. Allí, sin embargo, reflexionamos sobre el pecado que Dios no puede perdonar, y lo que eso significa en la experiencia humana.

Al hacer esta síntesis, nos damos cuenta de que Dios es el que produce todo. Para que el ser humano pudiera ser redimido, Dios tenía que buscarlo; como el hombre no puede volver a Dios por sí solo, el Señor tiene que habilitarlo; como no tenía con qué pagar la deuda, Dios se la perdona. ¿Cuál es, entonces, nuestra responsabilidad? ¿Qué es lo que los seres humanos tenemos que hacer? Hay una sola cosa que tenemos que hacer: Aceptar lo que Dios nos da y rendir nuestra voluntad a él.

¿Cuánto crédito tenemos?

Por lo tanto, hermanos, esfuércense más todavía por asegurarse del llamado de Dios, que fue quien los eligió (2 Pedro 1:10).

RENDIR NUESTRA VOLUNTAD A DIOS y aceptar las provisiones que ha hecho para nuestra salvación, es lo único que nos toca hacer. Esto consiste en darle a Dios permiso para que actúe en nuestra vida. Cuando lo hacemos, él nos llevará paso a paso a la Canaán celestial. Todo el crédito es suyo. El ser humano solo accede.

Frecuentemente se levanta la pregunta sobre cuál es el papel de la voluntad humana en el plan de salvación. Citamos comúnmente el refrán popular: "Dios dice: 'Ayúdate que yo te ayudaré'". Con esto queremos decir que debemos esforzarnos al máximo para ser salvos; y cuando ya no podamos, entonces Dios viene en nuestra ayuda. Para esta mentalidad, la salvación es algo así como tres cuartos de crédito al ser humano y un cuarto de crédito a Dios.

Otros, exagerando una ilustración conocida, dicen que la salvación es como remar un bote de dos remos. En un lado está Dios y en el otro lado el ser humano. Para llegar al puerto de la salvación, tenemos que remar parejo con Dios. Esto parece dar un cincuenta por ciento del mérito a Dios, y el otro cincuenta al hombre. Aunque se le da un poco más de crédito a Dios, todavía es solo la mitad del esfuerzo.

Sin embargo, la salvación es, de principio a fin, una obra de la gracia de Dios. No hay nada que podamos hacer para obtenerla solos o asociados. Ni siquiera la fe, que es el brazo del Omnipotente, es creación nuestra. No contribuimos en nada, salvo en nuestra aceptación de las provisiones de la gracia de Dios. Y eso porque somos seres libres y Dios no nos puede llevar al cielo en contra de nuestra voluntad. Se nos dice: "¿Qué es la justificación por la fe? Es la obra de Dios que abate en el polvo la gloria del hombre, y hace por el hombre lo que él no tiene la capacidad de hacer por sí mismo" (*Testimonios para los ministros*, p. 464).

Entrega constante

Hermanos, no pienso que yo mismo lo haya logrado ya. Más bien, una cosa hago: olvidando lo que queda atrás y esforzándome por alcanzar lo que está delante (Filipenses 3:13).

EN EL PLAN DE SALVACIÓN no es suficiente que hayamos entregado tan solo una vez nuestra voluntad a Dios. Debemos hacerlo continuamente, como demostración de que nuestra decisión no ha cambiado. Puesto que somos libres para cambiar de opinión y deseo, Dios quiere que cada día le permitamos intervenir en nuestra vida. Haberlo hecho una vez en el pasado, no es ninguna garantía en seres que son libres para pensar y actuar.

Muchos cristianos que comenzaron bien la carrera cristiana, después de un tiempo se convierten en personas que se enorgullecen de sus obras buenas y piensan que estas les garantizan la salvación. Hay otros que piensan que deben hacer algo para ganar la salvación, y luchan denodadamente para demostrar a Dios el deseo que tienen de ser salvos. Aun hay otros que luchan por ser buenos, y cuando no lo logran plenamente, se frustran y piensan que la salvación es muy difícil de conseguir, y albergan dudas de si alguna vez podrán estar en el reino de Dios.

Cuando recordamos lo maravilloso que es Dios, que ha provisto todo para nuestra salvación, cuando nos esforzamos por entregarle cada día nuestra voluntad, cuando confiamos en que somos sus hijos y nunca nos abandonará, desaparecen las preocupaciones con respecto a la salvación personal.

Si la salvación personal descansara en el esfuerzo humano, entonces sí deberíamos preocuparnos. Porque el esfuerzo humano es frágil, somos débiles, nuestra tendencia es mala, nuestra comprensión es limitada. Somos incapaces de hacer el bien consistentemente; y cuando lo hemos hecho, lo saturamos de orgullo y motivos egoístas. Pero gracias a Dios que él ha hecho una provisión amplia, que solo debemos aceptar y ser humildes. No podemos agregarle nada. Se nos recuerda: "Este manto, tejido en el telar del cielo, no tiene un solo hilo de invención humana" (*Palabras de vida del gran Maestro*, p. 253).

El poder de la influencia

*Así, todos nosotros, que con el rostro descubierto reflejamos como
en un espejo la gloria del Señor, somos transformados a su semejanza
con más y más gloria por la acción del Señor, que es el Espíritu
(2 Corintios 3:18).*

UN ASUNTO TAN TRASCENDENTAL como es el plan de salvación, tiene que tener implicaciones profundas en la vida de los que se acogen a él. Como este plan implica una relación personal, es imposible que el ser humano no salga afectado por ella. La relación es con la persona de Cristo.

Es imposible que tengamos una relación personal con él, y que no salgamos influidos por lo que él es. Se dice que un pensador griego dijo una vez: "Soy una parte de todos aquellos a quienes he conocido". Tratar con personas nos afecta de una forma u otra. Es una gran verdad que "hay misteriosos vínculos que ligan las almas, de manera que el corazón de uno responde al corazón del otro" (*Consejos para maestros, padres y alumnos*, p. 211). Una vez que nos hemos relacionado con alguien, ya no seremos los mismos de antes. Se nos dice: "Cada acto de nuestra vida afecta a otros para bien o mal. Nuestra influencia tiende a elevar o a degradar; es sentida por otros, hace que los demás obren impulsados por ella, y en un grado mayor o menor es reproducida por otros" (*Consejos sobre la salud*, p. 418).

Esto que llamamos el poder de la influencia, es especialmente cierto en lo que respecta a nuestra relación con Cristo. Cuando conocemos a Cristo y su esfuerzo salvador, cuando intimamos con él y llega a ser un amigo personal, se convierte en una influencia poderosa en nuestras vidas. Su manera de ser y de pensar nos va a afectar profundamente. Si en verdad lo conocemos, ya no seremos los mismos.

Por el hecho de conocer el evangelio de Cristo y aceptar su ofrecimiento, hemos caído bajo la influencia de su vida. Esa vida nos va a cambiar para bien. No puede ser de otra manera. Creer en él nos ha colocado bajo la esfera de su influencia. Por eso vamos a considerar cuáles son las implicaciones que tiene para el ser humano ser objeto de la gracia de Dios. Eso lo consideraremos en los días que siguen. Que el Señor nos permita ser transformados a su imagen.

Libres al fin

Pero allí donde abundó el pecado, sobreabundo la gracia
(Romanos 5:20).

UNA DE LAS PRIMERAS COSAS que trae a nuestra vida la relación con Cristo, es un cambio de perspectiva. Cuando hemos recibido la declaración de imputación de la justicia de Cristo, comenzamos a experimentar un nuevo enfoque de nuestra vida. Dice el apóstol: "Nosotros, que hemos muerto al pecado, ¿cómo podemos seguir viviendo en él? ¿Acaso no saben ustedes que todos los que fuimos bautizados para unirnos con Cristo Jesús, en realidad fuimos bautizados para participar en su muerte? Por tanto, mediante el bautismo fuimos sepultados con él en su muerte, a fin de que, así como Cristo resucitó por el poder del Padre, también nosotros llevemos una vida nueva" (Rom. 6:2-4). Es claro que cuando una persona acepta a Cristo, lo acepta para que gobierne su vida. Así que lo primero que Cristo hace por el justificado, es inducirlo a vivir una vida distinta. Una vida guiada por Dios, libre de la esclavitud de nuestra vida pasada.

Sigue diciendo el apóstol: "Sabemos que nuestra vieja naturaleza fue crucificada con él para que nuestro cuerpo pecaminoso perdiera su poder, de modo que ya no siguiéramos siendo esclavos del pecado" (vers. 6). Se abre delante de nosotros una nueva perspectiva de vida; ya no tenemos que ser esclavos de nuestros vicios y pasiones. No tenemos que obedecer a nuestras inclinaciones. Ese yugo ha sido roto. Las cadenas del pecado han sido destruidas. Hemos sido emancipados por Cristo para vivir una vida distinta a la que vivíamos antes. La razón básica que sustenta esta nueva manera de ver las cosas, es que Cristo nos ha liberado de las garras del mal.

Es como si hubiésemos muerto al pecado: "De la misma manera, también ustedes considérense muertos al pecado, pero vivos para Dios en Cristo Jesús" (vers. 11). Lo interesante de esto es que cuando Cristo nos libera de las garras del mal, nos da una nueva perspectiva de las cosas; tenemos una nueva cosmovisión. Abre delante de nosotros un nuevo camino. El panorama de nuestra vida se transforma. Estamos en contacto con un Cristo viviente que influye sobre nuestra vida para bien.

Siervos todavía

*Antes ofrecían ustedes los miembros de su cuerpo para servir
a la impureza, que lleva más y más a la maldad; ofrézcanlos ahora
para servir a la justicia que lleva a la santidad (Romanos 6:19).*

EL HECHO DE SER LIBERADOS DEL PODER del pecado no significa que nunca más vamos a cometer una falta o a caer en un pecado. La liberación es del dominio del mal en la vida, no de la posibilidad de pecar. Notemos las palabras del apóstol Pablo: "Por lo tanto, no permitan ustedes que el pecado reine en su cuerpo mortal, ni obedezcan a sus malos deseos" (Rom. 6:12). Antes de conocer a Cristo pensábamos que lo normal era ser como éramos. Vivir como vivíamos era para nosotros el modo común y natural de vivir. Pensábamos que lo que hacíamos era lo normal. Pero al relacionarnos con Cristo, cambia nuestra manera de ver las cosas. Ahora vemos que hay otra manera de vivir; otra manera de ser. Se abre delante de nosotros la posibilidad de vivir una vida diferente. Ya el pecado no se apodera de nuestra vida; no reina más, ni somos más sus súbditos leales ante quien tenemos que inclinarnos en obediencia ciega. Ese dominio se rompió. Cristo lo eliminó.

Pero esta liberación del yugo del pecado trae un nuevo estatus y condición. Antes éramos esclavos de Satanás; ahora somos esclavos de Cristo. Antes éramos siervos del pecado; ahora somos siervos de la justicia. Pablo lo ilustra bien: "En efecto, habiendo sido liberados del pecado, ahora son ustedes esclavos de la justicia" (Rom. 6:18). En el mundo existen solo dos poderes: el bien y el mal. Existen solo dos señoríos: el de Cristo y el de Satanás. No hay terreno medio, ni medias aguas. No hay neutralidad. Cuando Cristo nos libera, llegamos a ser de él. Al llegar a ser suyos, el dominio del mal se rompe, y ahora somos aliados de la justicia. Ese es el indicativo: Somos libres del mal, y por ese mismo hecho, ahora somos siervos de la justicia. Ya no tenemos que vivir a la manera antigua. De allí viene el imperativo: Vivamos como se vive la vida en Cristo.

Vivamos lo que somos

Pero ahora que han sido liberados del pecado y se han puesto al servicio de Dios, cosechan la santidad que conduce a la vida eterna (Romanos 6:22).

CUANDO NOS DAMOS CUENTA de que somos libres del mal, y que estamos bajo el dominio de Dios, empezamos a actuar en armonía con la nueva hegemonía a la que pertenecemos. Nuestra vida cambia y comenzamos a practicar la justicia, que es la norma de Cristo. Los frutos de esta nueva vida se dejan ver: Llegamos ser santos, porque entramos en la senda de la comunión con Dios. Esta nueva ruta que tomamos es la ruta que conduce a la vida eterna. La senda anterior conducía a la muerte eterna.

Todos los imperativos de la vida cristiana tienen una finalidad: Vivir lo que somos. Sean justos, porque Dios nos llamó a la justicia; sean santos, porque Dios nos llamó a la santidad; sean buenos, porque Dios nos llamó a la bondad; obedezcan los mandamientos, porque Dios nos llama a la obediencia. Estamos en un nuevo camino, debemos vivir en armonía con ese camino. Pertenecemos a un nuevo reino; vivamos en armonía con lo que ese reino representa. Somos hijos de Dios; vivamos como tales. El apóstol lo hace claro: "No ofrezcan los miembros de su cuerpo al pecado como instrumentos de injusticia; al contrario, ofrézcanse más bien a Dios como quienes han vuelto de la muerte a la vida, presentando los miembros de su cuerpo como instrumentos de justicia" (Rom. 6:13).

Todos estos imperativos nos hablan de la fragilidad del ser humano. Hemos sido deteriorados por el mal. El pecado nos ha incapacitado para amar y seguir el bien. Naturalmente no estamos inclinados a buscar a Dios. La justicia de su reino no la asimilamos fácilmente. Al andar en los caminos de Dios vamos en contra de la corriente. De allí que Dios nos invita, nos llama, nos anima, nos capacita; de allí que fallamos y representamos mal al Dios que servimos. Pero Dios nos dice: "Recuerden, ustedes ya no son así. Son siervos de la justicia; son hijos de Dios; vivan lo que son".

Esclavos de Cristo

Así que si el Hijo los libera, serán ustedes verdaderamente libres
(Juan 8:36).

PARA MOSTRAR EL HECHO de que somos hijos de Dios y libres del poder del mal, el apóstol Pablo usa dos ilustraciones que eran muy importantes en sus días, aunque no tanto en los nuestros.

En primer lugar, Pablo enseña la nueva vida que el cristiano vive bajo la gracia de Dios por medio de la liberación de la esclavitud. Esta, casi desconocida en nuestros días como institución social, era el fundamento económico del Imperio Romano en tiempos de Pablo. Pagar a las personas para que trabajaran, no era muy común en aquellos días. Lo usual era tener esclavos que hicieran gratis los trabajos que estaban debajo de la dignidad de un ciudadano. En aquel mundo había dos clases de personas: Los libres y los esclavos. Había leyes estrictas que regían la vida de los siervos. Estos estaban a la entera disposición de sus amos. Aun sus vidas estaban en manos de ellos. Les debían obediencia incondicional, y fuertes castigos aguardaban a los desobedientes. El esclavo no tenía pensamiento propio, era regido por las órdenes de su amo.

En un sentido real, el pecado presente en nuestra naturaleza carnal, era nuestro amo. Le debíamos obediencia. Se enseñoreaba de nosotros. No podíamos hacer otra cosa que seguir sus órdenes. Pero cuando conocimos el evangelio, supimos que había alguien que nos podía emancipar de esa esclavitud terrible: "Gracias a Dios que, aunque antes eran esclavos del pecado, ya se han sometido de corazón a la enseñanza que les fue transmitida. En efecto, habiendo sido liberados del pecado, ahora son ustedes esclavos de la justicia" (Rom. 6:17, 18).

Según las leyes romanas, los esclavos podían alcanzar la liberación de dos maneras: mediante la voluntad del propio amo, o que alguien pagara el precio de su liberación. Cristo pagó el precio de nuestra libertad, y ya no somos siervos del pecado. Nuestro nuevo amo es Cristo. A él es a quien debemos obedecer.

Libres para amar

*Por eso dejará el hombre a su padre y a su madre, y se unirá
a su esposa, y los dos llegarán a ser un solo cuerpo (Efesios 5:31).*

L A SEGUNDA ILUSTRACIÓN QUE PABLO usa para indicar que el
pecado, que antes nos dominaba, ya no debe regir nuestras vidas,
es la relación matrimonial. Notemos sus palabras: "Por ejemplo, la
casada está ligada por ley a su esposo solo mientras este vive; pero si su
esposo muere, ella queda libre de la ley que la unía a su esposo. Por eso,
si se casa con otro hombre mientras su esposo vive, se le considera adúltera. Pero si muere su esposo, ella queda libre de esa ley, y no es adúltera
aunque se case con otro hombre" (Rom. 7:2, 3).

En este texto, Pablo parece hablar de la relación del cristiano con la
ley, no con el pecado. Pero al leer más profundamente, nos percatamos
que también habla de la relación con el pecado, pues el pecado viene por
causa de la ley. La ley hace que el pecado florezca, y que los individuos se
den cuenta de cuán pecaminosos son. Sin la ley, el pecado está muerto,
nos dice el apóstol.

En la ilustración, la mujer está obligada a obedecer a causa de la ley
que rige la relación conyugal con su marido. La mujer no es libre para
casarse con otro mientras el esposo viva. Pero si este muere, la mujer
queda libre para casarse con quien quiera. De este modo, dice Pablo, el
ser humano estaba obligado a obedecer al pecado por causa de la ley que
lo sometía. Pero cuando Cristo vino, nos liberó de la ley del pecado y de
la muerte, convirtiéndonos en seres libres para elegir a nuestro nuevo
esposo. La idea es la misma: Cristo nos hace libres. Él llega a ser, nuestro
nuevo marido, a quien debemos lealtad y devoción. Si no lo hiciéramos,
estaríamos en adulterio espiritual.

Antes estábamos casados con un esposo cruel que nos maltrataba, y
que hacía su voluntad en nosotros. Pero murió. Cristo vino, sepultó nuestros pecados y nos hizo libres. Independientes para amarlo con devoción
y lealtad inquebrantables.

La vida del Espíritu

Por tanto, hermanos, tenemos una obligación, pero no es la de vivir conforme a la naturaleza pecaminosa. Porque si ustedes viven conforme a ella, morirán; pero si por medio del Espíritu dan muerte a los malos hábitos del cuerpo, vivirán (Romanos 8:12, 13).

EL CREYENTE es una persona nueva, liberada por Cristo para vivir una vida diferente, es legítimo que se pregunte: ¿Cómo debe ser la vida de la persona redimida? ¿Cómo debe vivir el que es un hijo de Dios? ¿Cómo, una persona que ha sido controlada por el mal, puede vivir una vida nueva, en total oposición a la vida antigua que llevaba? ¿Cómo es eso posible?

De acuerdo al apóstol Pablo, el creyente vive la vida del Espíritu. ¿Qué es la vida del Espíritu? Es una vida caracterizada por la presencia del Espíritu Santo y controlada por él. Notemos: "Así condenó Dios al pecado en la naturaleza humana, a fin de que las justas demandas de la ley se cumplieran en nosotros, que no vivimos según la naturaleza pecaminosa sino según el Espíritu" (Rom. 8:3, 4). "Los que viven conforme a la naturaleza pecaminosa fijan la mente en los deseos de tal naturaleza; en cambio, los que viven conforme al Espíritu fijan la mente en los deseos del Espíritu" (vers. 5). "Los que viven según la naturaleza pecaminosa no pueden agradar a Dios" (vers. 8). "Ustedes no viven según la naturaleza pecaminosa sino según el Espíritu, si es que el Espíritu de Dios vive en ustedes" (vers. 9). "Porque todos los que son guiados por el Espíritu de Dios son hijos de Dios" (vers. 14).

Dios envía su Espíritu no solo para iniciar el proceso de la salvación en las personas, sino también con el propósito de capacitarlas para vivir una vida en armonía con el carácter de Cristo. Fijémonos en estas interesantes palabras: "Por el Espíritu llega a ser el creyente partícipe de la naturaleza divina. Cristo ha dado su Espíritu como poder divino para vencer todas las tendencias hacia el mal, hereditarias y cultivadas, y para grabar su propio carácter en su iglesia" (*El Deseado de todas las gentes*, p. 625).

Paz interior

*En otro tiempo ustedes, por su actitud y sus malas acciones,
estaban alejados de Dios y eran sus enemigos. Pero ahora Dios,
a fin de presentarlos santos, intachables e irreprochables delante de él,
los ha reconciliado en el cuerpo mortal de Cristo mediante su muerte
(Colosenses 1:21, 22).*

OTRA DE LAS IMPLICACIONES QUE LA JUSTIFICACIÓN tiene
en la vida del creyente, es que este tiene conciencia íntima de
estar reconciliado con Dios. Antes vivíamos una vida de enemistad con el Señor; era nuestro enemigo. Ahora estamos en paz con él. Dios
es nuestro amigo; y más que eso, es nuestro Padre que nos ama y cuida.
La paz con él es uno de los resultados de la justificación: "En consecuencia, ya que hemos sido justificados mediante la fe, tenemos paz con Dios
por medio de nuestro Señor Jesucristo" (Rom. 5:1). Esta paz significa
reconciliación: "Todo esto proviene de Dios, quien por medio de Cristo
nos reconcilió consigo mismo" (2 Cor. 5:18). "En Cristo, Dios estaba
reconciliando al mundo consigo mismo" (vers. 19).

Como resultado de esta reconciliación con el Señor, no solo estamos
en paz con él, sino que estamos en paz con nosotros mismos. Los sentimientos de culpabilidad ya no nos aquejan. Los complejos de diversa
naturaleza quedan atrás. Ya no nos sentimos ni el centro del universo ni
gusanos miserables. Sin embargo, sabemos que tenemos gran valor para
Dios, porque dio a su Hijo para redimirnos. Somos hijos del Rey del universo, los hijos de los reyes de este mundo no nos inquietan ni son nuestro
ejemplo. La Estrella de la mañana ha amanecido en nuestro corazón, las
así llamadas estrellas de este mundo no nos deslumbran. No nos sentimos
grandes delante de los pequeños, ni pequeños delante de los grandes. No
envidiamos a los ricos, porque somos herederos y coherederos con Cristo.
Tenemos paz interior.

Esto hace que la vida del cristiano sea una vida de contentamiento
personal. El cristiano no envidia la suerte de otros, ni pretende tener lo
que otros poseen. Conocer a Cristo es gran ganancia: "Es cierto que con
la verdadera religión se obtienen grandes ganancias, pero solo si uno está
satisfecho con lo que tiene" (1 Tim. 6:6).

Paz con los demás

Porque Cristo es nuestra paz: de los dos pueblos ha hecho uno solo, derribando mediante su sacrificio el muro de enemistad que nos separaba (Efesios 2:14).

ESTA RECONCILIACIÓN Y PAZ que gozamos con Dios, y que permea nuestra vida interna, debe también proyectarse en nuestras relaciones sociales. Porque el cristiano no solo está en paz con Dios y tiene paz interior, sino también debe estar en paz con sus semejantes.

Frecuentemente, esto es lo más difícil de lograr cuando se habla de la doctrina de la reconciliación. Pero si estamos reconciliados con Dios, no es posible que tengamos enemistad con nuestros semejantes. La paz del Señor que llena nuestra alma debe extenderse hacia los demás. Resulta incomprensible que alguien se reconcilie con Dios y no pueda perdonar a su hermano. No se puede entender cómo alguien pueda decir que está reconciliado con Dios, y sin embargo discuta con los demás.

Cuando creamos barreras, nuestros prejuicios nos separan de los demás, cuando sentimos menosprecio o desprecio hacia otros seres humanos, expresamos que no estamos reconciliados con Dios. Es una manera de decir que la paz con el Señor solo es una ficción en nuestra vida.

Por supuesto, estar en paz con los demás nunca depende de una sola persona. Las relaciones sociales son de doble vía. Podemos reconciliarnos con otros solo en la medida que ellos se quieran reconciliar con nosotros. Es como la reconciliación divina con el ser humano. Dios se acerco al hombre. Ya el Señor no es nuestro enemigo. Pero si nosotros no nos reconciliamos con él, de nada sirve. Es importante que se busque la reconciliación, porque Dios la buscó primero. Así debemos hacerlo nosotros. Cuando alguien busca la paz, es probable que la encuentre primero que aquel que no la busca. Por eso dice la Biblia que Dios nos reconcilió consigo, más allá de si lo aceptamos o no. Esta es la razón por la que el apóstol dice: "Si es posible, y en cuanto dependa de ustedes, vivan en paz con todos" (Rom. 12:18).

Embajador de la reconciliación

Oren también por mí para que, cuando hable, Dios me dé las palabras para dar a conocer con valor el misterio del evangelio, por el cual soy embajador en cadenas (Efesios 6:19, 20).

UNO DE LOS RESULTADOS DE ESTAR en paz con Dios, de sentirnos reconciliados con Dios, es tener la necesidad de compartir con otros la alegría de esa paz que gozamos. A causa de que esta reconciliación divina no se hizo con nosotros nada más, sino que es una reconciliación universal (2 Cor. 5:19), quienes conozcan ese hecho deben compartirlo con los demás.

De ahí surge el imperativo divino de ir y proclamar las buenas nuevas de salvación a los que no las conocen. Por eso dice Pablo que Dios "nos dio el ministerio de la reconciliación" (2 Cor. 5:18). Hay millones de personas que no saben que el Creador se ha reconciliado con ellas. Viven, como dice Pablo, "sin esperanza y sin Dios en el mundo" (Efe. 2:12). Él quiere que ellas sepan, y por eso nos ha dado la encomienda de ir a comunicarlo. Así que debemos ser "embajadores de Cristo" que lleven el mensaje de la paz con Dios (2 Cor. 5:20). De hecho, el Señor nos encargó "el mensaje de la reconciliación" (vers. 19).

Pero dar el mensaje de la reconciliación no es solo ir a decirle a la gente que Dios ya no es su enemigo, que se ha reconciliado con la humanidad y que nos mira con buenos ojos. Implica decirles también que para que esa reconciliación sea efectiva y valga la pena, pues fue conseguida con un sacrificio muy grande, necesitan reconciliarse a su vez con Dios. Añade el apóstol: "En nombre de Cristo les rogamos que se reconcilien con Dios" (vers. 20).

Debe ser un gran honor para el cristiano sentirse un embajador de Cristo que lleva las buenas nuevas de la reconciliación. Meditemos en estas palabras: "A los siervos del Omnipotente se les ha concedido el exaltado privilegio de manifestar el carácter divino mediante el compromiso desinteresado en el esfuerzo por rescatar a los pecadores del abismo de la ruina a la cual han sido arrastrados" (*Recibiréis poder*, p. 168).

Seguridad y confianza

Porque por gracia ustedes han sido salvados mediante la fe; esto no procede de ustedes, sino que es el regalo de Dios (Efesios 2:8).

OTRA DE LAS IMPLICACIONES que tiene la justificación por la fe en la vida del creyente, es que le imparte confianza y seguridad en su experiencia cristiana. Hay muchos cristianos que se debaten en la inseguridad cuando se trata de la salvación personal. Cuando preguntamos a algunos de ellos si creen que van a ser salvos, sus respuestas reflejan inseguridad e incertidumbre. Unos dicen que no saben si lo serán, porque no quieren aparecer presuntuosos. Otros responden con vacilaciones, porque quieren mostrar humildad. Y hay otros que de plano no están seguros.

Como la salvación se considera normalmente un asunto del futuro, es obvio que algunos no quieran anticipar nada. Lo que se nos olvida es que la salvación se puede expresar en tres tiempos: Fuimos salvados, somos salvos y seremos salvos. Para cada uno de ellos tenemos declaraciones bíblicas contundentes. Pablo dice: "Porque en esa esperanza fuimos salvados" (Rom. 8:24). "Pues Dios nos salvó y nos llamó a una vida santa, no por nuestras propias obras, sino por su propia determinación y gracia" (2 Tim. 1:9). Es evidente que para el apóstol Pablo la salvación era un asunto del pasado. Cuando Cristo murió en la cruz nos redimió del mal y del pecado. Él pagó nuestra deuda. Dio el rescate de nuestra salvación. Fuimos salvados por la gracia de Dios. Estaba plenamente convencido de ese acto salvador que se vinculaba con la muerte de Cristo.

Es muy importante que nosotros estemos convencidos también de ese hecho. El apóstol Pedro lo estaba: "Como bien saben, ustedes fueron rescatados de la vida absurda que heredaron de sus antepasados. El precio de su rescate no se pagó con cosas perecederas, como el oro o la plata, sino con la preciosa sangre de Cristo, como de un cordero sin mancha y sin defecto" (1 Ped. 1:18, 19). Ese hecho del pasado es extremadamente importante para darnos la seguridad que debemos tener en el presente.

Salvación presente

---

*Más bien, mientras dure ese "hoy", anímense unos a otros cada día,
para que ninguno de ustedes se endurezca por el engaño del pecado
(Hebreos 3:13).*

EL RECONOCIMIENTO de que fuimos salvos en el pasado es muy importante para darnos seguridad y confianza en el presente. La redención cristiana del presente se finca en el pasado. Mientras más firme sea ese pasado, más seguro será el presente.

Pero, si fuimos salvos en el pasado, ¿lo somos hoy? Muchos hacen una distinción entre el pasado y el presente cuando se refieren a la salvación. Sí, Cristo vino y me salvó, dicen, pero no estoy seguro de si hoy soy salvo. Muchos creen firmemente en una salvación pasada, pero no tanto en una salvación presente. Su experiencia cristiana actual está llena de inseguridad, por la razón que sea. No ven la relación entre una salvación pasada y una presente. Es muy importante tener seguridad en el presente, porque esta es la base de nuestra seguridad en el futuro. El cristiano debe estar seguro de que hoy es salvo.

Notemos estas declaraciones bíblicas: "Me explico: El mensaje de la cruz es una locura para los que se pierden; en cambio, para los que se salvan, es decir, para nosotros, este mensaje es el poder de Dios" (1 Cor. 1:18). "Y cada día el Señor añadía al grupo los que iban siendo salvos" (Hech. 2:47). La salvación también es un asunto del presente. Cuando aceptamos a Cristo somos salvados. Cristo nos salva hoy. Su muerte en el pasado le dio la garantía para salvar a todos los que crean en él. Eso ha sido siempre, hasta el día de hoy. Nosotros "somos" salvos tanto como "fuimos" salvos. El presente no se puede separar del pasado, ni el pasado del presente cuando hablamos de salvación. Somos salvos porque él nos salvó.

Pero lo más importante es que, cuando nos reconocemos como personas salvas por la gracia de Dios, cuando no tenemos dudas al respecto, nuestra vida se llena de gozo y felicidad. Una vida alegre es una vida digna de ser vivida. Por eso, el cristiano debe ser una persona alegre y feliz: Porque es salvo en Cristo.

Salvación futura

El que no escatimó ni a su propio Hijo, sino que lo entregó por todos nosotros, ¿cómo no habrá de darnos generosamente, junto con él, todas las cosas? (Romanos 8:32).

L A BIBLIA deja claro que la salvación debe ser vista como actual, no solo como algo del pasado. La vida cristiana debe ser una vida que rebose de gozo y alegría. Pero el gozo y la felicidad se evaporan ante la inseguridad presente con respecto a la salvación. Esta falta de seguridad trae como resultado inseguridad en el futuro. Muchos cristianos se sienten inseguros con respecto a su salvación futura. Esta inseguridad y falta de confianza hacen que vivan carentes del gozo y la alegría que deben caracterizar la fe. Pero no debiera ser así. Si fuimos salvados por Cristo, quien pagó el precio de nuestra redención, si hemos creído en él y hemos sido rescatados del mal, no debemos tener dudas con respecto al futuro. El porvenir debiera ser visto por el cristiano con certeza y confianza.

El aspecto futuro de la salvación es tan importante como lo son el presente y el pasado. Es el futuro el que concreta lo obtenido en el pasado y el presente. Por eso, el énfasis bíblico cae mayormente en este aspecto futuro de la salvación, y de la seguridad que debemos tener: "Y ahora que hemos sido justificados por su sangre, ¡con cuánta más razón, por medio de él, seremos salvados del castigo de Dios!" (Rom. 5:9). "Porque si, cuando éramos enemigos de Dios, fuimos reconciliados con él mediante la muerte de su Hijo, ¡con cuánta más razón, habiendo sido reconciliados, seremos salvados por su vida!" (vers. 10).

La salvación futura se conecta con el pasado y el presente. Como Cristo nos reconcilió con su muerte, y somos justificados por tener fe en ese acto redentor, entonces no tenemos por qué tener desconfianza de nuestra salvación futura, ni navegar en la inseguridad respecto de ella. La expresión paulina "con cuánta más razón", es sencillamente extraordinaria. Refleja la seguridad que Pablo tenía y que deseaba que los cristianos tuvieran. No tenemos por qué estar inseguros de nuestra salvación presente y futura.

Confianza en Dios

Pero estrecha es la puerta y angosto el camino que conduce a la vida, y son pocos los que la encuentran (Mateo 7:14).

LA SEGURIDAD que tienen todos los cristianos de la salvación es fruto de la justificación. Se supone que el que ha sido justificado es una persona que tiene confianza en Dios, es decir, en lo que el Señor puede hacer por él. Sin embargo, a veces reina la inseguridad entre los hijos de Dios, especialmente en las filas adventistas. Eso puede ser el resultado de abandonar nuestra confianza en Dios y colocarla en nosotros mismos. Como no tenemos plena seguridad de que podamos salvarnos por nuestros esfuerzos personales, nos invade la inseguridad en cuanto a si seremos salvos o no al fin de cuentas. Esta puede ser una señal de que nos hemos apartado del camino correcto, nos hemos desviado a la senda de la justificación propia, lo cual encierra muchos peligros.

Pero la inseguridad de la salvación se puede producir por otras razones: una interpretación equivocada de las enseñanzas bíblicas y ciertas declaraciones de Elena G. de White. Por ejemplo, nuestro Señor dijo en conexión con la salvación: "Porque muchos son los invitados, pero pocos los escogidos" (Mat. 22:14). Algunos razonan, si los que se van a salvar son pocos, tal vez ellos no tengan la oportunidad de salvarse. Pero el Señor hablaba del mundo en general, no de los que ya han sido escogidos. Se piensa que no son muchos los que se van a salvar, sino pocos. Algunos, al darse cuenta de sus imperfecciones y errores, concluyen que tienen pocas probabilidades de salvarse. De este modo, muchos viven una vida de inseguridad, siempre piensan en los márgenes escasos que hay para alcanzar la salvación.

Por supuesto, la salvación no es un asunto de poco valor. Ha requerido el sacrificio inmenso de Dios para lograrla. Los discípulos le preguntaron al Señor, cierta vez: "¿Quién podrá salvarse? Para los hombres es imposible —aclaró Jesús, mirándolos fijamente—, mas para Dios todo es posible" (Mat. 19:25, 26). Por eso debemos descansar en el poder de Dios, no en el esfuerzo humano.

Seguridad en la tormenta

Manténganse libres del amor al dinero, y conténtense con lo que tienen, porque Dios ha dicho: "Nunca te dejaré; jamás te abandonaré" (Hebreos 13:5).

L A INSEGURIDAD de la salvación se origina a veces en interpretaciones equivocadas de ciertas declaraciones bíblicas. Otra declaración que induce a algunos a la inseguridad son las palabras del Señor con respecto a la salvación de los ricos. Después de ver al joven rico que se alejaba triste, Jesús dijo: "Les aseguro —comentó Jesús a sus discípulos— que es difícil para un rico entrar en el reino de los cielos. De hecho, le resulta más fácil a un camello pasar por el ojo de una aguja, que a un rico entrar en el reino de Dios" (Mat. 19:23, 24). Pensamos que esta es una declaración que no afecta a los hijos del Señor. Solo atañe a los que son ricos. Decimos, ellos debieran preocuparse porque su salvación es muy difícil, es imposible que un camello pase por el ojo de una aguja.

Por supuesto, se trata de una metáfora, una figura del lenguaje, pero no deja de ser una dificultad muy grande. Pensaríamos que la mayoría de nosotros no tenemos problema con esto porque no somos ricos. Pero cuando reflexionamos un poco más en las palabras del Señor, nos damos cuenta que, en realidad, nos involucra a todos, porque, ¡cuántos no quisiéramos ser ricos! Pero la dificultad se encuentra cuando meditamos un poco más, nos damos cuenta que el problema no es la riqueza en sí, sino el amor al dinero, Pablo dice que "es la raíz de toda clase de males" (1 Tim. 6:10). Y, ¡cuántos se pueden librar del amor al dinero! Así que este problema es universal, y no el de unos pocos. Esto hace que muchos estén inseguros de entrar en el reino de Dios.

Meditemos en esto: "Esta tierra es nuestra escuela preparatoria, y mientras estemos aquí enfrentaremos aflicciones y dificultades. Pero estamos seguros mientras nos aferremos al que dio su vida como sacrificio por nosotros" (*Alza tus ojos*, p. 195).

Confianza en la tormenta

En seguida Jesús le tendió la mano y, sujetándolo, lo reprendió:
"¡Hombre de poca fe! ¿Por qué dudaste?" (Mateo 14:31).

LA PALABRA DE DIOS NO DEBE ALIMENTAR nuestra inseguridad. Algunos se sienten inseguros cuando leen las declaraciones que se refieren a los peligros de los últimos días; en forma particular, la declaración del Señor en su sermón profético: "Porque surgirán falsos Cristos y falsos profetas que harán grandes señales y milagros para engañar, de ser posible, aun a los elegidos" (Mat. 24:24). Algunas personas se concentran tanto en los problemas de los últimos días, que se olvidan del poder protector de Dios. Piensan que habrá engaños tan poderosos y sutiles que difícilmente podrán resistir. Pasan por alto el hecho de que Jesús dijo: "De ser posible". Esto quiere decir que es imposible que los hijos de Dios sean engañados. Debemos descansar seguros en el brazo poderoso de Dios, y no vivir en la inseguridad.

En las filas adventistas "hablamos" de un complejo de persecución. Nos fascina el estudio de los eventos finales, y constantemente se habla de la crisis de los últimos días. Nos detenemos particularmente en el asunto de cuán terribles van a ser esos últimos días, y la persecución contra el pueblo de Dios ocupa nuestro foco de interés. Por supuesto, debemos estudiar las profecías bíblicas que hablan del fin, debemos prepararnos espiritualmente para esos eventos. Tampoco es malo reflexionar en el hecho de que al pueblo de Dios le esperan días difíciles. Sabemos, como dijo el apóstol, que "es necesario pasar por muchas dificultades para entrar en el reino de Dios" (Hech. 14:22). Pero no debemos permitir que el temor o el miedo nos traigan inseguridad y desconfianza.

Hay algunos que opinan que esas persecuciones y tribulaciones que vendrán sobre el pueblo de Dios van a ser tan severas que corremos el riesgo de no poder resistirlas. No debemos olvidar ni por un momento que el Señor estará al lado de cada uno de sus seguidores, y que debemos tener confianza y seguridad en sus promesas.

Con Dios estamos seguros

*Manténganse alerta; permanezcan firmes en la fe;
sean valientes y fuertes (1 Corintios 16:13).*

EL APÓSTOL PABLO ESCRIBIÓ UN PASAJE que algunos no han
entendido, y en consecuencia, los ha llevado a vivir en un estado
de inseguridad espiritual. Dice así: "Por lo tanto, si alguien piensa
que está firme, tenga cuidado de no caer" (1 Cor. 10:12). Algunos han
deducido de este pasaje que nuestra vida espiritual es tan insegura que
podemos caer en cualquier momento, y por lo tanto, debemos vivir en
constante estado de alerta. Aunque la vigilancia espiritual tiene su validez
en la vida cristiana, no debemos caer en esos extremos. El apóstol hablaba
de los murmuradores del tiempo del éxodo, que por no tener fe en Dios
quedaron tendidos en el desierto. Confiaron en ellos mismos, y Satanás
los engañó. Pablo decía que, a fin de estar seguros, no debemos poner la
confianza en la fuerza humana, sino en Dios, quien nos puede ayudar a
estar firmes. Debiéramos leer el siguiente versículo donde el apóstol dice:
"Pero Dios es fiel, y no permitirá que ustedes sean tentados más allá de
lo que puedan aguantar. Más bien, cuando llegue la tentación, él les dará
también una salida a fin de que puedan resistir" (vers. 13). Con Dios hay
seguridad.

Cuando ponemos la confianza en el brazo humano somos débiles, y
podemos caer. Como hemos dicho anteriormente, la naturaleza humana
es débil y frágil; estamos demasiado afectados por el mal y las inclinaciones pecaminosas. Nunca es seguro tener confianza propia en lo que se
refiere a la lucha contra el mal. Por eso decía el apóstol: "Porque cuando
soy débil, entonces soy fuerte" (2 Cor. 12:10). La confianza y fe en Dios
nos da fortaleza. Por eso Pablo añadía: "Todo lo puedo en Cristo que me
fortalece" (Fil. 4:13).

Meditemos en estas palabras: "En nuestra propia fortaleza somos
completamente débiles, pero cuando ponemos toda nuestra confianza
en Jesús somos guardados por su poder, porque es plenamente capaz de
guardar a toda alma en él" (*Alza tus ojos*, p. 17).

La salvación no es fácil

Si el justo a duras penas se salva, ¿qué será del impío y del pecador?
(1 Pedro 4:18).

LA SEGURIDAD CRISTIANA es uno de los resultados de la justificación. Cuando hemos entrado en una relación de fe con Cristo, nos imparte seguridad y confianza. Esta seguridad no depende de nosotros, sino de nuestra relación con él. No solo tenemos paz, sino también la seguridad de que él nos guardará hasta el fin.

Pero por alguna razón perdemos esa confianza, y recurrimos a excusas y razones para justificar esa actitud. Una de ellas es buscar apoyo en ciertos pasajes bíblicos. De este modo crece nuestra inseguridad, y nuestra vida cristiana no es tan feliz como debiera ser.

Un pasaje, que algunos usan para alimentar esa inseguridad, es la declaración de Pedro que leyó anteriormente. Algunos ven en este texto, como en otros, que la salvación es muy difícil; que si nos salvamos, va a ser con mucho trabajo. Hay quienes se desalientan, al pensar que si llegan a salvarse es por un verdadero milagro. Lo que el apóstol hace, es contrastar la vida del impío y la del justo. Su intención es enfatizar que los impíos serán ciertamente juzgados y castigados.

De ninguna manera nuestra salvación es un asunto fácil. No solo ha requerido un gran sacrificio del cielo, sino que se alcanza por el poder del Espíritu de Dios, que actúa en la vida de las personas. Pero eso tampoco debería alimentar la inseguridad en nuestra salvación presente o futura. Al contrario, debe darnos seguridad; porque si las fuerzas celestiales están comprometidas en el conflicto, y nosotros estamos de su lado, no hay nada que temer.

Meditemos en estas palabras: "Necesitamos cultivar diariamente la fe en un Salvador actual. Al confiar en un poder exterior y que está por encima de nosotros mismos, al ejercer fe en un apoyo y un poder invisibles, que aguarda las demandas del necesitado y dependiente, podemos confiar tanto en medio de las nubes como a plena luz del sol, mientras cantamos por la liberación y el gozo de su amor que podemos experimentar ahora mismo" (*Cada día con Dios*, p. 62).

En manos seguras

*Por lo tanto, ya no hay ninguna condenación
para los que están unidos a Cristo Jesús (Romanos 8:1).*

L A SEGURIDAD DEL CRISTIANO ESTÁ ANCLADA en la idea de que si estamos con Dios, nada nos puede arrebatar de su presencia. Nuestro Señor tenía esta seguridad, y la expresó en las siguientes palabras: "Mis ovejas oyen mi voz; yo las conozco y ellas me siguen. Yo les doy vida eterna, y nunca perecerán, ni nadie podrá arrebatármelas de la mano. Mi Padre, que me las ha dado, es más grande que todos; y de la mano del Padre nadie las puede arrebatar" (Juan 10:27-29).

Jesús estaba convencido de que nadie podía arrebatarle sus ovejas. La razón de su convencimiento descansaba en la confianza en el poder de Dios, que es el más grande del universo. Si nosotros pensáramos de la misma manera, tendríamos la misma seguridad que Cristo. A Dios nadie puede quitarle sus ovejas, porque es el Todopoderoso. A veces pensamos en el gran poder de Satanás, que no deja que le arrebaten a sus seguidores. Lucha a muerte para retener a los suyos. Nos maravillamos del poder de las tinieblas para cautivar la mente de los seres humanos, y retenerlos a la fuerza. ¡Imagínense ustedes cómo luchará Dios por sus hijos! ¡Y nadie es más sabio y poderoso que él! ¿No debiéramos sentirnos seguros y confiados, ya que nuestro Padre es el Rey del universo?

Esta misma confianza y seguridad, la tenía el apóstol Pablo: "Pues estoy convencido de que ni la muerte ni la vida [...] podrá apartarnos del amor que Dios nos ha manifestado en Cristo Jesús nuestro Señor" (Rom. 8:38, 39).

Reflexionemos en esta declaración: "No debemos hacer de nuestro yo el centro de nuestros pensamientos, ni alimentar ansiedad ni temor acerca de si seremos salvos o no. Todo esto es lo que desvía el alma de la Fuente de nuestra fortaleza. Encomendad vuestra alma al cuidado de Dios y confiad en él [...]. Desterrad toda duda; disipad vuestros temores. Reposad en Dios. Él puede guardar lo que le habéis confiado. Si os ponéis en sus manos, él os hará más que vencedores por aquel que nos amó" (*El camino a Cristo*, pp. 71, 72).

La facultad de decidir

Pero si a ustedes les parece mal servir al Señor, elijan ustedes mismos a quiénes van a servir [...]. Por mi parte, mi familia y yo serviremos al Señor (Josué 24:15).

MUCHOS SE PREGUNTAN, SI DIOS es Todopoderoso e infinitamente sabio, ¿por qué hay personas que se apartan de él? ¿Por qué Dios pierde en la lucha por el corazón de tanta gente que le da la espalda? ¿Por qué hay tantas personas que no quieren saber nada de Dios? ¿Por qué Dios no usa su poder y sabiduría para ganarlas? Si nadie puede arrebatarle las ovejas a Cristo, ¿por qué Judas se perdió?

Una cosa debemos recordar con claridad: Todo el poder del universo se vuelve impotente ante la negativa de seguir a Dios. El Creador le dio a los seres humanos un don precioso: El libre albedrío, que nos hace ser semejantes a él. Dios se comprometió a no violar esa libertad de elegir y escoger. Por eso no fuerza la voluntad ni obliga a las personas a seguirle. El Señor invita, llama, suplica, pero hasta allí. Cuando el ser humano rehúsa aceptar el llamado de Dios, cae bajo el poder del reino de las tinieblas, y él no se opone a la voluntad de las personas. Es increíble, pero el poder más grande del universo se vuelve impotente ante el don de la libertad. Eso no significa que Dios pierda su poder o hegemonía, sino que acepta la decisión personal y no manipula la conciencia humana. Después de todo, en su reino entrarán solo los que quieran.

En este mundo tenemos la opción de elegir entre el bien y el mal, entre seguir a Dios o seguir a Satanás. Lo más maravilloso es que una vez que optamos por seguir al Creador, todo el poder del universo está de nuestro lado, y nadie nos puede arrebatar de las manos de Dios. Nuestra preocupación debiera ser una sola: Procurar estar del lado del Señor. Si eso lo resolvemos cada día, no tenemos que tener dudas ni incertidumbre acerca de nuestro futuro. Estaremos seguros en las manos de Dios.

Justicia y perfeccionismo

No es que ya lo haya conseguido todo, o que ya sea perfecto.
Sin embargo, sigo adelante esperando alcanzar aquello para lo cual
Cristo Jesús me alcanzó a mí (Filipenses 3:12).

OTRA IMPLICACIÓN QUE TIENE EL MENSAJE de la justificación por la fe es que nos protege del perfeccionismo. ¿Qué es el perfeccionismo? Es la doctrina que enseña que el ser humano tiene que ser perfecto si quiere entrar en el reino de Dios.

El perfeccionismo ha sido un problema para la fe cristiana a través de los siglos. Durante los primeros siglos del cristianismo hubo grupos de cristianos que se retiraban a lugares desérticos y apartados, con el propósito de evitar la contaminación del mundo. Allí construyeron conventos donde practicaban ayunos rigurosos para mortificar las inclinaciones del cuerpo. Tenían la reputación de ser santos, y buscaban la perfección para ser dignos de entrar en el cielo.

También en las filas adventistas se ha asomado el perfeccionismo, han surgido grupos que enseñan que es necesario vivir sin pecado en este mundo para poder aspirar al cielo. Pretenden apoyarse en las Escrituras y en el ejemplo personal de Jesús. Nos recuerdan que sin "la santidad [...] nadie verá al Señor" (Heb. 12:14). Citan las palabras del Señor: "Por tanto, sean perfectos, así como su Padre celestial es perfecto" (Mat. 5:48). Y también las palabras de Elena G. White: "Cuando el carácter de Cristo sea perfectamente reproducido en su pueblo, entonces vendrá él para reclamarlos como suyos" (*Palabras de vida del gran Maestro*, p. 47). Se olvidan que la santidad bíblica y la perfección no significa perfección absoluta, sino madurez cristiana; y que el carácter de Cristo que se requiere, es su bondad hacia el necesitado y doliente.

El perfeccionismo no está acreditado en la experiencia cristiana ni aprobado en las Escrituras. Ningún cristiano, apóstol o discípulo pretendió alguna vez ser perfecto, excepto Jesús de Nazaret. Si el perfeccionismo fuera correcto, nadie entraría en el reino de Dios, históricamente hablando. El perfeccionismo es un engaño de Satanás. El mensaje de la justicia de Cristo nos protege de caer en ese engaño, porque es la justicia de Cristo la que tenemos y recibimos, no la justicia que nosotros podamos lograr por nuestro esfuerzo personal.

Cristo: ¿Nuestro modelo en todo?

Porque no tenemos un sumo sacerdote incapaz de compadecerse de nuestras debilidades, sino uno que ha sido tentado en todo de la misma manera que nosotros, aunque sin pecado (Hebreos 4:15).

OTRA DE LAS PRETENSIONES DEL PERFECCIONISMO es que a causa de que Cristo vivió una vida perfecta y sin pecado, nos vino a enseñar que podemos y debemos vivir de la misma manera si queremos entrar en el reino de Dios. De hecho, de acuerdo al perfeccionismo, solo los que sean perfectos y se mantengan incontaminados como Cristo, podrán ser salvos en el día final.

La realidad es que, aun cuando viviéramos sin cometer ningún pecado, cosa que nadie ha logrado, por el hecho de tener tendencias hacia el mal y una naturaleza corrupta, ya somos pecadores, y estamos necesitados de la gracia de Dios. No hay nadie que no sea pecador. El que pretenda lo contrario, se engaña a sí mismo y declara que Dios es mentiroso, ya que él ha dicho que todos somos pecadores (1 Juan 1:8, 10). También estaríamos fuera de la gracia de Dios, porque Dios vino a buscar a los pecadores (Luc. 19:10), y es a los pecadores a quienes se les atribuye justicia (Rom. 4:5).

Es verdad que Cristo es nuestro ejemplo a seguir, como dice Pedro: "Para esto fueron llamados, porque Cristo sufrió por ustedes, dándoles ejemplo para que sigan sus pasos" (1 Ped. 2:21), pero el texto se refiere a soportar el sufrimiento con paciencia. También Cristo nos dejó un ejemplo a seguir en lo que se refiere a la humildad: "Les he puesto el ejemplo, para que hagan lo mismo que yo he hecho con ustedes" (Juan 13:15). En general, podríamos decir que Jesús fue un ejemplo a seguir en el carácter y la vida. Pero, ciertamente, no fue nuestro ejemplo, ni pretendió serlo, en lo que se refiere a su naturaleza. Él tenía una naturaleza humana no contaminada por el mal, nosotros tenemos una naturaleza humana con tendencias hacia el mal. El Señor no vino a decirnos que debemos ser sin pecado como él lo fue, porque no podemos serlo. Vino a rescatarnos del mal en el que caímos.

Frustración o racionalización

Ya no hablaré más con ustedes, porque viene el príncipe de este mundo.
Él no tiene ningún dominio sobre mí (Juan 14:30).

E L PERFECCIONISMO DICE QUE ASÍ COMO CRISTO vivió una vida sin pecado, también nosotros debemos vivir así; y si no lo hacemos, no podremos entrar en el reino de los cielos. Al hacer esto, coloca sobre los seres humanos una carga que nadie ha podido llevar. El resultado es la frustración y el desencanto, por un lado, o la tergiversación y el autoengaño, por el otro.

Los que aceptan el perfeccionismo, tratan de ser superiores y luchan a brazo partido para vivir sin tacha, solo para darse cuenta que no pueden. Presa de la frustración y el desencanto por no alcanzar la norma que desean y juzgan necesaria, caen en la desesperación, y concluyen que se van a perder, que no podrán ser salvos. La vida cristiana se torna, entonces, en amargura e infelicidad.

Otros, que son frágiles mentalmente como para soportar tal grado de frustración, se autoengañan y concluyen que ya han alcanzado la perfección y santidad. Creen que viven por encima de otros en este mundo, y aun sus actos, abiertamente pecaminosos, son racionalizados como actos de santidad. Las tragedias producidas por sectas como la de David Koresh, en nuestros tiempos, y otras como los de la "carne santificada", de tiempos de Elena G. de White, nos hablan tristemente de esta actitud.

Hay perfeccionistas que tergiversan la naturaleza humana de Jesús: Piensan que tenía propensión al pecado, lo que implica, teológicamente, que adoptó una naturaleza humana contaminada por el mal. Deducen que Jesús es nuestro modelo porque no cometió pecado a pesar de su inclinación. Así también nosotros, seres caídos y propensos al mal, podemos alcanzar la victoria sobre el pecado y vivir sin pecar. Si Jesús lo hizo, también nosotros podemos, y esto se convierte en una condición para entrar en el reino de Dios. ¿Es bíblica esta idea? La analizaré mañana con más detenimiento.

El segundo Adán

Pues así como en Adán todos mueren, también en Cristo todos volverán a vivir (1 Corintios 15:22).

LA ESCRITURA DICE CON TODA CLARIDAD que Cristo no tenía pecado y que vivió sin pecado. Fue perfecto delante de Dios: "Al que no cometió pecado alguno, por nosotros Dios lo trató como pecador" (2 Cor. 5:21). "Nos convenía tener un sumo sacerdote así: santo, irreprochable, puro, apartado de los pecadores y exaltado sobre los cielos" (Heb. 7:26). Se nos dice: "El Señor Jesús asumió la forma del hombre pecador, y revistió su divinidad con humanidad. Pero era santo, tal como Dios es santo. Si no hubiera sido sin mancha de pecado, no podría haber sido el Salvador de la humanidad" (*Cada día con Dios*, 14 de diciembre).

Por otro lado, cuando Adán fue creado era perfecto e inmaculado. De él se dijo que fue creado a semejanza de Dios (Gén. 1:26). Pero ya sabemos la triste historia de la humanidad. La raza humana llegó a tener una naturaleza corrompida por causa del pecado. Una inclinación hacia el mal que se transmite por las leyes de la herencia. Cuando Jesús se encarnó, asumió las desventajas físicas de los descendientes de Adán, pero no su conciencia moral pecaminosa. La conciencia moral de Jesús no estaba contaminada por el mal. Eso quiere decir que Jesús no vino a ocupar nuestro lugar en lo que se refiere a naturaleza, sino a ocupar el lugar de Adán.

Por lo tanto, Jesús no es nuestro ejemplo en cuanto a naturaleza moral. Nosotros no podemos ser sin pecado, porque ya tenemos una naturaleza que no podemos cambiar. Jesús es nuestro ideal de fidelidad. Dios nos ha dado su Espíritu para vencer el mal en nuestra vida, pero esto es un proceso lento que no terminará hasta que estemos en el reino de Dios, cuando a través de la resurrección, el Señor desarraigue nuestra inclinación al mal para siempre. Mientras tanto, tenemos que luchar con el mal en nuestra naturaleza, y aprender a depender de él a cada paso del camino.

No hay excusa

Por tanto, no tienes excusa tú, quienquiera que seas, cuando juzgas a los demás, pues al juzgar a otros te condenas a ti mismo, ya que practicas las mismas cosas (Romanos 2:1).

EL PROBLEMA DEL PERFECCIONISMO es que pretende que los seres humanos pueden llegar a ser excelentes en este mundo, y hacen de esa posible perfección el requerimiento para entrar en el reino de Dios. Luego, el perfeccionista se convierte en juez de las personas que luchan y no obtienen la victoria. Dice: "El fracaso es el resultado de ser infiel a Dios". Esto trae frustración y desencanto al corazón de los sinceros cristianos, que luchan sin poder llegar al sentimiento de haberlo alcanzado. Les roba la paz en Cristo, la felicidad y el gozo de vivir. A la postre, los convierte a una religión basada en el mérito, que sí es bancarrota espiritual.

Por otro lado, rechazar el perfeccionismo no debe ser excusa para vivir en pecado. No es correcto decir: "Hagamos esto, al fin y al cabo, perfecto no hay nadie en el mundo". O decir: "Cometí este pecado, pero, bueno, es que somos pecadores". Esgrimir nuestra condición caída para excusar el pecado, es tan equivocado como el mismo perfeccionismo. Se nos dice: "Cristo ha dado su Espíritu como poder divino para vencer todas las tendencias hacia el mal, hereditarias y cultivadas, y para grabar su propio carácter en su iglesia" (*El Deseado de todas las gentes*, p. 625). No hay excusa para pecar, porque tenemos un poder infinito que está de nuestro lado.

Pero, mientras vivamos en este mundo de pecado, no podremos decir que ya hemos logrado vencer el mal. El que lo diga está engañado, y es un engañador. Notemos estas palabras: "No podemos decir: "Yo no tengo pecado", hasta que este cuerpo vil sea cambiado y transformado a la semejanza de su cuerpo divino" (*A fin de conocerle*, p.360). "Cuando termine el conflicto de la vida, cuando la armadura sea colocada a los pies de Jesús, cuando los santos de Dios sean glorificados, entonces, y solo entonces, será seguro afirmar que somos salvos y sin pecado" (*Mensajes selectos*, t. 3, p. 406).

Cobertura completa

¿Dónde, pues, está la jactancia? Queda excluida.
¿Por cuál principio? ¿Por el de la observancia de la ley?
No, sino por el de la fe (Romanos 3:27).

EL MENSAJE DE LA JUSTIFICACIÓN POR LA FE nos salva del perfeccionismo, porque nos enseña que debemos confiar en Dios y no colocar nuestra confianza en lo que podemos hacer. Nos dice que nuestra justicia procede de Dios y que no es obra nuestra. Que cuando comenzamos la carrera cristiana, Dios nos declara justos por lo que Cristo hizo, no por ningún logro nuestro. El Señor no nos condena como pecadores, porque condenó a Jesús como pecador en nuestro lugar. Que ya no ve nuestro pecado, sino la justicia de Cristo.

La justificación por la fe nos dice que, ciertamente, para ser salvos debemos estar libres de pecado, debemos ser perfectos para estar en la presencia de Dios, pero esa perfección se alcanza solamente a través de los méritos de Cristo, quien fue perfecto delante de Dios. La justificación por la fe nos dice que, ciertamente, para estar en la presencia de Dios debemos ser santos y limpios de corazón, pero que la única manera de serlo es a través de Jesús, quien fue santo y limpio.

El mensaje de la justificación por la fe nos dice que no es suficiente haberle entregado la vida a Cristo una vez. Puesto que tenemos una naturaleza corrupta y contaminada por el mal, debemos depender constantemente de Cristo, pues somos débiles y necesitamos cada día su poder y fuerza. Que lo único que nos da seguridad es estar del lado de Cristo, y esta es una decisión que tenemos que hacer cada día. Reflexionemos: "¿Qué es la justificación por la fe? Es la obra de Dios que abate en el polvo la gloria del hombre, y hace por el hombre lo que él no tiene la capacidad de hacer por sí mismo" (*Testimonios para los ministros*, p. 464).

Temor al juicio

Al iniciarse el juicio, los libros fueron abiertos (Daniel 7:10).

EL MENSAJE DE LA JUSTIFICACIÓN POR LA FE nos ayuda a enfrentar dos conceptos que pueden causar temor y aprensión en la vida del cristiano. El primero es el asunto del juicio final. A todos nos conmueve la idea de tener que estar en un juicio donde seremos juzgados por Dios. El concepto de un juicio final tiene la posibilidad de llenarnos de temor si no lo entendemos correctamente. El mensaje de la justificación por fe tiene la virtud de ponerlo en la perspectiva correcta.

La idea bíblica es que todos compareceremos ante el tribunal de Dios algún día, para dar cuenta de lo que hicimos, y seremos juzgados de acuerdo a nuestros hechos: "Porque Dios pagará a cada uno según lo que merezcan sus obras" (Rom. 2:6). También nuestras palabras serán objeto del juicio de Dios. Nuestro Señor dijo: "Pero yo les digo que en el día del juicio todos tendrán que dar cuenta de toda palabra ociosa que hayan pronunciado. Porque por tus palabras se te absolverá, y por tus palabras se te condenará" (Mat. 12:36, 37). Pero no solo vamos a enfrentar nuestras acciones y palabras, sino también nuestros motivos secretos: "Así sucederá el día en que, por medio de Jesucristo, Dios juzgará los secretos de toda persona, como lo declara mi evangelio" (Rom. 2:16). Nadie escapará del juicio de Dios: "¡Todos tendremos que comparecer ante el tribunal de Dios!" (Rom. 14:10). El juicio del Señor, sin embargo, será justo: "Él ha fijado un día en que juzgará al mundo con justicia, por medio del hombre que ha designado" (Hech. 17:31).

Sin embargo, esta descripción bíblica del juicio de Dios tiene la capacidad de atemorizar a cualquiera. Todos sentimos temor ante el juicio de Dios, porque reconocemos que tenemos faltas y errores, y que hemos pecado contra Dios. Todos somos conscientes de nuestras debilidades y nuestros motivos ocultos. Todos tenemos temor: "Cada cual tiene un alma que salvar o que perder. Todos tienen una causa pendiente ante el tribunal de Dios. Cada cual deberá encontrarse cara a cara con el gran Juez" (*Cristo en su santuario*, p. 136).

¿Temor del juicio?

Ciertamente les aseguro que el que oye mi palabra
y cree al que me envió, tiene vida eterna y no será juzgado,
sino que ha pasado de la muerte a la vida (Juan 5:24).

LA ESCENA BÍBLICA DEL JUICIO PUEDE atemorizar al alma más confiada. Pero a esa escena, le hemos agregado otros detalles e interrogantes que la hacen todavía más preocupante. A nuestros niños, en la iglesia o en sus casas, para persuadirlos a que sean obedientes, les decimos: "Acuérdense de que los ángeles que nos ven, ellos anotan todo lo que hacemos. Recuerden que vamos a presentarnos en el juicio ante Dios".

Algunos pastores desde el púlpito les recuerdan a los hermanos que el juicio investigador está en proceso en el cielo, que nuestros nombres pueden pasar de un momento a otro, y cuando tal cosa ocurra, deducen, se cerrará la puerta de la gracia. ¿No debiéramos estar vigilantes cada momento? Otros lo hacen más dramático aun: "Supongamos, dicen, que usted va manejando por la carretera y le viene un mal pensamiento, y en ese instante tiene un accidente fatal. ¿Podrá salir librado en el día del juicio investigador?"

Cuando entendemos el juicio en forma debida, nos damos cuenta que tiene la finalidad de revelar quiénes son hijos de Dios y quiénes no. Los registros se llevan para demostrar ante el universo por qué Dios salva a unos y rechaza a otros. Así que los hijos de Dios comparecen ante el juicio para ser vindicados, mientras que los demás aparecen para ser condenados. Entonces, el juicio será un motivo de alegría para los que son miembros del pueblo de Dios, y un motivo de tristeza para los que no lo son. Por esta razón si estamos del lado de Cristo no debemos temer el juicio; al contrario, desearemos que llegue. Los que sí tienen razón para temer el juicio son los que han rechazado la gracia de Dios revelada en Cristo. La pregunta importante es: ¿Estás hoy del lado de Cristo?

Libres del temor a la muerte

Por tanto, ya que ellos son de carne y hueso, él también compartió esa naturaleza humana para anular, mediante la muerte, al que tiene el dominio de la muerte —es decir, al diablo—, y librar a todos los que por temor a la muerte estaban sometidos a esclavitud durante toda la vida (Hebreos 2:14, 15).

O TRO DE LOS TEMORES QUE EL MENSAJE de la justificación por la fe elimina de la vida del creyente, es el temor a la muerte. Los seres humanos instintivamente le tenemos temor a la muerte. Por más que se hayan inventado teorías sobre el estado de los muertos, a nadie le gusta morir. Quisiéramos vivir para siempre. Salvo los que se encuentran en tal grado de sufrimiento que prefieren morir; normalmente el ser humano prefiere vivir.

La Biblia enseña que la muerte es el resultado del pecado. San Pablo dice: "Por medio de un solo hombre el pecado entró en el mundo, y por medio del pecado entró la muerte; fue así como la muerte pasó a toda la humanidad, porque todos pecaron" (Rom. 5:12). Como seres pecadores cosechamos la muerte. El pecado tiene su propio castigo: La separación de Dios, que es la aniquilación. El Señor es la norma del universo, la norma del orden. Lo que está contra Dios introduce desorden y caos. Donde reina el pecado, reina la confusión. Estas cosas no pueden existir para siempre delante de él, es decir, no pueden coexistir con Dios, porque es Todopoderoso y tiende a destruir lo que se le opone. El pecado, que es oposición a Dios, tiene asegurado su fin. Cuando el pecado termine, acabará la muerte.

Cuando Dios justifica al pecador, soluciona el problema del pecado en la vida humana, y no estamos más en oposición a Dios. Estamos en armonía con él. Por lo tanto, no cosechamos la muerte sino la vida. Por su muerte, Cristo ganó el derecho de dar vida a sus seguidores. Al estar con Cristo, no tenemos miedo a morir, porque con Cristo no hay muerte, sino vida.

La certeza de la vida

El que tiene al Hijo, tiene la vida; el que no tiene al Hijo de Dios, no tiene la vida (1 Juan 5:12).

OTRA DE LAS CONSECUENCIAS DE HABER sido justificados por la fe es que tenemos la seguridad de la vida eterna. Pablo nos dice: "Pero ahora que han sido liberados del pecado y se han puesto al servicio de Dios, cosechan la santidad que conduce a la vida eterna" (Rom. 6:22). La vida eterna es el propósito último de la justificación, ya que nos brinda la oportunidad de convivir con Dios. Así que no solo no tenemos miedo a la muerte, sino que tenemos la certeza de la vida eterna. Vida que se mide al lado de Jesucristo.

El hijo de Dios tiene tal certeza de obtener la vida eterna, que en labios del Señor, se empieza a vivir aquí y ahora. Notemos sus palabras: "Ciertamente les aseguro que el que cree tiene vida eterna" (Juan 6:47). "Yo soy la resurrección y la vida. El que cree en mí vivirá, aunque muera; y todo el que vive y cree en mí no morirá jamás" (Juan 11:25, 26). El apóstol Juan tenía ese convencimiento: "Pero estas se han escrito para que ustedes crean que Jesús es el Cristo, el Hijo de Dios, y para que al creer en su nombre tengan vida" (Juan 20:31). "Les escribo estas cosas a ustedes que creen en el nombre del Hijo de Dios, para que sepan que tienen vida eterna" (1 Juan 5:13).

Por cierto, la vida que Cristo nos da comienza en el momento de aceptarlo, aquí, ahora. La resurrección garantizará esta vida por la eternidad. Cuando una persona acepta a Cristo como salvador personal, empieza a gozar por anticipado la vida futura, porque es Dios que la promete, y él no miente. Por lo tanto, hay seguridad y confianza. El cristiano empieza a saborear la vida eterna desde ahora, mientras vive en este mundo. La garantía viene a través de su fe en Cristo.

Legalismo sutil

Porque aunque la conciencia no me remuerde, no por eso quedo absuelto, el que me juzga es el Señor (1 Corintios 4:4).

COMENZARÉ A ANALIZAR los riesgos y peligros que representa el mensaje de la justificación por la fe. Esto, sin embargo, suena muy extraño, porque, ¿cómo es posible que este mensaje implique algún riesgo? Vimos que el mensaje de la justicia de Cristo es el corazón del evangelio, y no es posible que el evangelio conlleve algún riesgo. Pero, el evangelio es tan importante, que el enemigo de Dios ha tratado de neutralizar su efecto, provoca malos entendidos. Una de esas aberraciones es el legalismo.

Cuando se predica el evangelio, es posible que algunas personas lo entiendan desde el punto de vista de una religión legalista. ¿Qué es el legalismo? El legalismo es la creencia de que la salvación del ser humano depende de lo que haga para agradar a Dios. Que la salvación requiere que las personas sean obedientes, y que por ello alcancen mérito delante de Dios. Que la salvación depende de la cantidad de méritos obtenidos por la obediencia.

Vimos que uno de los frutos de la justificación es la santificación. Esta implica un crecimiento en lo que se refiere a la conciencia moral. La moralidad tiene que ver con obediencia a mandamientos y preceptos, ya que estos son dados por Dios como norma para regir la conducta humana. De este modo, y en forma natural, los que han sido redimidos del pecado a través de la justificación son personas obedientes y promotoras de la moralidad. Esto se presta para que el enemigo de Dios tergiverse la santificación y la obediencia, y las presente en una nueva luz: Es necesario obedecer para ser salvos. Si quieres ser salvo, tienes que obedecer. Uno se salva por obedecer; hay mérito en la obediencia. El cambio es tan sutil que muchos no se dan cuenta, y piensan que es por su obediencia que son salvos. Este es el gran peligro del legalismo; un foso grande, ancho y profundo.

Legalismo crudo

No me sigan trayendo vanas ofrendas; el incienso es para mí una abominación; ¡no soporto que con su adoración me ofendan! (Isaías 1:13).

DEFINIDO DE UNA MANERA SIMPLE, el legalismo es la creencia de que se necesitan méritos para ser salvos. En él prevalece la idea de que Dios no te acepta a menos que tengas obras meritorias. El legalismo tiene varias caras: Desde un legalismo crudo y descarado, hasta uno más sutil e insidioso.

El legalismo crudo aparece en todas las religiones paganas, que son inventos de Satanás. En todas ellas se enseña que para que Dios te vea con buenos ojos, tienes que tener méritos. Para que Dios te bendiga, necesitas hacer algo que le agrade. Cuando el dios de estas religiones está airado hay que hacer algo para aplacarlo, aun con sacrificios humanos. No cabe duda de que la devoción que esta gente tenía por sus dioses era digna de admirar. ¡Hasta sacrificaban a sus hijos para obtener el favor de ellos! Desgraciadamente, la devoción y el sacrificio personal no salvan.

En su constante trato con los paganos y sus formas de culto, la religión judía se pervirtió poco a poco. De los sacrificios que eran un símbolo de su dedicación y gratitud a Dios, y una instrucción simple del evangelio, los judíos llegaron a pensar que había virtud y mérito en ellos. Aceptaron lentamente el pensamiento legalista de que mientras más sacrificios se hicieran a Dios, más y mejor los iba a escuchar. De esta manera, la religión judía fue absorbida por el legalismo pagano. Se nos dice que, en tiempos de Jesús, "el principio de que el hombre puede salvarse por sus obras, que es fundamento de toda religión pagana, era ya principio de la religión judaica. Satanás lo había implantado; y doquiera se lo adopte, los hombres no tienen defensa contra el pecado" (*El Deseado de todas las gentes*, p. 26).

Es lamentable que tantas personas sinceras y honestas hayan sido llevadas a pensar que a Dios se lo puede manipular con nuestras acciones. Meditemos en esto: "Sea hecho claro y manifiesto que no es posible mediante mérito de la criatura realizar cosa alguna en favor de nuestra posición delante de Dios o de la dádiva de Dios por nosotros" (*Fe y obras*, p. 17).

Otra cara del legalismo

Conozco tus obras; tienes fama de estar vivo,
pero en realidad estás muerto (Apocalipsis 3:1).

EL LEGALISMO QUE SE INTRODUJO en la religión judía no era tan descarado como el pagano. Estaba atemperado por las revelaciones de Dios en el Antiguo Testamento. Sin embargo, era común en tiempos de Cristo representar la relación del hombre con el Señor con una balanza de dos platillos. En un platillo está el ideal de Dios: Las pesas. En el otro lo que se requiere del hombre: Las buenas obras. Para que se pueda conseguir la decisión favorable del juicio final de Dios, es necesario que el platillo de las obras del ser humano se incline a su favor, revelando que la persona ha cumplido el ideal de Dios. De este modo, solo se salvan los que tengan buenas obras en suficiente cantidad para aprobar el juicio del Señor. Era un legalismo no tan crudo, pero legalismo al fin.

Este principio del legalismo se infiltró también en la religión cristiana. Solo que en ella no puede asumir un aspecto tan descarado como en el caso del paganismo, porque sería rechazado abiertamente. Tiene que ser introducido de una manera más insidiosa y sutil, a fin de que su engaño pueda ser aceptado.

La forma más abierta de legalismo cristiano lo representa la religión popular. Esta es una religión que enfatiza las obras como requisito de salvación. Aunque las masas la practican de una manera abiertamente legalista, sus teólogos lo hacen de un modo más sofisticado. En la teología popular, el Señor no declara al ser humano justo, sino que lo hace justo. Esto quiere decir que para que él te dé el estatus de justo, antes necesitas ser justo; porque Dios no podría decir que eres justo si no lo eres en realidad. Así, a través de varias acciones, él hace que seas justo. Este es el propósito de los sacramentos, como la eucaristía y el bautismo, los votos y mandas, la realización de sacrificios y penas, así como las limosnas y las buenas obras. Todo para que llegues a ser justo. Entonces, y no antes, Dios dice que estás justificado. O sea, hay que ser bueno primero para que el Señor diga que eres justo. De este modo, la salvación es por obras, y estas son meritorias.

Una cara más

*De acuerdo. Pero ellas fueron desgajadas por su falta de fe,
y tú por la fe te mantienes firme. Así que no seas arrogante sino temeroso
(Romanos 11:20).*

TODA RELIGIÓN CRISTIANA QUE ENFATICE la moral y la ética cristiana a expensas de su concepción de Dios y del valor de la salvación, va a ser asaltada por el legalismo. Nosotros como adventistas somos moralistas por excelencia. Como surgimos de las religiones protestantes tradicionales, con una fuerte influencia metodista, que es una religión que pone énfasis en la responsabilidad cristiana de la moral y la conducta, continuamos en esa línea de pensamiento. En nuestro desarrollo histórico, descubrimos nuevas verdades que abrazamos con fervor; y como nos distinguían de las otras religiones protestantes, empezamos a darles mucho énfasis, con el propósito de persuadir a otros. La verdad sobre la observancia del cuarto mandamiento, la verdadera condición de los muertos, un estilo de vida saludable, la doctrina del santuario, los eventos finales y la segunda venida de Cristo, fueron asuntos que llegaron a ser prioritarios en nuestra predicación.

Puesto que nuestros pioneros eran miembros convertidos a Cristo de aquellas denominaciones, era natural que enfatizaran lo que era nuevo para ellos, y edificaran sobre su fe y conversión anteriores. Surgimos también de un ambiente escatológico que ponía gran énfasis en la cercanía de la venida de Cristo y en la preparación para este evento. Todo eso coloreó la ideología adventista, y nos hizo ser lo que somos: un pueblo con un mensaje reformador que trata de preparar al mundo para la pronta venida de Cristo.

Como somos moralistas convencidos, los ataques satánicos han venido también en forma sutil. Entre nosotros casi no tenemos personas que crean que uno se salva por las obras buenas que haga. Las encuestas realizadas a menudo, por escrito o a viva voz, revelan que el legalismo crudo no es un problema para nosotros. Cuando se hace la pregunta: "¿Cuántos creen que uno se salva por las obras?", casi nadie levanta la mano o responde afirmativamente. Cuando preguntamos: "¿Cuántos creen que se salvan solo por la fe?", de igual modo, pocos lo afirman. Pero cuando preguntamos: "¿Cuántos creen que se salvan por la fe y las obras?", muchos responden positivamente. ¿No es esto legalismo?

Fe y obras

Por tanto, nadie será justificado en presencia de Dios por hacer las obras que exige la ley (Romanos 3:20).

CREER QUE UNO SE SALVA POR LA FE y las buenas obras, es un tipo de legalismo sutil. La Palabra de Dios nos dice repetidas veces, como lo hemos visto en reflexiones anteriores, que la salvación es solo por la fe. Las obras, por buenas que sean, no forman parte de la razón por la que somos salvos.

El apóstol dice con claridad meridiana: "Porque sostenemos que todos somos justificados por la fe, y no por las obras que la ley exige" (Rom. 3:28). "Porque por gracia ustedes han sido salvados mediante la fe; esto no procede de ustedes, sino que es el regalo de Dios, no por obras, para que nadie se jacte" (Efe. 2:8, 9). El legalista sutil que cree que se salva por la fe y las obras, con el tiempo termina creyendo que se salva por las obras. La fe desaparece del mapa porque se da por sentada. Lo que ocurre es que se pierde de vista qué es lo que significa la fe. La fe se despersonaliza, convirtiéndola en un mero asentimiento mental o confianza en un conjunto de doctrinas. Como ya vimos, la fe es confianza en una persona, Jesús; particularmente, lo que esa persona hizo en nuestro lugar. Una fe sin Cristo no tiene ningún valor a los fines de la salvación.

El legalista sutil normalmente tiene la visión de la vida cristiana como representada por un bote de dos remos, donde uno representa la fe y el otro las obras. La única manera de llegar al puerto correcto es accionando ambos remos. Si solo se acciona el remo de la fe, no se llega a ninguna parte, como tampoco si solo se acciona el de las obras. Tienen que accionarse ambos para que el bote se dirija correctamente. De este modo, solo llegaremos al reino de Dios por la fe y las obras. ¿Armoniza esta ilustración con lo que la Biblia enseña de la relación entre la fe y las obras?

El fruto de la fe

Preocupémonos los unos por los otros, a fin de estimularnos al amor y a las buenas obras (Hebreos 10:24).

LA RELACIÓN DE LA FE con las obras encierra otra sutileza que es importante entender. La vida cristiana no puede desenvolverse sin buenas obras, llega a ser comprensible que creamos que la salvación es por fe y obras. Pero esto es un engaño. Las obras son el fruto de nuestra relación con Cristo, porque el carácter de Cristo se empieza a reflejar en la vida del que se relaciona con él. La santificación es el fruto de la justificación (Rom. 6:22). El Espíritu Santo trabaja en la vida del cristiano y produce buenas obras, pero esta no es la razón por la que somos salvos.

El apóstol Pablo, que fue el campeón del mensaje de la justificación por la fe, no tenía nada contra las buenas obras, salvo que se invocaran como base de la salvación. Por otra parte, era consciente de que las buenas obras son parte de la vida cristiana: "Porque somos hechura de Dios, creados en Cristo Jesús para buenas obras, las cuales Dios dispuso de antemano a fin de que las pongamos en práctica" (Efe. 2:10). "Que se adornen más bien con buenas obras, como corresponde a mujeres que profesan servir a Dios" (1 Tim. 2:10). "Y que sea reconocida por sus buenas obras, tales como criar hijos, practicar la hospitalidad, lavar los pies de los creyentes, ayudar a los que sufren y aprovechar toda oportunidad para hacer el bien" (1 Tim. 5:10). "Mándales que hagan el bien, que sean ricos en buenas obras, y generosos, dispuestos a compartir lo que tienen" (1 Tim. 6:18).

"Permanecer en Cristo significa una fe viviente, ferviente, refrigerante que obre por el amor y purifique el alma. Significa una recepción constante del espíritu de Cristo, una vida de entrega sin reservas a su servicio. Donde exista esta unión, aparecerán las buenas obras" (*A fin de conocerle*, p. 132).

Fe sin obras

De igual manera, ¿no fue declarada justa por las obras aun la prostituta Rahab, cuando hospedó a los espías y les ayudó a huir por otro camino? (Santiago 2:25).

A CAUSA DE QUE LAS BUENAS OBRAS son el fruto de la fe, sería muy difícil que alguien se salvara sin buenas obras (véase *Fe y obras,* p.114). Pero eso no significa que las buenas obras logren la salvación de los que se salven. Suponemos que habrá algunos, como el buen ladrón de la cruz, que se salvarán sin tener la oportunidad de hacer buenas obras. A los tales, sin embargo, les habría sido imposible no poseerlas de haber tenido más tiempo de vida.

Sin embargo, alguien podría preguntar: ¿No dice la Epístola de Santiago, que obviamente fue inspirado como lo fue Pablo, que las obras son parte de la justificación? Veamos las declaraciones de Santiago: "Hermanos míos, ¿de qué le sirve a uno alegar que tiene fe, si no tiene obras? ¿Acaso podrá salvarlo esa fe? [...] Así también la fe por sí sola, si no tiene obras, está muerta [...]. Sin embargo, alguien dirá: "Tú tienes fe, y yo tengo obras". Pues bien, muéstrame tu fe sin las obras, y yo te mostraré la fe por mis obras [...]. ¿Quieres convencerte de que la fe sin obras es estéril? ¿No fue declarado justo nuestro padre Abraham por lo que hizo cuando ofreció sobre el altar a su hijo Isaac? Ya lo ves: Su fe y sus obras actuaban conjuntamente, y su fe llegó a la perfección por las obras que hizo [...]. Como pueden ver, a una persona se le declara justa por las obras, y no solo por la fe [...]. Pues como el cuerpo sin el espíritu está muerto, así también la fe sin obras está muerta" (Sant. 2:14-26).

Como resulta obvio por los pasajes citados, en tiempos de Santiago había unas personas que alegaban que tenían fe, pero Santiago les dijo que era una fe falsa, porque no tenían obras. Como las buenas obras son el fruto de la fe, era imposible que alguien reclamara tener fe sin las obras correspondientes. Santiago defendía la idea de que toda fe verdadera debe producir naturalmente buenas obras.

Vivir sin reflejar fe

Con tal de que se mantengan firmes en la fe, bien cimentados y estables, sin abandonar la esperanza que ofrece el evangelio (Colosenses 1:23).

SANTIAGO TENÍA en mente a una clase de personas que pretendían tener fe pero que la negaban, porque sus vidas no reflejaban esa fe. Basado en esto, Santiago entiende, en forma práctica, que si no hay obras no hay fe. Él no toca ningún otro problema. Por ejemplo, él no tiene en mente que puede haber personas que tengan buenas obras, pero sin fe. Este no era un problema de su comunidad, y por lo tanto, no lo toca. Pero esto no quiere decir que no hubiera tales personas.

Por otro lado, tenemos a Pablo. Él enfrentaba a personas que decían que la fe en Cristo era nada si no se guardaba la ley de Moisés. Tu creencia en Cristo de nada sirve si no estás circuncidado. Pablo se dio cuenta que esta era una declaración superficial de un asunto más profundo: Cómo se salva el hombre, o en qué se basa la salvación del ser humano. Él podría haber dicho: "Este es un asunto ceremonial que compete a los judíos solamente; los gentiles no tienen por qué hacerlo". Pero él sabía que el principio sostenido iba más allá y atacaba la raíz misma del evangelio. El hombre se salva por fe en lo que hizo Jesucristo. No hay otra manera. Si la hubiera, se desvirtúa el evangelio y se lo neutraliza. De allí las declaraciones contundentes de Pablo de que el hombre se salva por la fe en Cristo solamente, sin las obras de la ley. Pero como vimos antes, Pablo creía que una vez que hemos sido redimidos por la gracia de Cristo, empezamos a dar el fruto de la santificación, que es el producto de la obra del Espíritu en el corazón. La declaración de Santiago era de naturaleza práctica; la de Pablo, profundamente teológica. Ambos tenían razón, pero atacaban diferentes frentes.

Sin Cristo no hay salvación

Ya sea que te desvíes a la derecha o a la izquierda, tus oídos percibirán
a tus espaldas una voz que te dirá: "Este es el camino; síguelo"
(Isaías 30:21).

¿CÓMO ENFRENTAMOS HOY LOS PROBLEMAS que trataron Pablo y Santiago? Pablo obviamente atacaba creencias legalistas. El que pretenda salvarse o que crea que la salvación se obtiene en forma total o parcial por la realización de buenas obras, cae en una religión basada en el mérito, dice Pablo. La religión del mérito es todavía muy común en nuestros días. De hecho, es la religión que agrada más al ser humano. En el mundo de hoy, con su énfasis antropocéntrico que hace del hombre el centro del universo, la religión basada en el mérito propio es la religión popular.

Las declaraciones de Santiago acerca de una fe vacía que no lleva ningún fruto y no está apoyada por las obras correspondientes, no parece ser el problema de la religión de nuestros días. Sin embargo, si las declaraciones de Santiago se refieren a lo que comúnmente se llama "antinomianismo", el desprecio a la observancia de los mandamientos de Dios, pretenden a su vez tener fe, eso sí está más representado en las religiones cristianas populares de nuestros días, y recibe un golpe certero del apóstol.

Pero la declaración de Santiago de que la fe sin obras está muerta, nos hace pensar también en algo que es bastante común en nuestros días, y que es lo opuesto de su declaración: "Las obras sin fe de nada sirven". Esto, por supuesto, Santiago no lo desarrolla, porque no era problema en su comunidad. Pero es una inferencia que se puede deducir de sus declaraciones. Sabemos que hay millones de personas que no fuman, no beben, son vegetarianos estrictos, humanistas consumados, honestos y buenos vecinos, pero no quieren saber nada de la salvación que Cristo les ofrece. Tienen muy buenas obras, pero sin Cristo. Tanto Pablo como Santiago dirían: De nada sirve. Fuera de Cristo no hay salvación.

Vivir sin ley

¿No les ha dado Moisés la ley a ustedes? Sin embargo, ninguno de ustedes la cumple (Juan 7:19).

OTRO DE LOS GRANDES RIESGOS en el que se incurre durante la proclamación del evangelio, es el así llamado "antinomianismo". ¿Qué es el "antinomianismo"? En forma simple, es despreciar los mandamientos de Dios en aras de la fe. Este riesgo lo corren quienes enfatizan mucho la doctrina de la justificación por la fe, a tal grado que se van al extremo opuesto del legalismo. Este y el antinomianismo son posiciones extremistas de la proclama del evangelio. Pareciera que no es fácil mantenerse en el centro. Los seres humanos tendemos a irnos a un extremo o al otro. Cuando queremos combatir un error extremo, inconscientemente nos vamos al límite opuesto. Así sucede con los predicadores que tratan de combatir el legalismo. Si no se cuidan, desembocan en el desprecio de las buenas obras.

Básicamente, el antinomianismo dice: Cree en Cristo y vive como quieras. Es justo decir que esta declaración encierra algo de verdad. Puede haber un momento en el desarrollo de la vida espiritual que algunos de nuestros deseos, gustos y ambiciones coincidan con los de Dios. El Espíritu de Dios que trabaja en la mente del cristiano, lo va transformando a la semejanza divina. Entonces, tener fe en Dios y vivir como uno quiere, teniendo este nuevo querer implantado por el Espíritu Santo, puede reflejar esa nueva realidad. Pero encierra el engaño sutil de que se puede llegar al punto de creer que todos nuestros deseos, gustos y pasiones coincidan con los de Dios. Esto no es verdad, ya que no importa cuánto tiempo seamos cristianos, queremos cosas que no están en armonía con la voluntad de Dios. A pesar de todo, tenemos que decir: "Señor, hágase tú voluntad y no la nuestra". En este mundo nunca podremos llegar al punto donde nuestra voluntad coincida plenamente con la voluntad de Dios. Esto será una realidad en la tierra nueva, cuando Dios desarraigue el mal de nuestra vida. En este mundo tenemos que luchar y ser vigilantes. No podemos vivir como queramos. Hay que procurar la voluntad de Dios.

Libertad, no libertinaje

Ustedes estaban corriendo bien. ¿Quién los estorbó para que dejaran de obedecer a la verdad? (Gálatas 5:7).

UN DICHO MÁS QUE ES COMÚN entre los antinomianistas es: "Una vez salvo, siempre salvo". De nuevo hay que reconocer que esta declaración encierra algo de verdad. Los errores que Satanás quiere introducir en la fe cristiana están disfrazados frecuentemente de verdad. Casi siempre combina la verdad con el error. Así es más fácil caer bajo sus redes.

La verdad que encierra este dicho tiene que ver con la seguridad cristiana de la que hemos hablado anteriormente. En Cristo estamos seguros. No tenemos por qué debatirnos en la inseguridad. Si abrazamos a Cristo, él no nos dejará caer. Dios dice que el que toca a su pueblo, toca la niña de sus ojos. Nada ni nadie nos puede arrebatar de su mano. Así que, si permanecemos en Cristo, no hay nada que temer. Si somos salvos hoy, seremos salvos mañana y siempre.

Sin embargo, el error escondido es la pretensión de que el ser humano no puede caer. La salvación está garantizada, si permanecemos en Cristo. No solo somos débiles sino propensos a ser engañados. Nuestra única seguridad es aferrarnos a su poder y sabiduría. El poder del mal es demasiado para nuestra naturaleza frágil. Necesitamos depender constantemente de Dios. Es posible caer. Es posible apartarse del Señor. Es posible darle la espalda a aquel que nos salvó. De ahí la constante vigilancia que nos recomienda la Palabra de Dios. Es un error confundir libertad en Cristo con libertinaje. Es fatal suponer que por el hecho de que una vez aceptamos a Cristo, podemos ir por la vida totalmente despreocupados y sin hacer ningún esfuerzo personal para permanecer en él. Esto es confianza propia, que nos aparta de la fuente de poder.

La idea que se puede derivar de esta expresión "una vez salvo, siempre salvo", es que no importa lo que hagas estás seguro en las manos del Padre celestial. Puedes incluso apartarte de sus mandamientos, al fin y al cabo, Dios ya te dio la salvación. Esto no es fe sino presunción. Es asumir que el Señor nos va a salvar independientemente de lo que escojamos. ¡Qué gran error!

Un riesgo más

Así el pecado no tendrá dominio sobre ustedes,
porque ya no están bajo la ley sino bajo la gracia (Romanos 6:14).

A NTERIORMENTE SE DIJO QUE AQUELLOS de quienes Santiago decía que pretendían tener fe y depreciaban las obras, es decir, la obediencia a los mandamientos de Dios, eran probablemente anti-nomianistas. Es probable que fuesen personas que usaron mal el concepto de la justificación por la fe y motivados por ideas helenistas que separaban la mente y el cuerpo, opinaban que no importaba cómo viviesen, lo importante era tener la fe, que les daba la salvación. Cometieron, además, el error de concebir a la fe como un mero consentimiento intelectual, un ejercicio de la mente, y no la fe bíblica que se refiere a una relación personal de confianza.

De cualquier modo, debemos tener cuidado de mantener el equilibrio entre fe y obediencia. Asimismo, cuidar de no caer en un riesgo más: El de etiquetar a todo el que predica la justificación solo por fe como anti-nomianista. Es interesante que los opositores de Pablo lo acusaran de sostener cierto tipo de antinomianismo. Pablo lo informa así: "'¿Por qué no decir: Hagamos lo malo para que venga lo bueno?' Así nos calumnian algunos, asegurando que eso es lo que enseñamos. ¡Pero bien merecida se tienen la condenación!" (Rom. 3:8). "¿Qué concluiremos? ¿Vamos a persistir en el pecado, para que la gracia abunde? ¡De ninguna manera! Nosotros, que hemos muerto al pecado, ¿cómo podemos seguir viviendo en él?" (Rom. 6:1, 2). Siempre habrá personas que entienden mal lo que se quiere decir, porque basan sus conclusiones en presuposiciones y prejuicios. Es nuestro deber analizar el contexto en el que una persona habla, para no hacer juicios apresurados.

A veces los malos entendidos se derivan de cómo se dicen las cosas. A un predicador adventista que hablaba de la justificación de una manera tajante, se le dijo: "Usted deja una impresión equivocada en muchas mentes […]. Dios nos salva bajo la condición de que pidamos si queremos recibir, busquemos si queremos encontrar y llamemos si queremos que se nos abra la puerta" (*Fe y obras*, p. 114).

La santificación

Como tenemos estas promesas, queridos hermanos, purifiquémonos de todo lo que contamina el cuerpo y el espíritu, para completar en el temor de Dios la obra de nuestra santificación (2 Corintios 7:1).

LA SANTIFICACIÓN, es un asunto que necesita ser tratado junto con el tema de la justificación. La vida cristiana es más que la declaración de justicia, es cuando Dios hace justo a alguien. Incluye también lo que llamamos santificación. San Pablo dice: "Pero gracias a él ustedes están unidos a Cristo Jesús, a quien Dios ha hecho nuestra sabiduría —es decir, nuestra justificación, santificación y redención— para que, como está escrito: 'Si alguien ha de gloriarse, que se gloríe en el Señor'" (1 Cor. 1:30, 31). Es el deseo de Dios que sus hijos desarrollen la santidad personal, pues deben "ser renovados en la actitud de su mente; y ponerse el ropaje de la nueva naturaleza, creada a imagen de Dios, en verdadera justicia y santidad" (Efe. 4:23, 24). Era claro para el apóstol que "Dios no nos llamó a la impureza sino a la santidad" (1 Tes. 4:7). La santidad es necesaria para estar delante del Señor: "Busquen la paz con todos, y la santidad, sin la cual nadie verá al Señor" (Heb. 12:14).

Desde el punto de vista bíblico, la santificación es un corolario de la justificación. Es Pablo el que lo define así: "Pero ahora que han sido liberados del pecado y se han puesto al servicio de Dios, cosechan la santidad que conduce a la vida eterna" (Rom. 6:22). Haber sido justificados, declarados libres del poder del pecado en la vida, estar en armonía y en paz con Dios, nos permite tener una plataforma sobre la cual iniciar una vida de crecimiento espiritual. Esta vida de crecimiento espiritual es lo que llamamos el proceso de la santificación, porque a diferencia de la justificación, que es la obra de un instante, la santificación dura toda la vida.

Justicia impartida

Busquen al Señor, todos los humildes de la tierra [...]. Busquen la justicia, busquen la humildad; tal vez encontrarán refugio en el día del Señor (Sofonías 2:3).

L A SANTIFICACIÓN, fruto de la justificación, es un proceso que dura toda la vida. A la justificación comúnmente se la llama la "justicia imputada", mientras que a la santificación se le da el nombre de "justicia impartida". Elena G. de White lo dijo de esta manera: "La justicia por la cual somos justificados es imputada; la justicia por la cual somos santificados es impartida. La primera es nuestro derecho al cielo; la segunda, nuestra idoneidad para el cielo" (*Mensajes para los jóvenes*, p. 32).

Lo de imputada se refiere al hecho de que es una declaración de justicia que se acredita al pecador, y por lo tanto es instantánea. Lo de impartida alude a la idea de proceso, de desarrollo, y por lo tanto es algo que dura y se extiende. A la primera se la define como nuestro derecho al cielo. Ese derecho lo ganó Jesús al morir por nosotros. Es nuestro boleto de entrada al reino de Dios. Sin embargo, no es algo que compramos, sino que se nos da gratuitamente.

A la segunda se la define como nuestra idoneidad para el cielo. Esta es la que requiere un poco más de consideración, pues tiene la posibilidad de ser entendida erróneamente. Si es nuestra idoneidad para el cielo, puede ser que alguien piense que no podrá ir al cielo a menos que sea completamente idóneo. Pero no es así, ya que la santificación se define como proceso y desarrollo, lo cual hace que la idoneidad para entrar al cielo también esté en proceso.

Cuanto más vivamos en este mundo, experimentemos la justificación y si permanecemos en Cristo, más avanzados estaremos en el proceso de la santificación. Este avance dura toda la vida en esta tierra, porque la lucha con la carne y el mundo es incesante. Hay que recordar que en Cristo somos completamente idóneos para estar delante de Dios.

Escogidos para ser santos

Por lo tanto, como escogidos de Dios, santos y amados, revístanse de afecto entrañable y de bondad, humildad, amabilidad y paciencia (Colosenses 3:12).

CUANDO UNA PERSONA ES JUSTIFICADA por la gracia de Dios, es "considerada" justa, no como una ficción legal, sino como alguien que ha recibido la justicia de Cristo en forma efectiva. Al ser declarada justa, por haber aceptado a Jesús como Salvador personal, inicia un sendero que llamamos carrera cristiana. Es en realidad una lucha, una batalla constante con el mal interior y exterior, que no se termina nunca. Esto es lo que llamamos santificación: El proceso por el cual somos hechos santos cada día.

Así como en la Biblia a los que son justificados se los llama justos, a los que entran en el proceso de la santificación se los llama santos: "Les escribo a todos ustedes, los amados de Dios que están en Roma, que han sido llamados a ser santos" (Rom. 1:7). "Pablo, apóstol de Cristo Jesús por la voluntad de Dios, a los santos y fieles en Cristo Jesús que están en Éfeso" (Efe. 1:1). "A la iglesia de Dios que está en Corinto, a los que han sido santificados en Cristo Jesús y llamados a ser su santo pueblo" (1 Cor. 1:1).

El término "santo" llegó a ser el apelativo preferido por los apóstoles para referirse a los que se habían convertido en cristianos. Pero de ninguna manera se usaba en términos absolutos, ni se refería a ninguna élite de cristianos en particular. Era una referencia a todos los que entraban en la carrera cristiana y hacían profesión de fe genuina en Cristo. Santo no era el que había alcanzado una norma o estatus de santidad determinado, sino el que estaba en la carrera. Posteriormente, el término se desvirtuó para referirse a alguna persona en particular, a quien se la consideraba especialmente santa. Esto hizo que el término fuera despojado de su uso bíblico y se restringiera su aplicación.

Reflexionemos en estas palabras: "Si cultivamos el bien, las tendencias objetables no obtendrán supremacía, y finalmente seremos considerados dignos de reunirnos con la familia celestial. Si queremos ser santos en el cielo, debemos ser santos en la tierra" (*A fin de conocerle*, p. 280).

La santidad, un faro en el horizonte

Él transformará nuestro cuerpo miserable para que sea como su cuerpo glorioso, mediante el poder con que somete a sí mismo todas las cosas (Filipenses 3:21).

A CAUSA DE QUE LA SANTIFICACIÓN es un proceso, y que los que entran en él son llamados santos, resulta errado que alguien proponga que el que no sea absolutamente santo no podrá entrar en el reino de Dios. O peor aun, que alguien diga que ha llegado al punto en el cual ha alcanzado el límite de la santidad. La santidad es un faro iluminador ubicado en el horizonte, al que miramos para saber dos cosas: una, que estamos en camino; dos, que nunca llegaremos a él a menos que Dios supla lo que nos falta.

Ciertamente hay un blanco de santidad que alcanzar. Es decir, tenemos un ideal que se coloca delante de cada uno para que sirva de guía y estímulo a fin de seguir en la lucha. La Biblia es clara: "Más bien, sean ustedes santos en todo lo que hagan, como también es santo quien los llamó; pues está escrito: 'Sean santos, porque yo soy santo'" (1 Ped. 1:15, 16). "Dios nos escogió en él antes de la creación del mundo, para que seamos santos y sin mancha delante de él" (Efe. 1:4). Ese es el ideal que se coloca ante los santos.

Sin embargo, es legítimo que se haga las preguntas: ¿Es posible alcanzar ese ideal? ¿Es posible llegar a ser santo como Dios? En esta vida y desde el punto de vista humano, no es posible. Somos seres caídos y vivimos en un mundo corrupto y malo. No podemos ser absolutamente santos y perfectos. Entonces, ¿por qué Dios coloca un ideal, un blanco ante nosotros que no podemos alcanzar? La respuesta es que lo podemos alcanzar, pero solamente en Cristo. Así como somos justos en Cristo, del mismo modo somos santos en él. Pero no solo entramos en el camino de la santidad y somos llamados santos en Cristo. La verdad es que algún día se cumplirán estas palabras: "Queridos hermanos, ahora somos hijos de Dios, pero todavía no se ha manifestado lo que habremos de ser. Sabemos, sin embargo, que cuando Cristo venga seremos semejantes a él, porque lo veremos tal como él es" (1 Juan 3:2).

Error grave

Según la previsión de Dios el Padre, mediante la obra santificadora del Espíritu, para obedecer a Jesucristo y ser redimidos por su sangre (1 Pedro 1:2).

CON RESPECTO A LA SANTIFICACIÓN, hay un error grave que podemos cometer. Hay quienes piensan: "Si no podemos ser santos, ¿para qué intentarlo?" Es decir, ya que no podemos vencer totalmente la naturaleza carnal, entonces démosle rienda suelta. Esta actitud no es cristiana. Es una idea semejante a la de los gnósticos cristianos del tiempo del Nuevo Testamento, que se entregaron a la licencia y al libertinaje bajo la excusa de que el cuerpo es bajo y rastrero, y no importa que lo complazcamos. Dice Judas que "son impíos que cambian en libertinaje la gracia de nuestro Dios y niegan a Jesucristo, nuestro único Soberano y Señor [...]. Estos individuos, llevados por sus delirios, contaminan su cuerpo, desprecian la autoridad y maldicen a los seres celestiales [...]. Son un peligro oculto: sin ningún respeto convierten en parrandas las fiestas de amor fraternal que ustedes celebran. Buscan solo su propio provecho" (Judas 4, 8, 12). Es una actitud parecida a la de algunos miembros de la iglesia de Corinto, quienes, de acuerdo a Pablo, creían que seguir los impulsos del cuerpo no implicaba ningún pecado porque eran naturales (véase 1 Cor. 6:13).

Estas personas se olvidan que la vida cristiana sana debe ser de constante progreso. De ahí, los llamados a seguir la santidad que hallamos en las Escrituras: "Con respecto a la vida que antes llevaban, se les enseñó que debían quitarse el ropaje de la vieja naturaleza, la cual está corrompida por los deseos engañosos; ser renovados en la actitud de su mente; y ponerse el ropaje de la nueva naturaleza, creada a imagen de Dios, en verdadera justicia y santidad" (Efe. 4:22-24). "Dios no nos llamó a la impureza sino a la santidad" (1 Tes. 4:7). "Pues Dios nos salvó y nos llamó a una vida santa, no por nuestras propias obras, sino por su propia determinación y gracia" (2 Tim. 1:9).

Santificados por la fe que obra

Nos salvó mediante el lavamiento de la regeneración y de la renovación por el Espíritu Santo (Tito 3:5).

EL DESARROLLO DE LA SANTIDAD en la vida cristiana es la obra del Espíritu Santo. Dios provee el deseo y nosotros entregamos la voluntad, pero el cambio lo produce el poder de Dios que actúa en nosotros. Hay una diferencia entre la justificación y la santificación. La justificación tiene un aspecto pasivo: El ser humano acepta lo que Dios le da. Por su parte, la santificación, que también es por la fe, tiene un aspecto activo: Requiere el esfuerzo humano. Ya no es solo recibir; también tenemos que poner algo de nuestra parte. Lea lo que dice Pablo: "Antes ofrecían ustedes los miembros de su cuerpo para servir a la impureza, que lleva más y más a la maldad; ofrézcanlos ahora para servir a la justicia que lleva a la santidad" (Rom. 6:19). Para crecer en santidad debemos poner nuestro esfuerzo y dedicación. Debemos ejercer la voluntad que hemos recuperado cuando Cristo nos hizo libres. Entonces, capacitados por el poder del Espíritu Santo, podemos ir de triunfo en triunfo; una victoria a la vez; siempre ascendiendo. Por eso, el apóstol Pedro nos dice: "Más bien, crezcan en la gracia y en el conocimiento de nuestro Señor y Salvador Jesucristo" (2 Ped. 3:18).

Pero no debemos olvidar que el progreso en la vida cristiana se debe a la acción del Espíritu Santo. Como es un poder que ya recibimos y que está a nuestra disposición, si no crecemos es porque no queremos. Cualquier falta de voluntad por parte del ser humano representa un retroceso. Por eso se dice que la vida del cristiano es como la Luna: cuando no crece, mengua.

Reflexionemos en estas palabras: "Debes anhelar con fervor el Espíritu Santo, y orar fervorosamente para obtenerlo. No puedes esperar la bendición de Dios sin buscarla. Si empleas los recursos que se hallan a tu alcance, experimentarás un crecimiento en la gracia, y te elevarás a una vida superior" (*Joyas de los testimonios*, t. 1, p. 239).

Santificación, no perfeccionismo

*En cambio, el fruto del Espíritu es amor, alegría, paz, paciencia,
amabilidad, bondad, fidelidad, humildad y dominio propio
(Gálatas 5:22, 23).*

OTRO ERROR QUE ALGUNOS COMETEN con la santificación es el opuesto del que leyó hace unos días. Consiste en pretender que el cristiano debe ser perfectamente santo para entrar en el reino de Dios. A esto se refiere el perfeccionismo del que hablé anteriormente. Hay personas que luchan con valor y sinceridad por alcanzar la santidad absoluta, porque piensan que de lo contrario no podrán entrar en el cielo. Se acuerdan del pasaje que dice: "Busquen la paz con todos, y la santidad, sin la cual nadie verá al Señor" (Heb. 12:14); y piensan que si no logran alcanzarla, nunca podrán estar en la presencia de Dios. Reflexionan en los 144,000 sellados del Apocalipsis, que se presentan intachables delante del trono de Dios, y procura ser santos para pertenecer a ese grupo. Debemos recordar que la santidad perfecta no es alcanzable por el ser humano. Pero el hecho de que no podamos ser absolutamente santos en este mundo, sino cuando Cristo vuelva y seamos transformados a su imagen gloriosa, de ninguna manera elimina la búsqueda de la santidad diaria. La actitud correcta del cristiano debe ser la de Pablo: "No que ya lo haya alcanzado, pero prosigo al blanco" (Fil. 3:13, 14).

Desafortunadamente, en este intento de buscar la santidad absoluta, algunos se frustran y pierden interés en la vida cristiana. Otros, por algún tipo de desequilibrio emocional, o engaño satánico, se convencen de que ya han logrado la santidad y viven una vida cristiana falsa e irreal. En el movimiento adventista hubo personas que cayeron en ese error fatal (véase *Maranata*, p. 233).

Notemos estas palabras inspiradas: "La santidad no es arrobamiento; es una entrega completa de la voluntad a Dios; es vivir de toda palabra que sale de la boca de Dios; es hacer la voluntad de nuestro Padre celestial; es confiar en Dios en las pruebas y en la oscuridad tanto como en la luz; es caminar por fe y no por vista; y fiarse de Dios con confianza que no vacile, y descansar en su amor" (*Dios nos cuida*, p. 82).

La obediencia

Como hijos obedientes, no se amolden a los malos deseos que tenían antes, cuando vivían en la ignorancia (1 Pedro 1:14).

EL ASUNTO DE LA SANTIFICACIÓN ESTÁ ÍNTIMAMENTE relacionado con la obediencia. Esta es la disposición del justificado a seguir las indicaciones de su Señor. El que ha recibido la justicia de Cristo, se convierte en su seguidor. El discípulo debe seguir las enseñanzas y los caminos de su Maestro. Muchos textos de los Evangelios muestran que Jesús siempre invitaba a quienes sanaba o perdonaba, a que lo siguieran. Así, los que hemos sido justificados nos convertimos en seguidores de Jesús.

Imitar a Jesús implica seguir sus indicaciones. El discípulo está dispuesto a cumplir los mandatos de su Maestro. No se esperaría que fuese de otra manera, especialmente por el hecho de que hemos decidido seguir a Jesús voluntariamente y no a la fuerza. Es la misma razón por la que Pablo le ordenaba ciertas cosas a Filemón, quien era su discípulo, confiado en que las haría: "Te escribo confiado en tu obediencia, seguro de que harás aun más de lo que te pido" (File. 21).

Cuando seguimos a Jesús, lo hacemos porque nos ha salvado; al redimirnos, se convierte en nuestro Líder y Maestro; al ser nuestro Guía, lo seguimos gustosamente. Por eso, el discípulo es una persona que sigue con placer a su Maestro; sus órdenes no son una imposición, sino una manera de guiar en el camino.

Pero Jesús no es un maestro que requiera sumisión y no esté dispuesto a darla. Él mismo ha demostrado cómo ser obediente. El apóstol nos dice: "Y al manifestarse como hombre, se humilló a sí mismo y se hizo obediente hasta la muerte, ¡y muerte de cruz!" (Fil. 2:8). Jesús fue obediente a su Padre. Nos dice que cuando le obedecemos, en realidad nos sometemos a la voluntad del Padre. Él nos señaló que el camino de la obediencia es el mejor a seguir.

La gracia y la ley

Por medio de él, y en honor a su nombre, recibimos
el don apostólico para persuadir a todas las naciones
que obedezcan a la fe (Romanos 1:5).

L A OBEDIENCIA surge naturalmente en quienes, al ser salvos, siguen alegremente a Jesús. Pero no piense que somos salvos por obedecer. Jesús nos pide obediencia después de que nos ha salvado; requiere que nosotros lo sigamos, después que nos ha convertido en sus discípulos. La salvación viene primero, luego la obediencia.

Podríamos preguntarnos: ¿En qué se funda la obediencia? Es decir, ¿por qué debemos obedecer? Bueno, debemos hacerlo porque el Maestro tiene ciertos reglamentos y leyes que quiere que obedezcamos. Esos reglamentos son normas de conducta para que sepamos cómo debemos vivir y comportarnos ahora que somos sus seguidores. La razón es obvia: No sabemos cómo debemos vivir. Vivimos en un mundo donde prevalece el pecado y la maldad, que son opuestos a Dios. Nuestra vida anterior era una vida gobernada por elementos contrarios al carácter del Señor. Estamos acostumbrados a ellos. No conocemos otra cosa.

Dios quiere llevarnos a su mundo donde todo está en armonía con lo que él es. Al ser justificados por su gracia, comenzamos una nueva vida, pero estamos habituados a otra. Entonces, Dios tiene que darnos instrucciones y reglamentos que sirven para indicarnos cómo debemos comportarnos en la preparación para ese mundo nuevo adonde nuestro Padre quiere llevarnos. Es algo así como recibir un nuevo entrenamiento, una nueva educación. Dios quiere prepararnos para vivir con él, mientras continúa nuestra vida aquí en este mundo.

Por eso, él requiere obediencia de nosotros. No es una imposición. Lo necesitamos para estar en armonía con él. Si no aprendemos a obedecer en este mundo, no vamos a poder vivir en el mundo que Dios tiene preparado para nosotros. Por eso, la obediencia debe ser un deleite, porque nos prepara para algo mejor. Obedecer sus requerimientos es un entrenamiento que nos va a ayudar mientras estamos en este mundo, para estar en condiciones de vivir en el mundo que nos tiene preparado.

La ley y la gracia

El obedecer vale más que el sacrificio, y el prestar atención,
más que la grasa de carneros (1 Samuel 15:22).

EN LA ANTIGÜEDAD DIOS ENFATIZÓ mucho la obediencia. En el Antiguo Testamento hallamos muchos reglamentos y leyes dados por Dios con el propósito de que se convirtieran en normas de conducta y comportamiento. La razón obvia era que el Señor quería preparar a su pueblo para algo mejor.

Cuando sacó a Abraham de Ur de los caldeos, lo hizo con el propósito de que dejara su vida pasada y se preparara para una nueva. Quedarse en Ur no era lo mejor para Abraham. Así que Dios le ordenó que saliera a fin de llevarlo a una vida mejor. Dios demandó de Abraham obediencia para lograr su objetivo. La Escritura testifica del patriarca: "Porque Abraham me obedeció y cumplió mis preceptos y mis mandamientos, mis normas y mis enseñanzas" (Gén. 26:5). Su obediencia demostró que Abraham tenía fe en Dios.

Pero los descendientes de Abraham fueron a parar a Egipto, y allí se acostumbraron a vivir a la manera egipcia. La idolatría los contaminó. Se olvidaron de los preceptos que el Señor había dado a Abraham, y se rigieron por los preceptos del mundo que los rodeaba.

Dios en su gracia y misericordia los sacó de Egipto, al hacer poderosos milagros para persuadirlos a abandonar un mundo que no era el que Dios tenía para ellos. Pero antes de introducirlos en la tierra prometida, les dio mandamientos y leyes que debían guardar. No se nos olvide: Dios primero los redimió de la esclavitud, y luego les dio leyes y reglamentos. Primero es la gracia, luego la ley. Primero somos salvos, luego se nos dice cómo debemos vivir. Primero es la redención, luego la obediencia. No somos salvos por guardar las leyes de Dios, sino que guardamos sus leyes porque somos salvos.

Meditemos en esto: "Dios requiere obediencia, no con el propósito de mostrar su autoridad, sino para que podamos ser uno con él en carácter" (*Alza tus ojos,* p. 345).

Obediencia natural

Así Dios nos ha entregado sus preciosas y magníficas promesas para que ustedes, luego de escapar de la corrupción que hay en el mundo debido a los malos deseos, lleguen a tener parte en la naturaleza divina (2 Pedro 1:4).

PARA PODER EJERCER LA OBEDIENCIA, se requieren decretos y reglamentos. Por eso Dios dio a su pueblo preceptos y mandatos. Pero estas leyes son distintas de los edictos humanos. Las leyes de los seres humanos se dan para controlar la conducta y regir el comportamiento, a fin de vivir en paz unos con otros. Las leyes de Dios van más allá, pues emanan de sí mismo, y se dan para vivir en paz con él. Estas encierran principios que se derivan del carácter de Dios y requieren que los seres humanos los adopten como parte de su naturaleza.

No es suficiente someterse en forma externa. No basta acatarlos superficialmente, como se obedecen las leyes humanas. Deben ser parte de la naturaleza de las personas. De allí que la obediencia debe ser no solo voluntaria sino que proceda del corazón. Este tipo de sujeción es imposible para los seres humanos, porque involucra la incorporación de principios divinos en la naturaleza humana.

Dios, sin embargo, nos ha dado el Espíritu Santo para que este tipo de obediencia esté a nuestro alcance. El Espíritu se encarga de grabar estos principios en nuestra conciencia, de modo que lleguen a ser parte de nosotros. Cuando eso ocurre, la obediencia es espontánea y feliz. No es necesario que se nos señale el deber. Obedecemos porque nos nace hacerlo; y si no lo hiciéramos, no seríamos felices. Así, el que robaba no solo no roba más sino que odia el robo. El borracho, no solo no bebe más sino que odia la bebida. Esto quiere decir que los principios de la ley se han grabado en la conciencia humana, que han llegado a ser parte de su naturaleza. Como estos principios son propios del carácter de Dios, incorporarlos en nuestra naturaleza nos hace participantes de la naturaleza divina.

El Nuevo Pacto

Al llamar "nuevo" a ese pacto, ha declarado obsoleto al anterior;
y lo que se vuelve obsoleto y envejece ya está por desaparecer
(Hebreos 8:13).

LA OBEDIENCIA EN EL ANTIGUO ISRAEL era requerida como parte del pacto que Dios hizo con su pueblo cuando los estableció como nación. Las leyes de ese pacto eran muy variadas: leyes civiles (para ordenar la vida ciudadana y el orden público), sanitarias (para preservar la salud de la comunidad), ceremoniales (para regir el culto y la adoración), y leyes morales que tenían la finalidad de prepararlos para una vida más allá de sus límites territoriales: Llegar al reino de Dios.

En la medida que observaran estas leyes, vivirían bien y en paz unos con otros y aprenderían a estar en paz con Dios. De haber observado cuidadosamente ese pacto, se habrían preparado para la venida del Mesías, que establecería un pacto nuevo. Este iba a sustituir al antiguo, porque las nuevas condiciones existentes iban a requerir que las leyes morales de Dios se integraran a la vida de las personas, a fin de prepararlos para una tierra renovada, sin pecado ni muerte. Allí, la mansedumbre no se iba a requerir por la fuerza, sino que debía ser una obediencia que emanara naturalmente del corazón, como sucede con los seres inteligentes no caídos.

Los profetas anticiparon ese día: "Vienen días —afirma el Señor— en que haré un nuevo pacto con el pueblo de Israel y con la tribu de Judá. No será un pacto como el que hice con sus antepasados el día en que los tomé de la mano y los saqué de Egipto, ya que ellos lo quebrantaron a pesar de que yo era su esposo —afirma el Señor—. Este es el pacto que después de aquel tiempo haré con el pueblo de Israel —afirma el Señor—: Pondré mi ley en su mente, y la escribiré en su corazón. Yo seré su Dios, y ellos serán mi pueblo. Ya no tendrá nadie que enseñar a su prójimo, ni dirá nadie a su hermano: "¡Conoce al Señor!", porque todos, desde el más pequeño hasta el más grande, me conocerán —afirma el Señor—" (Jer. 31:31-34).

Semejantes a Dios

*Infundiré mi Espíritu en ustedes, y haré que sigan mis preceptos
y obedezcan mis leyes (Ezequiel 36:27).*

L A OBEDIENCIA QUE CONDUCE a la santificación consiste precisamente en que Dios promete grabar su ley en el corazón humano.
La única manera como podemos crecer en santidad, es permitir
que Dios grabe en nuestra conciencia los principios de su carácter. Esto es
lo que hace que nuestra naturaleza se transforme, que el viejo hombre poco
a poco muera y una nueva criatura se forme.

Pero esto solo es posible mediante el poder de Dios. Todo lo que podemos hacer, humanamente hablando, es rendir una obediencia externa. Sin
embargo, esa clase de sujeción no nos prepara para vivir con Dios. La obediencia externa sirve solo para este mundo, pero no para el mundo venidero.

Dios no puede llevar a su reino celestial a personas que solo rindan
obediencia humana, porque no es de corazón, no nace naturalmente.
Cuando permitimos que el Espíritu de Dios grabe sus leyes en nuestra
conciencia, entonces ya no necesitamos códigos escritos ni leyes grabadas
en piedra. La razón se debe a que nos regimos por principios no por
reglamentos. En la tierra nueva no habrá necesidad de escribir las leyes
de Dios, porque estarán escritas en la mente de sus ciudadanos. Allí, los
redimidos cumplirán la voluntad de Dios. Entonces seremos semejantes
a él, pues sus leyes, es decir, su carácter, será el nuestro. Por lo mismo, la
rebelión contra él nunca más se levantará otra vez, porque estaremos en
armonía con él.

Este proceso de grabar las leyes de Dios en nuestra vida comienza aquí
en la tierra. A través del poder del Espíritu Santo nos hacemos semejantes
a él. Si este proceso no comenzara aquí en la tierra, se revelaría que la persona no está cediendo a la influencia del Espíritu, y por lo tanto no desea
ser como Dios. Sin embargo, este proceso debe continuar durante toda la
vida del cristiano, hasta que, por la resurrección o la transformación en
ocasión de la segunda venida de Cristo, seamos totalmente renovados a la
semejanza de Dios.

Los principios divinos

*Hoy te ordeno que ames al Señor tu Dios, que andes en sus caminos,
y que cumplas sus mandamientos, preceptos y leyes
(Deuteronomio 30:16).*

COMENZARÉ UN ESTUDIO de los principios contenidos en la ley de Dios. Es muy importante que, al haber estudiado cómo Dios quiere salvarnos y llevarnos al cielo a vivir con él, ahora me dedicaré a reflexionar en esos principios que él quiere grabar en nuestras vidas. Como sabemos, dichos principios están contenidos en los Diez Mandamientos, grabados en tablas de piedra por el dedo de Dios. Al estudiarlos podemos entender mejor cómo es Dios, y prepararnos para estar dispuestos a cederle nuestra voluntad y pedirle que grabe esos principios en nuestra conciencia. Al mismo tiempo, nos ayudan a recordar que el Señor quiere obediencia. Aunque no somos salvos por ella, sin embargo, es una manera de recordarnos que pide nuestra voluntad y nuestro consentimiento, para intervenir en nuestra vida y grabar su carácter en nosotros.

Es necesario que recordemos que los Diez Mandamientos, tal como los dio el Señor en el monte Sinaí, no son necesariamente diez principios. Estos principios que Dios quería que los hijos de Israel obedecieran e incorporaran a sus vidas, fueron adaptados en leyes que tenían significado en aquellas circunstancias históricas. Así que los Diez Mandamientos, como los conocemos ahora, son adaptaciones de ciertos principios divinos a la vida de su pueblo en la antigüedad.

A su vez, estos Diez Mandamientos, que ya eran adaptaciones, sirvieron de base para muchas otras leyes que fueron dadas al pueblo, como mencionábamos anteriormente: leyes civiles, sanitarias, ceremoniales, etcétera. Todas ellas eran derivaciones y extensiones de esos Diez Mandamientos. Los rabinos, que contaban todas las leyes que Dios había dado a su pueblo, creían que había 613 leyes en total. Todas ellas eran leyes de Dios, pero no todas eran permanentes. Algunas fueron dadas para regular la estancia en el desierto, y otras para la vida citadina. Muchas consistían en regulaciones de un culto transitorio, y otras tenían un carácter permanente que abarcaba la vida aquí en la tierra. Pero lo importante es que fueron dadas por Dios, y eso les daba un carácter solemne y las hacía dignas de respeto y obediencia.

Resumen de la ley

¡Cuán precioso, oh Dios, es tu gran amor! Todo ser humano halla refugio a la sombra de tus alas (Salmo 36:7).

LOS DIEZ MANDAMIENTOS, por ser de carácter moral, revela el carácter de Dios de manera más clara que otros tipos de leyes. De hecho, es un trasunto de su carácter: "La ley de Dios es santa, justa y buena, un trasunto de la perfección divina" (*El conflicto de los siglos*, p. 523). A través de ella podemos ver con más claridad cómo es Dios.

La Biblia nos dice que una de las características sobresalientes de Dios es el amor: "El que no ama no conoce a Dios, porque Dios es amor" (1 Juan 4:8). Los mandatos de su ley deben, entonces, reflejar ese amor. Por eso el apóstol escribió: "El amor no perjudica al prójimo. Así que el amor es el cumplimiento de la ley" (Rom. 13:10). Del mismo modo, cuando nuestro Señor resumió el Decálogo para contestar la pregunta sobre cuál era el mandamiento más importante, lo hizo en términos del amor: "'Ama al Señor tu Dios con todo tu corazón, con toda tu alma, con toda tu mente y con todas tus fuerzas'. El segundo es: 'Ama a tu prójimo como a ti mismo'. No hay otro mandamiento más importante que estos" (Mar. 12:30, 31).

Por eso tratamos de ver el amor de Dios expresado en los Diez Mandamientos. De hecho, la ley del Señor estaba escrita en dos tablas de piedra, de modo que los primeros cuatro mandamientos se refieren al amor a Dios, y los otros seis al amor al prójimo.

La creación es una expresión de su amor: "'Dios es amor', está escrito en cada capullo de flor que se abre, en cada tallo de la naciente hierba. Los hermosos pájaros que llenan el aire de melodías con sus preciosos cantos, las flores exquisitamente matizadas que en su perfección perfuman el aire, los elevados árboles del bosque con su rico follaje de viviente verdor, todos dan testimonio del tierno y paternal cuidado de nuestro Dios y de su deseo de hacer felices a sus hijos" (*El camino a Cristo*, p. 8).

Dioses ajenos

Dios es espíritu, y quienes lo adoran deben hacerlo en espíritu y en verdad (Juan 4:24).

EL PRIMER MANDAMIENTO DEL DECÁLOGO es introducido con estas palabras: "Yo soy el Señor tu Dios. Yo te saqué de Egipto, del país donde eras esclavo. No tengas otros dioses además de mí" (Éxo. 20:2, 3). La razón básica por la que Dios requiere fidelidad de culto, es que él redimió a su pueblo de la esclavitud. Él pretende el señorío sobre Israel y el derecho de propiedad, porque lo redimió de la esclavitud en la que se encontraba. En Egipto, los hijos de Israel se habían acostumbrado a la adoración de dioses falsos y a la idolatría del paganismo. Dios sabía que esto sería una gran tentación para ellos. Así que les aclaró que ellos le pertenecían, y que la adoración de otros dioses era inaceptable para él.

El ser humano, dice la Biblia, fue creado semejante a Dios (Gén. 1:26). ¿En qué sentido era el hombre semejante a su Creador? No en su aspecto físico, sino en su dimensión racional y espiritual. El ser humano fue creado como ente pensante, con raciocinio y libertad. Es decir, era libre para pensar y actuar. Este aspecto racional del ser humano tiene una dimensión espiritual. Somos los únicos seres en este planeta que sabemos de la existencia de Dios y que tenemos la capacidad para comunicarnos con él. Lo podemos hacer a través de nuestra mente. Esto significa, entre otras cosas, que somos seres espirituales, y que, como tales, podemos entrar en contacto con Dios y él puede hacerlo con nosotros.

El Señor puso en nuestra naturaleza espiritual la necesidad de tener comunión con él. Para satisfacer esta necesidad espiritual, necesitamos de él. Tenemos hambre y sed de Dios. Solo él puede realmente satisfacer esa necesidad. Pensemos en esto: "El hombre, creado para ser compañero de Dios, puede hallar su verdadera vida y desarrollo únicamente en ese compañerismo. Creado para hallar en Dios su mayor gozo, en ninguna otra cosa puede hallar lo que puede calmar los anhelos de su corazón, y satisfacer el hambre y la sed del alma" (*Exaltad a Jesús*, p. 116).

Dioses falsos

Pero cuanto más lo llamaba, más se alejaba de mí. Ofrecía sacrificios a sus falsos dioses y quemaba incienso a las imágenes (Oseas 11:2).

LA NECESIDAD ESPIRITUAL que tienen los seres humanos debe ser satisfecha, como lo son las demás necesidades, tanto físicas como emocionales. Satanás conoce bien esto, y ha ideado muchas maneras falsas de satisfacerla. La manera legítima de hacerlo es a través de la comunión con el Creador. En la búsqueda del compañerismo con el Dios verdadero hallamos satisfacción espiritual.

Pero, después de la caída de nuestros primeros padres, Satanás procuró que esa necesidad fuese satisfecha a través de diferentes dioses inventados por él. Fue así como condujo a mucha gente a adorar a los astros y las constelaciones: El sol, la luna y las estrellas llegaron a ser dioses favoritos de muchos. Otros fueron llevados por el astuto enemigo a adorar los fenómenos de la naturaleza, como el relámpago, la lluvia, las nubes, el fuego, la vegetación, el mar, los ríos, etcétera. Todavía hoy millones de personas se congregan junto a los ríos de la India, pues creen que son dioses que deben ser adorados.

Los antiguos egipcios adoraron a diferentes deidades encarnadas en animales e insectos, como el chacal, el cocodrilo, el buey, el escarabajo, etcétera. Nada de esto satisfizo su necesidad de Dios.

Los griegos y los romanos adoraban dioses en forma humana, y también tenían semidioses que eran el resultado de la unión de dioses con seres humanos. Cuando su adoración se volvió demasiado burda para su crecimiento intelectual, terminaron idealizándolos como virtudes y actividades humanas. De este modo adoraron a Zeus (la razón), Afrodita (el amor), Marte (la guerra), Esculapio (dios de la medicina), Cástor y Pólux (patrones de la navegación), Hermes (mensajero de los dioses).

"De todo lo que él ha creado, el hombre, la obra máxima de su creación, es el que más tremendamente lo ha deshonrado. En el juicio, los seres humanos aparecerán delante de Dios avergonzados y condenados, porque aunque se les dio inteligencia, raciocinio y la facultad del habla, no obedecieron la ley del Altísimo" (*Alza tus ojos*, p. 292).

Idolatría

*Así dice el Señor: "¿Qué injusticia vieron en mí sus antepasados,
que se alejaron tanto de mí? Se fueron tras lo que nada vale,
y en nada se convirtieron" (Jeremías 2:5).*

SATANÁS HA TRATADO DE SUPLIR EL CULTO al verdadero Dios,
que es lo que satisface genuinamente la necesidad espiritual del ser
humano, a través de una enorme cantidad de dioses y señores. Es
el deseo de Dios que su pueblo se aparte de ese culto idolátrico, porque
es un invento satánico y no satisface la verdadera necesidad espiritual
del hombre. Su culto conlleva engaños y elementos sutiles, que tienen
la finalidad de apartar a la gente del verdadero Dios. Como es inspirado
por Satanás, implica la adoración de los demonios. Pablo escribió: "¿Que el
sacrificio que los gentiles ofrecen a los ídolos sea algo, o que el ídolo mismo
sea algo? No, sino que cuando ellos ofrecen sacrificios, lo hacen para los
demonios, no para Dios, y no quiero que ustedes entren en comunión con
los demonios" (1 Cor. 10:19, 20).

Un elemento que se halla en la misma raíz de la idolatría y tiene que
ver con el poder de la contemplación. Este principio nos dice que "nos
transformamos de acuerdo con lo que contemplamos" (*Cada día con
Dios,* p. 92). El salmista, escribió de la futilidad de la idolatría, decía:
"Semejantes a ellos son sus hacedores, y todos los que confían en ellos"
(Sal. 115:8).

La adoración de dioses paganos era mayormente una adoración objetiva, pero también implicaba una adoración mental. Sus adoradores, a través
de la contemplación visual y el pensamiento, inconscientemente se aseme-
jaban a sus dioses. No podemos elevarnos más allá de lo que contemplamos
y de lo que adoramos. Lo que convertimos en objeto de admiración y
contemplación, se vuelve nuestro modelo de acción. A través de Oseas,
Dios dijo: "Cuando encontré a Israel, fue como hallar uvas en el desierto;
cuando vi a sus antepasados, fue como ver higos tiernos en la higuera.
Pero ellos se fueron a Baal Peor y se entregaron a la vergüenza; ¡se volvieron tan detestables como el objeto de su amor!" (Oseas 9:10). ¡Tengamos
cuidado con lo que contemplemos!

Contemplación y dignidad

Por tanto, mis queridos hermanos, huyan de la idolatría
(1 Corintios 10:14).

LA DIGNIDAD HUMANA se rebaja por el poder de la contemplación de dioses falsos. Fuimos creados a imagen del Señor, y solo podemos conservar esa imagen si contemplamos al Dios verdadero. A través de la adoración, nos elevemos a él. Se nos dice: "Es una ley del espíritu humano que nos hacemos semejantes a lo que contemplamos. El hombre no se elevará más allá de sus conceptos acerca de la verdad, la pureza y la santidad. Los adoradores de falsos dioses revestían a sus deidades de cualidades y pasiones humanas, y rebajaban así sus normas de carácter a la semejanza de la humanidad pecaminosa. Como resultado lógico se corrompieron" (*Patriarcas y profetas*, pp. 79, 80).

En el monte Sinaí, el Señor hizo un pacto con su pueblo: él sería su Dios y ellos serían sus hijos (Éxo. 19:1-8). El énfasis de este mandamiento se debía a que en Egipto ellos se habían acostumbrado a la idolatría, y esta los había incapacitado para adorar a Dios. En realidad, la familia de Abraham en Mesopotamia no había adorado al verdadero Creador como debieran haberlo hecho. La religión que practicaron era muy perniciosa: Mezclaron el culto a Dios con costumbres religiosas paganas. Esta mezcla del culto pagano hacía que la familia de Abraham en Mesopotamia tuviera una religión idólatra.

Cuando Jacob regresaba de Padan-aram, hizo un pacto con su familia para deshacerse de todo vestigio de idolatría: "Entonces Jacob dijo a su familia y a quienes lo acompañaban: "Deshágense de todos los dioses extraños que tengan con ustedes, purifíquense y cámbiense de ropa. Vámonos a Betel. Allí construiré un altar al Dios que me socorrió cuando estaba yo en peligro, y que me ha acompañado en mi camino". Así que le entregaron a Jacob todos los dioses extraños que tenían, junto con los aretes que llevaban en las orejas, y Jacob los enterró a la sombra de la encina que estaba cerca de Siquem" (Gén. 35:2-4). Esto revela cuán perniciosa y sutil es la idolatría.

Ama al Señor tu Dios

Y todo el que por mi causa haya dejado casas, hermanos, hermanas,
padre, madre, hijos o terrenos, recibirá cien veces más y heredará
la vida eterna (Mateo 19:29).

CUANDO DIOS SACÓ AL PUEBLO DE ISRAEL de la esclavitud, tenía el propósito de librarlos de la idolatría egipcia y prepararlos para enfrentar la idolatría en Canaán. El primer mandamiento es en realidad una síntesis de la primera tabla de la ley, que expresa la lealtad que el hombre debe a Dios. Esa es la razón por la que Moisés, más tarde, dijo al pueblo: "Ama al Señor tu Dios con todo tu corazón y con toda tu alma y con todas tus fuerzas" (Deut. 6:5). Eso quiere decir que Dios debe tener el primer lugar en nuestra vida. Nuestro Señor verbalizó esto mismo, cuando dijo: "El que quiere a su padre o a su madre más que a mí no es digno de mí; el que quiere a su hijo o a su hija más que a mí no es digno de mí" (Mat. 10:37). Aun las lealtades más íntimas tienen que ceder paso a la lealtad que debemos a Dios.

Jesús, sin embargo, corresponde a esa lealtad con fidelidad: "¿Quién es mi madre, y quiénes son mis hermanos? —replicó Jesús—. Señalando a sus discípulos, añadió: "Aquí tienen a mi madre y a mis hermanos. Pues mi hermano, mi hermana y mi madre son los que hacen la voluntad de mi Padre que está en el cielo" (Mat. 12:48-50). Pero cuántas veces demostramos con las cosas pequeñas de la vida que nuestra lealtad no está dedicada a Dios. Cuántos "compromisos" tenemos que revelan que Dios no es lo más importante para nosotros.

Hoy ya no tenemos que arrodillarnos delante de un ídolo para violar este mandamiento. Notemos: "El Señor del cielo no reconoce como hijos suyos a los que guardan en su corazón cualquier cosa que ocupe el lugar que únicamente Dios debería tener. Muchos se inclinan ante la complacencia del apetito, mientras que otros lo hacen ante el vestido y el amor al mundo, y les conceden el primer lugar en el corazón" (*A fin de conocerle*, pp. 320, 321).

Dioses sutiles

*Entonces Jacob dijo a su familia y a quienes lo acompañaban:
"Deshágnse de todos los dioses extraños que tengan con ustedes,
purifíquense y cámbiense de ropa" (Génesis 35:2).*

L A MAYORÍA DE LOS CRISTIANOS NO TIENEN la tentación de adorar ídolos, como los pueblos de la antigüedad. Satanás ha introducido dioses más sutiles para apelar a la mentalidad moderna. Una manera fácil de violar el mandamiento de no tener dioses ajenos, es llevar al exceso lo que en sí es bueno: "Cuando llevamos hasta el exceso lo que en sí mismo es bueno, nos convertimos en idólatras [...]. Cualquier cosa que separe nuestros afectos de Dios, y disminuya nuestro interés en las cosas eternas, es un ídolo" (*A fin de conocerle*, p. 321).

Podemos caer en la idolatría al tener ideas y procurar aficiones: "Es igualmente fácil hacer un ídolo de ideas u objetos acariciados como fabricar dioses de madera o piedra" (*Exaltad a Jesús*, p. 137). Sí, hay otros dioses más sofisticados que los que adoraron los antiguos. El apóstol Pablo nos dice: "Su destino es la destrucción, adoran al dios de sus propios deseos y se enorgullecen de lo que es su vergüenza. Solo piensan en lo terrenal" (Fil. 3:19). "Porque el amor al dinero es la raíz de toda clase de males. Por codiciarlo, algunos se han desviado de la fe y se han causado muchísimos sinsabores" (1 Tim. 6:10).

Muchos no tenemos tiempo para estudiar la Biblia, ni para orar o para asistir a los cultos, porque gastamos gran cantidad de tiempo en practicar deportes, ver televisión o asistir a reuniones sociales. Nos olvidamos fácilmente que Dios debe ser el primero en nuestra vida. Algunos trabajan mucho, tal vez horas extras, o consiguen un segundo trabajo, y no tienen tiempo para orar y estudiar la Biblia con la familia. Trabajar, jugar y socializar son cosas importantes, pero si nos quitan el tiempo que debemos dedicar a Dios, se convierten en otro dios. Se nos dice: "Todo lo que sea objeto de pensamientos y admiración indebidos, que absorba la mente, es un dios puesto por encima del Señor" (*Hijos e hijas de Dios*, p. 58).

¿Adulterio?

Josué replicó: "Deshágansen de los dioses ajenos que todavía conservan.
¡Vuélvanse de todo corazón al Señor, Dios de Israel!" (Josué 24:23).

RESULTA INTERESANTE E ILUMINADOR que en la Palabra de Dios se considere la idolatría como un adulterio espiritual. La analogía es apropiada, porque de acuerdo a la Biblia, Dios es el esposo de su pueblo, que es la iglesia. El matrimonio es considerado como una ilustración de la relación de Dios con su pueblo. Por eso, cuando el cristiano busca otros dioses, se considera que ha cometido adulterio espiritual. Dios dijo de Judá: "¡Adúltera! Prefieres a los extraños, en vez de a tu marido" (Eze. 16:32).

El problema básico de la idolatría espiritual es semejante a la idolatría literal. Ambas destruyen la relación con Dios, y hacen que las personas que la cometen terminen en la ruina espiritual. No son pocos los que participan de este pecado. Notemos lo siguiente: "Muchos de los que hoy hacen gran alarde de ser cristianos, al igual que los israelitas, acarician en el corazón algún ídolo secreto. A menos que se quite ese ídolo, finalmente anulará toda la vida cristiana y determinará la ruina del alma" (*Comentario bíblico adventista*, t. 2, p. 297).

La Biblia dice que en los últimos días habrá una gran crisis que girará en torno de la adoración (Apoc. 13 y 14). Quienes no hayan aprendido el secreto de ser fieles a Dios ante los avances idolátricos modernos, difícilmente podrán resistir la presión de un culto falso en los últimos días. El Apocalipsis nos dice: "El mundo entero, fascinado, iba tras la bestia y adoraba al dragón porque había dado su autoridad a la bestia. También adoraban a la bestia y decían: "¿Quién como la bestia? ¿Quién puede combatirla?" [...] A la bestia la adorarán todos los habitantes de la tierra, aquellos cuyos nombres no han sido escritos en el libro de la vida, el libro del Cordero que fue sacrificado desde la creación del mundo" (Apoc. 13:3, 4, 8). Por otro lado, Dios invitará al mundo a que lo adore: "Adoren al que hizo el cielo, la tierra, el mar y los manantiales" (Apoc. 14:7). El Señor nos ayude a ser leales a él hasta el fin.

No te harás imágenes

No te hagas ningún ídolo, ni nada que guarde semejanza con lo que hay arriba en el cielo, ni con lo que hay abajo en la tierra, ni con lo que hay en las aguas debajo de la tierra. No te inclines delante de ellos ni los adores. Yo, el Señor tu Dios, soy un Dios celoso. Cuando los padres son malvados y me odian, yo castigo a sus hijos hasta la tercera y cuarta generación. Por el contrario, cuando me aman y cumplen mis mandamientos, les muestro mi amor por mil generaciones (Éxodo 20:4-6).

LOS INTÉRPRETES JUDÍOS CONSIDERARON estas palabras como el segundo mandamiento, del mismo modo como lo consideran la mayoría de los protestantes y la Iglesia Ortodoxa Oriental. Sin embargo, en cierta tradición judía, el segundo mandamiento era parte del primero, porque la introducción a los mandamientos: "Yo soy el Señor tu Dios. Yo te saqué de Egipto, del país donde eras esclavo" (vers. 2), la ponían como el primer mandamiento. Pero estas palabras no parecen ser ningún mandamiento, sino más bien una introducción del Creador de estos mandamientos.

A partir del siglo V de nuestra era, especialmente por la influencia de Agustín, se consideró que estas palabras eran parte del primer mandamiento: "No tendrás dioses ajenos ni te harás ninguna imagen". Es obvio que el segundo mandamiento está muy relacionado con el primero, y dio pie a considerarlo como parte de él. Pero esto reducía los mandamientos a nueve. Puesto que el Pentateuco dice que los mandamientos eran diez, para no romper ese número, el décimo fue dividido en dos, ya que ninguno de los otros mandamientos se prestaba para dividirlo en dos. La división del décimo en dos no resultó muy natural, porque el tema del décimo mandamiento es la codicia, y no es lógico separar "no codiciar la mujer del prójimo" de "no codiciar las cosas del prójimo".

Aparentemente, no hubo, al principio, la intención premeditada de evitar un mandamiento específico contra la adoración de imágenes cristianas, porque entonces no existían, pero a la postre, sirvió a ese propósito. Sin embargo, ¿cuál es la diferencia entre el primer mandamiento y el segundo? Eso lo leerá mañana.

Las imágenes rebajan a Dios

No se hagan ídolos, ni levanten imágenes ni piedras sagradas.
No coloquen en su territorio piedras esculpidas ni se inclinen ante ellas.
Yo soy el Señor su Dios (Levítico 26:1).

HAY UNA RELACIÓN muy estrecha entre el primer mandamiento y el segundo. Así que amerita preguntarse: ¿Por qué deben considerarse como dos mandamientos? ¿Son diferentes en algún respecto?

En el primer mandamiento, el Creador prohíbe la adoración de otros dioses. El segundo mandamiento condena la elaboración de imágenes, esculturas y objetos que representen a la Deidad. ¿Por qué es así? Aparentemente, alguien podría decir que elaborar imágenes u objetos para representar al Creador no estaría prohibido. Se concluiría que adorar esos objetos no involucraría ninguna idolatría.

Ese era el problema de la gente en la antigüedad. Se le dificultaba adorar a sus dioses solo con la mente. Durante su permanencia en Egipto, los israelitas se acostumbraron a las representaciones materiales de la Deidad. Tanto se incapacitaron para desarrollar un culto espiritual, que tenían la tentación de representar al verdadero Dios mediante imágenes y objetos. El segundo mandamiento se distingue del primero en: Condenar la elaboración de imágenes del mismo Creador. Ya con mencionar que no deberían adorar otros dioses, el primer mandamiento prohibía la adoración de imágenes de esos dioses, pero no tocaba el aspecto de la elaboración de imágenes del Creador como objetos de culto. Esto se prohíbe en el segundo mandamiento.

¿Por qué Dios no quería que se lo representara con imágenes y esculturas? Reflexionemos en estas palabras del apóstol Pablo ante el areópago de Atenas: "El Dios que hizo el mundo y todo lo que hay en él es Señor del cielo y de la tierra. No vive en templos construidos por hombres, ni se deja servir por manos humanas, como si necesitara de algo. Por el contrario, él es quien da a todos la vida, el aliento y todas las cosas. Por tanto, siendo descendientes de Dios, no debemos pensar que la divinidad sea como el oro, la plata o la piedra: escultura hecha como resultado del ingenio y de la destreza del ser humano" (Hech. 17:24, 25, 29). Las imágenes rebajan a Dios.

El Dios invisible

Demasiado pronto se han apartado del camino que les ordené seguir, pues no solo han fundido oro y se han hecho un ídolo en forma de becerro, sino que se han inclinado ante él, le han ofrecido sacrificios, y han declarado: "Israel, ¡aquí tienes a tu dios que te sacó de Egipto!" (Éxodo 32:8).

EL SEGUNDO MANDAMIENTO prohíbe la elaboración de imágenes de Dios. La razón de esta prohibición se basa en el hecho de que las imágenes son creación de los hombres, y consecuentemente rebajan la grandeza y la santidad de Dios. Esta es la razón por la que el Señor no se ha dejado ver por los seres humanos. No podríamos soportar esa visión, y por lo tanto cualquier representación de él no haría justicia a su grandeza y majestad.

Eso, a su vez, nos haría tener una idea equivocada del Creador. Con una idea distorsionada de Dios, el culto que le ofreceríamos sería igualmente deformado. Un culto así, traería engaño, y este la perdición. De allí que la prohibición de imágenes del Creador es lógica y razonable.

También se quería evitar que conceptos, objetos e imágenes usados para otros dioses se usaran para el Creador. En un mundo donde había tantos dioses y señores, el sincretismo religioso era una gran tentación. De acuerdo al testimonio bíblico, los israelitas no escaparon a esa tentación cuando, al pie del monte Sinaí, pidieron a Aarón que les hiciera un becerro y que proclamara que ese era el dios que los había sacado de Egipto (Éxo. 32). Obviamente esta era una figura del dios egipcio Apis, con quien los israelitas se relacionaron durante su estancia en Egipto. No era que de pronto se habían convertido en adoradores de ese dios, sino que usaron esa imagen para adorar a Jehová, el Dios creador de los hebreos. El segundo mandamiento condenaba esa práctica que era común en aquella época. Dios no debía confundirse con dioses paganos en el culto y la adoración israelita.

¿Por qué Dios no deseaba esta confusión? Lo leerá mañana con detenimiento.

El Dios inconfundible

Después de buscar consejo, el rey hizo dos becerros de oro, y le dijo al pueblo: "¡Israelitas, no es necesario que sigan subiendo a Jerusalén! Aquí están sus dioses, que los sacaron de Egipto" (1 Reyes 12:28).

EL SEGUNDO MANDAMIENTO CONDENA la transferencia de ideas, conceptos e imágenes de otros dioses a la persona del Creador. Así como Dios no desea que se lo represente con imágenes, tampoco desea que se lo confunda con dioses falsos.

Los israelitas sucumbieron a la tentación del sincretismo religioso no solo en el Sinaí, también en el tiempo de Jeroboam I. Después de la división del reino de Israel en dos partes, las tribus del norte nombraron a Jeroboam como su rey. Este quiso impedir que sus ciudadanos fueran al sur a adorar al templo de Jerusalén. Había razones políticas de por medio, pero comprometió la religión del pueblo, y ordenó que se erigieran dos becerros para que fueran adorados en nombre del Dios de Israel, uno en Dan y el otro en Betel. De este modo, asoció una vez más el culto del Creador con el culto de Apis, con el cual se familiarizó durante su estancia en Egipto.

En tiempos de Noé ocurrió lo mismo: "No todos los hombres de aquella generación eran idólatras en el sentido estricto de la palabra. Muchos profesaban ser adoradores de Dios. Alegaban que sus ídolos eran imágenes de la Deidad, y que por su medio el pueblo podía formarse una concepción más clara del Ser divino [...]. Al tratar de representar a Dios mediante objetos materiales, cegaron sus mentes en lo que respectaba a la majestad y al poder del Creador; dejaron de comprender la santidad de su carácter, y la naturaleza sagrada e inmutable de sus requerimientos" (*Patriarcas y profetas*, pp. 82, 83). Dios no quiere que se lo confunda con imágenes que rebajan su dignidad y promueven el deterioro de la moral humana. Al usar conceptos semejantes, se confunde la santidad de Dios y se desorienta a las personas.

Sinceridad en la adoración

El día que el Señor les habló en Horeb, en medio del fuego, ustedes no vieron ninguna figura. Por lo tanto, tengan mucho cuidado de no corromperse haciendo ídolos o figuras que tengan alguna forma o imagen de hombre o de mujer (Deuteronomio 4:15, 16).

EN EL SIGLO IV DE NUESTRA ERA, la religión cristiana llegó a ser la religión oficial del Imperio Romano. El emperador Constantino el Grande se convirtió a la fe cristiana e hizo que sus súbditos paganos se convirtieran en masa. Pero estas conversiones no fueron sinceras, sino que se realizaron por conveniencia política.

Notemos estas palabras que nos dicen lo que pasó: "Para dar a los convertidos del paganismo algo que equivaliera al culto de los ídolos y para animarles a que aceptaran nominalmente el cristianismo, se introdujo gradualmente en el culto cristiano la adoración de imágenes y de reliquias" (*El conflicto de los siglos*, p. 56).

Muchos sinceros cristianos protestaron por estas medidas que estaban en contra de los mandamientos de Dios, pero "la mayoría de los cristianos consintieron al fin en arriar su bandera, y se realizó la unión del cristianismo con el paganismo. Aunque los adoradores de los ídolos profesaban haberse convertido y unido con la iglesia, seguían aferrándose a su idolatría, y solo habían cambiado los objetos de su culto por imágenes de Jesús y hasta de María y de los santos. La levadura de la idolatría, introducida de ese modo en la iglesia, prosiguió su funesta obra. Doctrinas falsas, ritos supersticiosos y ceremonias idolátricas se incorporaron en la fe y en el culto cristiano. Al unirse los discípulos de Cristo con los idólatras, la religión cristiana se corrompió y la iglesia perdió su pureza y su fuerza" (*El conflicto de los siglos*, p. 47).

Nuestro Señor lo dijo muy claro cuando habló de la forma de adorarle: "Pero se acerca la hora, y ha llegado ya, en que los verdaderos adoradores rendirán culto al Padre en espíritu y en verdad, porque así quiere el Padre que sean los que le adoren. Dios es espíritu, y quienes lo adoran deben hacerlo en espíritu y en verdad" (Juan 4:23, 24).

La verdad no se cambia

Cambiaron la verdad de Dios por la mentira, adorando y sirviendo a los seres creados antes que al Creador, quien es bendito por siempre. Amén (Romanos 1:25).

DURANTE LA TEMPRANA Edad Media se introdujo en la fe cristiana, primero, la adoración de imágenes, y después, el culto a los mártires y santos. Es muy difícil que se pueda justificar tal cosa delante de los dos primeros mandamientos.

Entonces, ¿cómo es posible que se aceptara tal violación de estos mandamientos a la luz de la Palabra de Dios, en la cual la fe cristiana se fundaba? Tuvo que comenzar de una manera paulatina e inocente. Los grandes errores han comenzado así.

La adoración de imágenes fue finalmente instituida en el segundo concilio de Nicea, en 787 d.C. Notemos: "El culto de las imágenes [...] fue una de esas corrupciones del cristianismo que se introdujeron en la iglesia furtivamente y casi sin que se notaran. Esta corrupción no se desarrolló de un golpe, como aconteció con otras herejías, pues en tal caso habría sido censurada y condenada enérgicamente, sino que, una vez iniciada en forma disfrazada y plausible, se adquirieron nuevas prácticas una tras otra de modo tan paulatino que la iglesia se vio totalmente envuelta en idolatría no solo sin enérgica oposición, sino sin siquiera protesta resuelta alguna; y cuando al fin se hizo un esfuerzo para extirpar el mal, resultó este por demás arraigado para ello [...]. La causa de dicho mal hay que buscarla en la propensión idolátrica del corazón humano a adorar a la criatura más bien que al Creador" (*El conflicto de los siglos*, p. 738).

Los teólogos católicos han justificado esta práctica alegando que hay una diferencia entre adoración y veneración. Dicen que a Dios se lo "adora", pero que a las imágenes y a los santos se los "venera". Sabemos que en la práctica es imposible distinguir la una de la otra.

El tercer mandamiento

No pronuncies el nombre del Señor tu Dios a la ligera. Yo, el Señor, no tendré por inocente a quien se atreva a pronunciar mi nombre a la ligera (Éxodo 20:7).

ORIGINALMENTE, DIOS NO SE REVELÓ con ningún nombre a su pueblo. Su designación bíblica antigua es "El o Elohim", que significa "Dios", un nombre genérico para la deidad. Luego, Dios se reveló con nombres que enfatizaban sus atributos o características: "El Shaddai, Dios Todopoderoso; El Elyon, El Altísimo; Adonai, El Señor".

Cuando llamó a Moisés para sacar a su pueblo de la esclavitud egipcia, se introdujo con un nuevo nombre. Este nuevo nombre aparece con cuatro consonantes: YHWH. Como el texto hebreo se escribía solo con consonantes, con el tiempo se perdió su pronunciación para proteger su santidad. Decir "Jehová", como se hizo común en castellano, es incorrecto. Debió haber sido Yahweh o Yahvé. Este nombre se considera una variante del verbo hebreo "ser", o "llegar a ser". Así que debe significar algo así como "El que es", "El que hace existir". Por eso, Dios le dijo a Moisés: "Yo Soy el que Soy". Moisés debía decir al pueblo: "Yo Soy me ha enviado a vosotros". Esto enfatizaba la eternidad de Dios. Se nos dice: "YO SOY significa una presencia eterna. El pasado, el presente y el futuro son iguales para Dios" (*A fin de conocerle*, p. 14).

Jesús aplicó esta expresión "Yo soy" a sí mismo en varias ocasiones y con distintos propósitos: "Yo soy el camino, la verdad y la vida" (Juan 14:6). "Yo soy la puerta" (Juan 10:7, 9). "Yo soy el buen pastor" (Juan 10:11, 14). "Yo soy la luz del mundo" (Juan 8:12; 12:46). "Yo soy la vid verdadera" (Juan 15:1, 5). "Yo soy el pan de vida" (Juan 6:48). "Yo soy la resurrección y la vida" (Juan 11:25). En el libro de Apocalipsis se presenta como "Yo soy el Alfa y la Omega, el Primero y el Último, el Principio y el Fin" (22:13). Con estos títulos, Jesús decía que él era el Yahweh del Antiguo Testamento.

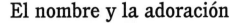

El nombre y la adoración

Si no te empeñas en practicar todas las palabras de esta ley, que están escritas en este libro, ni temes al Señor tu Dios, ¡nombre glorioso e imponente! (Deuteronomio 28:58).

EN LA BIBLIA, EL NOMBRE ES UNA ALUSIÓN a la persona, a su carácter. Cuando se trata de Dios, es una referencia a la persona o carácter de Dios. Notemos estas palabras: "Y al lugar donde el Señor su Dios decida habitar llevarán todo lo que les he ordenado" (Deut. 12:11; 14:23; 16:2). La expresión "para poner en él su nombre" significa "donde el Señor su Dios decida habitar". Claramente se indica que la palabra nombre se refiere a su persona.

En la Nueva Versión Internacional, la palabra Señor ocupa el lugar de Yahweh o Jehová, que es el nombre de Dios como se lo reveló a Moisés. Yahweh es el nombre del Dios del pacto con Israel. Debía ser tratado con el respeto debido. Dios es amor y misericordia, pero también es santo y justo, su carácter es glorioso e imponente.

El tercer mandamiento tiene que ver con nuestra manera de adorarle. Nos dice que nuestra adoración debe ser hecha con seriedad y reverencia. Cualquier alusión a la persona de Dios, sea que se mencione su nombre o no, debe ser con sumo respeto y reverencia. Reflexionemos en esto: "También se debería mostrar reverencia hacia el nombre de Dios. Nunca se debería pronunciar ese nombre con ligereza o indiferencia. Hasta en la oración se debería evitar su repetición frecuente o innecesaria. "Santo y temible es su nombre" (Salmo 111:9). Los ángeles, al pronunciarlo, cubren sus rostros. ¡Con cuánta reverencia deberíamos pronunciarlo nosotros que somos caídos y pecadores!" (*La educación*, p. 238).

En algunas culturas hispanas se usa el pronombre "usted" para orar o referirse a Dios. Esta es una manera reverente de aludir al Señor. Si en estas culturas no se tutea a los padres, menos entonces al Padre que está por encima de todos, nuestro Padre Celestial.

El nombre y la fidelidad

Cuando Dios hizo su promesa a Abraham, como no tenía a nadie superior por quien jurar, juró por sí mismo (Hebreos 6:13).

ESTE MANDAMIENTO TAMBIÉN PROHIBÍA jurar en falso. En la antigüedad, el juramento involucraba poner al Señor como testigo de lo que se afirmaba. Notemos: "Teme al Señor tu Dios y sírvele. Aférrate a él y jura solo por su nombre" (Deut. 10:20). No decir la verdad era tomar el nombre de Dios en vano.Lo mismo si se hacía un voto sin tener la intención de cumplirlo: "No juren en mi nombre solo por jurar, ni profanen el nombre de su Dios. Yo soy el Señor" (Lev. 19:12).

También se violaba este mandamiento si se usaba el nombre del Señor de una manera frívola o descuidada. Hoy se nos amonesta: "Deshonramos a Dios cuando mencionamos su nombre en la conversación ordinaria, cuando apelamos a él por asuntos triviales, cuando repetimos su nombre con frecuencia y sin reflexión. "Santo y terrible es su nombre" (Sal. 111:9). Todos debieran meditar en su majestad, su pureza y su santidad, para que el corazón comprenda su exaltado carácter; y su santo nombre se pronuncie con respeto y solemnidad" (*Patriarcas y profetas*, p. 314). Inclusive cuando oramos a Dios, debiéramos tener cuidado con la forma como nos referimos a él: "Mientras oran, muchos emplean expresiones irreverentes y descuidadas que agravian al tierno Espíritu del Señor y motivan que sus peticiones no lleguen al cielo" (*Primeros escritos*, p. 70). El uso frecuente de interjecciones descuidadas, y sin pensar lo que se dice, como: "¡Dios mío!" "¡Santo Dios!", etcétera, revelan poca reverencia por la persona de Dios.

Este mandamiento también prohibía usar el nombre de Dios en forma mágica o para fines de encantamientos. Era costumbre entre los antiguos pueblos paganos invocar el nombre de sus dioses para esos fines. Aun entre los judíos, algunos usaban el nombre Yahweh, o algún modo apocopado de este, como fórmulas mágicas para expulsar demonios o sanar a personas poseídas. Se pensaba que se podía manipular a Dios. Eso era una ofensa para su nombre.

El nombre y el carácter

Por eso, adviértele al pueblo de Israel que así dice el Señor omnipotente: "Voy a actuar, pero no por ustedes sino por causa de mi santo nombre, que ustedes han profanado entre las naciones por donde han ido" (Ezequiel 36:22).

OTRA FORMA DE TOMAR EL NOMBRE de Dios en vano se da cuando representamos mal su carácter. Cuando hacemos profesión de su nombre, pero no vivimos a la altura de lo que requiere. El sabio era sensible a esto cuando escribió: "Porque teniendo mucho, podría desconocerte y decir: '¿Y quién es el Señor?' Y teniendo poco, podría llegar a robar y deshonrar así el nombre de mi Dios" (Prov. 30:9). En tiempos de Israel, algunos profesos adoradores de Jehová cumplían con prácticas paganas que eran una deshonra para su pretensión de ser seguidores del Dios de Israel: "No profanarás el nombre de tu Dios, entregando a tus hijos para que sean quemados como sacrificio a Moloc. Yo soy el Señor" (Lev. 18:21). La mala representación del carácter de Dios era un tipo de blasfemia. El apóstol Pablo era consciente de que tal cosa había sucedido al pueblo de Israel: "Así está escrito: 'Por causa de ustedes se blasfema el nombre de Dios entre los gentiles'" (Rom. 2:24). Por eso el apóstol recomendaba a Timoteo: "Que se aparte de la maldad todo el que invoca el nombre del Señor" (2 Tim. 2:19).

Esta mala representación del carácter de Dios puede llevar, incluso, a que se cometa el pecado imperdonable, que es la blasfemia contra el Espíritu Santo. Nuestro Señor afirmó que los judíos blasfemaron contra el Espíritu cuando dijeron que sus milagros eran la obra de Satanás: "Por eso les digo que a todos se les podrá perdonar todo pecado y toda blasfemia, pero la blasfemia contra el Espíritu no se le perdonará a nadie. A cualquiera que pronuncie alguna palabra contra el Hijo del hombre se le perdonará, pero el que hable contra el Espíritu Santo no tendrá perdón ni en este mundo ni en el venidero" (Mat. 12:31, 32).

El nombre y la honradez

Cuando hagas un voto a Dios, no tardes en cumplirlo, porque a Dios no le agradan los necios. Cumple tus votos (Eclesiastés 5:4).

OTRA FORMA DE TRANSGREDIR ESTE MANDAMIENTO es hacer una promesa a Dios y no cumplirla. Cuando no se cumplían los votos, se ofendía a Dios en el antiguo Israel: "Cuando un hombre haga un voto al Señor, o bajo juramento haga un compromiso, no deberá faltar a su palabra sino que cumplirá con todo lo prometido" (Núm. 30:2).

También quebrantamos este mandamiento cuando hacemos chistes de mal gusto que involucran a Dios, su Palabra o sus instituciones. El nombre de Dios y de Cristo no es mantenido en alto cuando se hacen tales cosas: "El tenor de la conversación sostenida en muchas reuniones sociales revela qué es lo que interesa al corazón. La conversación trivial, los chistes tontos, que solo tienen por objeto provocar risa, no representan debidamente a Cristo. Aquellos que los han expresado no estarían dispuestos a verse frente a frente con una crónica de sus palabras. Los que escuchan reciben una mala impresión, y se arroja una ofensa sobre Cristo" (*Mensajes para los jóvenes,* p. 386).

Lo transgredimos cuando adoramos a Dios con formalismo sin experimentar el verdadero amor por él: "El profesar pertenecer a Cristo sin sentir amor profundo, es mera charla, árido formalismo, gravosa y vil tarea" (*El camino a Cristo,* p. 44). El apóstol Pablo anticipaba que vendrían personas que aparentarían tener una gran piedad, pero la negarían con su actitud: "Aparentarán ser piadosos, pero su conducta desmentirá el poder de la piedad" (2 Tim. 3:5).

Los judíos de la antigüedad eran fieles a la letra de la ley, tanto que no querían ni siquiera pronunciar el nombre de Dios, pero persiguieron y mataron en nombre de su religión a los profetas que Dios les enviaba. Lo mismo hicieron muchos así llamados cristianos, que masacraron a tantos en el nombre de la religión de Cristo. Como Jesús lo dijo: "Los expulsarán de las sinagogas; y hasta viene el día en que cualquiera que los mate pensará que le está prestando un servicio a Dios" (Juan 16:2).

El nombre y la reverencia

Pero yo, por tu gran amor puedo entrar en tu casa; puedo postrarme reverente hacia tu santo templo (Salmo 5:7).

EL NOMBRE DE DIOS SE TOMA EN VANO cuando somos irreverentes en la casa de Dios y en los cultos. El Señor requiere reverencia cuando estamos en su presencia: "En cambio, el Señor está en su santo templo; ¡guarde toda la tierra silencio en su presencia!" (Hab. 2:20). A Moisés, Dios le dijo: "No te acerques más. Quítate las sandalias, porque estás pisando tierra santa" (Éxo. 3:5). El sabio aconsejaba: "Cuando vayas a la casa de Dios, cuida tus pasos y acércate a escuchar en vez de ofrecer sacrificio de necios, que ni conciencia tienen de que hacen mal" (Ecles. 5:1).

Bien haremos en prestar atención a estas palabras: "Debería enseñarse al niño a considerar sagrados la hora y el lugar de oración y los cultos públicos, porque Dios está en ellos. Y al manifestar reverencia en la actitud y conducta, el sentimiento que lo inspire se profundizará" (*La educación*, p. 237). "En medio de truenos y relámpagos Dios proclamó su ley a oídos de la vasta multitud. Rodeó la ocasión cuando dio la ley de una grandiosidad impresionante. Quería que el pueblo comprendiera el carácter exaltado de sus mandamientos. La gente debía aprender que todo lo relacionado con su servicio debería considerarse con la mayor reverencia" (*Cada día con Dios*, 16 de agosto). "La reverencia [...] es una gracia que debe cultivarse con cuidado. A todo niño se lo debe enseñar a manifestar verdadera reverencia hacia Dios" (*Profetas y reyes*, p. 178).

Finalmente, debemos recordar que Dios recompensará a los que respeten y honren su nombre. También debemos grabar en nuestra mente que Dios castigará a los que deshonren su carácter. Lo dijo con claridad: "Yo, el Señor, no tendré por inocente a quien se atreva a pronunciar mi nombre a la ligera" (Éxo. 20:7). El respeto por el nombre de Dios, que es su carácter, implica una gran responsabilidad. Pero solo aprenderemos a reverenciarlo y respetarlo si comprendemos su infinita grandeza.

Día de recuerdos

Acuérdate del sábado, para consagrarlo. Trabaja seis días, y haz en ellos todo lo que tengas que hacer, pero el día séptimo será un día de reposo para honrar al Señor tu Dios (Éxodo 20:8-10).

ESTE MANDAMIENTO NOS HACE RETROCEDER hasta la creación del mundo. Empieza con la palabra "acuérdate". Para acordarnos tenemos que hacer memoria de la creación de nuestro planeta. Después de crear nuestro mundo y todo lo que hay en él, el registro bíblico dice que Dios hizo algo excepcional: "Al llegar el séptimo día, Dios descansó porque había terminado la obra que había emprendido. El Señor bendijo el séptimo día, y lo santificó, porque en ese día descansó de toda su obra creadora" (Gén. 2:2, 3). Es interesante que después de crear todas las cosas materiales, Dios procedió a crear algo que no es material, pero que es parte de la creación divina. Este pasaje nos dice que Dios creó el sábado. Al hacerlo, hizo otro tipo de creación, ya que el sábado es una creación en el tiempo, no en el espacio. Todas las cosas materiales son parte de la creación espacial de Dios. Pero la creación del sábado pertenece a otra dimensión, la del tiempo.

Pero esta creación del sábado que, valga la expresión, "es un espacio de tiempo", fue un hecho divino fuera de lo normal. Con este acto de creación, Dios estableció el ciclo semanal. Todos los otros parámetros del tiempo con los que el ser humano se relacionaría tendrían una explicación natural. El año es el resultado del movimiento de la Tierra alrededor del Sol. El mes lo es del movimiento de la Luna en torno de la Tierra (todos los pueblos de la antigüedad usaban meses lunares). El día viene del movimiento de la Tierra sobre su propio eje. Pero la semana de siete días no tiene ninguna explicación natural. No se pudo haber inventado por la observación de algún fenómeno natural. Es algo que Dios hizo en forma extraordinaria. No es ninguna maravilla que el Señor dijera siglos después, "acuérdate".

Día de descanso

Al llegar el séptimo día, Dios descansó porque había terminado la obra que había emprendido (Génesis 2:2).

EL RELATO DE GÉNESIS SOBRE LA CREACIÓN del sábado habla de tres cosas que Dios hizo en conexión con él, y que se confirman en la fraseología del cuarto mandamiento. La primera de ellas es que Dios descansó. La palabra hebrea de la que se traduce el verbo descansar, significa primariamente cesar. Es natural que cuando uno cesa, descansa. De allí que la idea de descansar está también en el ámbito conceptual de esta palabra. Pero el Génesis y el cuarto mandamiento nos hablan de cesar. Es obvio que Dios no cesó porque estaba cansado, sino porque concluyó la creación material. Como nuestro texto lo dice claramente, "descansó porque había terminado la obra" de la creación.

Es interesante que Dios haya decidido cesar después de seis días de creación. Como lo leyó ayer, al dejar de crear cosas materiales, creó el sábado para conmemorar su creación. De este modo, el descanso divino fue en sí otra creación de Dios. Por eso, el texto hebreo original del relato del Génesis dice: "El séptimo día concluyó Dios la obra que hizo" (Gén. 2:2; RV95). El Señor concluye el séptimo día de su obra creadora. El último acto de la creación divina. Eso nos confronta con la paradoja de que Dios, al dejar de crear, creó. Lo que el Señor creó fue un día de cesación, un día descanso. Estableció un día libre; un día festivo, cada semana.

El cuarto mandamiento usa ese acto de cesación divina, ese descanso de Dios, como paradigma para los seres humanos. Es decir, nosotros debemos descansar porque el Señor nos dio el ejemplo. Significa que Dios planeó el descanso para los seres humanos. Como el Señor no se cansa, sino que cesó de crear en el séptimo día, lo hizo para darnos una enseñanza. Él nos enseñó que debemos descansar o cesar de nuestro trabajo.

Día de paz

No hagas nada en este día ningún trabajo, ni tampoco tu hijo, ni tu hija, ni tu esclavo, ni tu esclava, [...] ni ninguno de tus animales, ni tampoco los extranjeros que vivan en tus ciudades (Deuteronomio 5:14).

DIOS DESCANSÓ para darnos ejemplo, para ser un modelo que podamos seguir. Él descansó de su trabajo, y nos pide que también descansemos. Dios planeó, en su descanso, nuestro descanso. Él cesó su trabajo, sin que estuviera cansado, y lo hizo para servirnos de ejemplo. Es interesante que Dios decidió hacer la obra de la creación material en seis días. Podría haberla hecho en menos tiempo. La Biblia dice que a medida que Dios creó todas las cosas, ordenó la existencia: "Por la palabra del Señor fueron creados los cielos, y por el soplo de su boca, las estrellas. Porque él habló, y todo fue creado; dio una orden, y todo quedó firme" (Sal. 33:6, 9). Por lo tanto, la creación material pudo haber sido la obra de un instante. Sin embargo, decidió hacerla en seis días. Resulta obvio, entonces, que Dios debía tener un propósito al hacerlo de esa manera.

¿Cuál sería este propósito? Por supuesto, al hacer esta pregunta, no se trata de discernir la mente de Dios, sino enfocar el propósito divino. Puesto que el Creador tenía en mente darnos ejemplo de cesación y descanso, su demora, innecesaria en términos de su poder, cumplió el fin de prepararnos un descanso. El Señor, evidentemente, hizo una creación de seis días para tener la oportunidad de crear el séptimo día, con el fin de que fuera nuestra paz. Eso quiere decir que Dios anticipó que íbamos a necesitarlo. Por eso dijimos que él planeó nuestro descanso.

Esta es la razón por la que él cesó de crear el mundo material después de seis días de labor. Su descanso no implica cansancio. Pero nuestro descanso, sí. Dios anticipó que necesitaríamos descansar de nuestra fatiga física y espiritual. Bien lo dijo nuestro Señor: "El sábado se hizo para el hombre, y no el hombre para el sábado" (Mar. 2:27).

Día de compañía

Trabaja seis días, y haz en ellos todo lo que tengas que hacer (Deuteronomio 5:13).

DIOS PENSÓ EN NUESTRO bienestar cuando ideó hacer una semana que incluía un día de descanso. De este modo, formó el patrón presentado en el cuarto mandamiento de seis días de labor y uno de descanso. Este es el origen de nuestra semana. No se puede hallar en ninguna otra parte. Podríamos decir que es el esquema divino. Dios lo hizo así, porque él lo quiso. Todo lo que él hace tiene un propósito, resulta evidente que la semana debe haber tenido también un propósito. Podría ser que el patrón de seis por uno es el que se adapta mejor a la constitución natural del ser humano, y que por eso Dios formó la semana de esa manera.

Pero no se trataba solo de descanso físico. El cuarto mandamiento deja claro que hay otra razón por la cual él diseñó el descanso semanal: Para que tuviéramos tiempo de dedicárselo a él. Dice: "Un día de reposo para honrar al Señor tu Dios". Ya decíamos que, como seres humanos creados a su imagen, necesitamos a Dios para satisfacer nuestras necesidades espirituales. Sin un compañerismo con la divinidad, nunca podremos satisfacer esa necesidad que tenemos arraigada profundamente en nuestra alma. Por lo tanto, Dios nos dio un día entero para profundizar nuestra intimidad con él. También tenemos necesidad de descansar físicamente, y él debe haber pensado en ello, pero el sábado es primordialmente para el descanso espiritual. No podríamos tener el tiempo necesario para crecer en nuestra relación con Dios, si tuviéramos que continuar con nuestra rutina de trabajo diario.

Eso implica que si solo dejáramos nuestras actividades físicas, pero no dedicáramos ese descanso a Dios, no cumplimos con el plan divino para nuestro bienestar. Si no trabajamos, pero a su vez no atendemos en el día de descanso nuestras necesidades espirituales, no observamos el cuarto mandamiento de la ley como el Señor lo requiere y planeó.

Día bendito

Dios bendijo el séptimo día, y lo santificó, porque en ese día descansó de toda su obra creadora (Génesis 2:3).

DE ACUERDO AL RELATO del capítulo dos de Génesis y al cuarto mandamiento, Dios hizo tres cosas el día en que terminó su creación. La primera de ellas, que ya comentamos, tiene que ver con el hecho que descansó de su trabajo material. Lo hizo para darnos ejemplo, y con el fin de suplir nuestras necesidades espirituales y físicas.

La segunda cosa que el Creador hizo fue bendecir el día de descanso: "Dios bendijo el séptimo día" (Gén. 2:3). ¿Qué quiere decir el término bendecir? ¿Qué pretendía hacer con el día de reposo cuando lo bendijo? Si analizamos el término desde el punto de vista etimológico, no nos conduce a mucho. El diccionario nos dice que bendecir viene del latín *"benedicere"*, que significa decir bien o decir cosas buenas. De allí procede el significado que tiene normalmente: Alabar, ensalzar; pero también tiene el concepto de colmar de bienes a alguien o algo. Sin embargo, cuando analizamos el uso bíblico en el capítulo primero de Génesis, vemos que Dios bendijo tres cosas. Primeramente, pronunció una bendición sobre los animales: "Y los bendijo con estas palabras: 'Sean fructíferos y multiplíquense; llenen las aguas de los mares. ¡Que las aves se multipliquen sobre la tierra!'" (Gén. 1:22). Asimismo, el relato nos dice que él dio una segunda bendición; ahora a los seres humanos: "Y Dios creó al ser humano a su imagen; lo creó a imagen de Dios. Hombre y mujer los creó, y los bendijo con estas palabras: 'Sean fructíferos y multiplíquense; llenen la tierra y sométanla; dominen a los peces del mar y a las aves del cielo, y a todos los reptiles que se arrastran por el suelo'" (Gén. 1:27, 28). Así que, nos damos cuenta de que cuando Dios bendice, no solo colma de bienes, sino que lo hace con la intención de que aquello bendecido sea a su vez una bendición.

Por lo tanto, cuando nuestro Padre bendijo el séptimo día, lo colmó de bienes, de modo que fuese una bendición para el ser humano. Ojalá que el día de descanso cumpla esta intención divina en nuestras vidas.

Día santo

Por eso el Señor bendijo y consagró el día de reposo (Éxodo 20:11).

L A TERCERA COSA QUE DIOS hizo con el séptimo día fue santificarlo: "Dios bendijo el séptimo día, y lo santificó" (Gén. 2:3). ¿Qué significa santificar? El diccionario nos dice que santificar es hacer santo a alguien o algo; consagrar a Dios algo o alguien; reconocer al que es santo, honrar y servirle como tal. El uso bíblico sugiere que santificar es apartar a alguien o algo para un uso santo. De allí que nuestra versión sugiere la palabra consagrar: Dios "consagró el día de reposo" (Éxo. 20:11).

En el santuario terrenal que construyeron los israelitas en el desierto, así como en los templos erigidos posteriormente, había muchas cosas santas, cosas consagradas a Dios. El santuario o templo era santo, los muebles, los utensilios usados, los sacerdotes, todo era santo, consagrado a Dios. Ninguna persona ordinaria podía entrar al santuario, nadie común podía manipular los muebles y utensilios, y los sacerdotes no debían ser personas comunes. La razón de ello no estaba en la naturaleza de las cosas, sino en el hecho de que habían sido santificadas o consagradas a Dios. Por introducir un fuego que no era el del santuario, Nadab y Abiú murieron en la presencia del Señor (Núm. 3:4); Uza cayó muerto, porque siendo una persona ordinaria tocó el arca del Señor (2 Sam. 6:7); Uzías, aunque era rey, se atribuyó el derecho de oficiar en el ritual sagrado del santuario, y fue condenado a la lepra hasta su muerte (2 Cron. 20:19-21). Lo que Dios declara santo y consagrado a él, no debe usarse con fines y propósitos comunes.

Así que resulta que esta declaración bíblica de que el día de reposo fue santificado o consagrado, nos dirige la atención al hecho de que ya no es un día común y corriente. Es un día apartado para un uso sagrado; no se lo debe usar para fines comunes. Por eso existía esta ley en Israel: "Quien haga algún trabajo en sábado será condenado a muerte" (Éxo. 31:15).

Día de fidelidad

Trabajen durante seis días, pero el séptimo día, el sábado, será para ustedes un día de reposo consagrado al Señor (Éxodo 35:2).

EL SÁBADO ES UN DÍA CONSAGRADO por Dios para uso espiritual, no debe ser tratado como tiempo común. El Señor lo separó para que fuese usado para la adoración individual y corporativa. De allí la razón por la que en el sábado no debería hacerse labor habitual, es decir, el trabajo diario que hacemos para ganarnos la vida. La santidad del sábado no se debe al hecho de que es un día distinto a los otros días. No hay nada mágico en el tiempo en sí. Su santidad estriba en que fue consagrado por Dios. Los hombres no lo separaron ni le dieron ninguna dignidad especial. Fue Dios el que lo hizo después de seis días de labor creadora. Si como seres humanos, hacemos una diferencia entre este día y otros días, lo hacemos porque él lo dijo. Por la obediencia y lealtad a Dios, el sábado llega a ser distinto.

Eso nos lleva al punto importante de que la observancia del sábado distingue a los que quieren servir a Dios de los que no lo desean. La observancia fiel de este día llega a ser una señal distintiva del que obedece a Dios, porque no hay otra razón válida para observar ese día que el hecho de que se quiera obedecer a Dios. Por eso las Escrituras hablan del sábado como una demostración de lealtad a Dios: "En todas las generaciones venideras, el sábado será una señal entre ustedes y yo, para que sepan que yo, el Señor, los he consagrado para que me sirvan" (Éxo. 31:13). "También les di mis sábados como una señal entre ellos y yo, para que reconocieran que yo, el Señor, he consagrado los sábados para mí" (Eze. 20:12). Se hace claro que cuando observamos el sábado no lo hacemos para nosotros, sino para Dios. No es un día de descanso egoísta, sino de oportunidad para intimar con el Creador.

Día distinto

Los israelitas deberán observar el sábado. En todas las generaciones futuras será para ellos un pacto perpetuo, una señal eterna entre ellos y yo (Éxodo 31:16, 17).

EL SÁBADO ES UN DÍA especial que Dios separó para un uso sagrado, él tiene interés en que se observe fielmente. La Biblia dice que el Señor tiene dos preocupaciones con respecto a nosotros: "Observen mis sábados, y tengan reverencia por mi santuario. Yo soy el Señor" (Lev. 19:30; 26:2). Nos damos cuenta de que Dios se preocupa tanto por la observancia del sábado, que la pone a la altura de la reverencia al santuario. La razón es que, el templo era un santuario en el espacio, mientras que el sábado es un santuario en el tiempo.

Cualquier lugar consagrado a la adoración pública de Dios, es un santuario que debe ser respetado y reverenciado. Este concepto se pierde cuando adoramos a Dios en un salón de usos múltiples. En tal caso es muy fácil que se pierda la reverencia y el decoro que convienen a un lugar dedicado al culto de Dios.

Lo mismo sucede con la observancia del sábado. Es un día distinto de los demás, porque está dedicado a Dios. No puede ser tratado de la misma manera que los otros días de la semana. Dios insiste en que debe ser observado, pues su observancia es crucial para la vida espiritual: "El sábado será para ustedes un día sagrado. Obsérvenlo" (Éxo. 31:14); "Observa el día sábado, y conságraselo al Señor tu Dios, tal como él te lo ha ordenado" (Deut. 5:12).

Uno puede preguntarse legítimamente: ¿Por qué la observancia del sábado es tan importante para Dios? Simple y sencillamente porque es una señal de lealtad a él. Es indicio de que sentimos nuestra necesidad de él; por eso apartamos un día para tener esa comunión que necesitamos. Esto no lo hacemos porque represente algo ventajoso desde el punto de vista material, sino porque Dios lo especificó de esa manera, y queremos ser obedientes a él. Todo porque él nos ama y quiere nuestro bien.

Día de servicio

Sigan mis decretos, obedezcan mis leyes y observen mis sábados como días consagrados a mí, como señal entre ustedes y yo, para que reconozcan que yo soy el Señor su Dios (Ezequiel 20:19, 20).

DIOS ADEMÁS de reposar en el séptimo día para darnos ejemplo, también lo bendijo y lo santificó. Santificar el sábado es apartarlo para un uso santo; es consagrarlo al Señor. Pero ocurre algo interesante cuando consagramos este día al Señor. Notemos: "Diles lo siguiente a los israelitas: 'Ustedes deberán observar mis sábados. En todas las generaciones venideras, el sábado será una señal entre ustedes y yo, para que sepan que yo, el Señor, los he consagrado para que me sirvan'" (Éxo. 31:13). Cuando nosotros santificamos el sábado, este acto nos santifica a nosotros. Observamos el sábado para santificarlo, es decir, para reconocerlo como santo; esto, a su vez, nos santifica, pues nos consagramos a servir al Señor. Dios nos regresa el acto de santificación. Como resultado, él nos consagra a su servicio. Llegamos a ser como un instrumento dedicado a Dios. Al observar el sábado, él nos concede el estatus de sacerdotes, pues nos dedica a su servicio.

La razón de esto es muy sencilla: Puesto que hemos decidido ser leales a Dios, nos toma y consagra a quienes queremos ser, sus servidores. Al revelar por la observancia del sábado que respetamos y obedecemos a Dios, él nos convierte en sus ministros. De este modo, nuestra consagración al sábado, se torna en consagración a Dios; y la consagración a él nos hace sus siervos. Por eso es que el sábado se convierte en una señal de santificación. Santificamos el sábado, y el sábado nos santifica, nos aparta, para uso del Señor.

La observancia del sábado nos pone aparte, nos distingue de los demás, nos señala como adoradores de Dios. Meditemos: "El sábado ha de ser siempre la señal que distinga a los obedientes de los desobedientes. Satanás ha trabajado con poderosa maestría para anular el cuarto mandamiento y conseguir con ello que se pierda de vista la señal de Dios" (*Consejos sobre la salud*, p. 232).

Día de alabanza al Creador

Tú inspiras mi alabanza en la gran asamblea (Salmo 22:25).

EL CUARTO MANDAMIENTO ESTÁ REPLETO de ideas que nos ayudan a entender mejor el carácter de Dios, y cómo él quiere relacionarse con sus hijos. La primera vez que se menciona el día de reposo en las Escrituras es en el marco de la creación. El cuarto mandamiento hace lo mismo. Dice: "Acuérdate de que en seis días hizo el Señor los cielos y la tierra, el mar y todo lo que hay en ellos, y que descansó el séptimo día. Por eso el Señor bendijo y consagró el día de reposo" (Éxo. 20:11). El sábado llega a ser el elemento de tiempo que nos recuerda la creación de Dios.

En primer lugar, este mandamiento nos dice que debemos recordar, remontar nuestra memoria hasta el mismo día de la creación del mundo: "Acuérdate del sábado, para consagrarlo" (vers. 8). En segundo lugar, debemos recordar que se nos pide esto porque "en seis días hizo el Señor los cielos y la tierra, el mar y todo lo que hay en ellos, y descansó el séptimo día" (vers. 8). De este modo, el sábado, que es un santuario en el tiempo, nos recuerda constantemente que Dios es el creador de todo, y que, como tal, le debemos adoración y reverencia.

El reconocimiento de Dios como Creador es uno de los elementos importantes en la observancia del sábado. Este mandamiento nos dice que si se hubiera guardado el día de reposo instituido por Dios, nunca hubiese existido ningún ateo, nadie que dudase de la existencia del Creador de todo. Observemos: "Si el sábado se hubiese observado universalmente, los pensamientos e inclinaciones de los hombres se habrían dirigido hacia el Creador como objeto de reverencia y adoración, y nunca habría habido un idólatra, un ateo, o un incrédulo" (*El conflicto de los siglos*, p. 491). La observancia del sábado nos manda de vuelta a la creación y al Creador. "El sábado fue instituido para conmemorar la obra de la Creación, y dirigir la mente de los hombres al Dios vivo y verdadero" (*La historia de la redención*, p. 402).

Día con un mensaje final

Por lo contrario, cuando me aman y cumplen mis mandamientos,
les muestro mi amor por mil generaciones (Deuteronomio 5:10).

L A HUMANIDAD SE HA olvidado del Creador, esto caracteriza al mundo moderno. Con los avances de la ciencia y la tecnología, el conocimiento del ser humano ha crecido tanto que muchos piensan que no necesitamos al Creador. Los avances notables de la biología, la bioquímica y la genética, han llevado a la doctrina de la evolución a asentar sus raíces firmemente en la mente del hombre actual. De este modo, Dios, para muchos, no es un concepto aceptable.

La Biblia nos revela que en los últimos días de la historia de nuestro mundo se levantará un pueblo con un mensaje global que incluye el reconocimiento de un Creador y sustentador. El libro de Apocalipsis lo presenta de esta manera: "Gritaba a gran voz: 'Teman a Dios y denle gloria, porque ha llegado la hora de su juicio. Adoren al que hizo el cielo, la tierra, el mar y los manantiales'" (Apoc. 14:7). Como este mensaje se da en el marco de una crisis mundial en los últimos días, es interesante que se incluya este concepto de temer, adorar y dar gloria a un Dios que se presenta como el creador de todo. Debemos concluir que se da porque es necesario. Se tiene la visión de un mundo donde el Creador no es respetado como tal. Un mundo donde van a prevalecer ideas contrarias al concepto bíblico.

No resulta nada extraño que, en el contexto de estos mensajes finales, se incluya la declaración: "¡En esto consiste la perseverancia de los santos, los cuales obedecen los mandamientos de Dios y se mantienen fieles a Jesús!" (vers. 12). Se resalta, en contraste, que habrá un grupo de personas que serán fieles a los mandamientos de Dios. Puesto que el cuarto mandamiento es el único que nos recuerda al Creador, resulta fácil concluir que este énfasis sobre obediencia debe de incluir la observancia fiel del sábado como recordatorio de la creación.

Día de liberación

Recuerda que fuiste esclavo en Egipto; cumple, pues, fielmente estos preceptos (Deuteronomio 16:12).

EL SÁBADO NOS RECUERDA a Dios como Creador, y es el recordatorio de la creación por excelencia. Esto se debe a que se da en referencia al fin de la creación. No solo el capítulo dos de Génesis, sino también el capítulo veinte de Éxodo señalan en esta dirección.

Tenemos, sin embargo, otro énfasis en relación con el cuarto mandamiento que lo hallamos en el libro de Deuteronomio. Allí, como sabemos, se repiten los Diez Mandamientos dados por Dios a Moisés. Notemos lo que dice el cuarto: "Observa el día sábado, y conságraselo al Señor tu Dios, tal como él te lo ha ordenado. Trabaja seis días, y haz en ellos todo lo que tengas que hacer, pero observa el séptimo día como día de reposo para honrar al Señor tu Dios [...]. De ese modo podrán descansar tu esclavo y tu esclava, lo mismo que tú. Recuerda que fuiste esclavo en Egipto, y que el Señor tu Dios te sacó de allí con gran despliegue de fuerza y de poder. Por eso el Señor tu Dios te manda observar el día sábado" (Deut. 5:12-15).

La fraseología del cuarto mandamiento que hallamos aquí resulta interesante, porque en lugar de aludir al poder creador de Dios como razón para su observancia, se da otra causa: Que Dios sacó a su pueblo de la esclavitud egipcia. Ya no se enfatiza que Dios es Creador, sino que es Redentor. La redención recibe el énfasis en esta forma de enunciar el cuarto mandamiento de la ley de Dios.

De allí podemos concluir que el sábado no solo nos recuerda a un Creador, sino que nos habla también de un Redentor. La pregunta que inmediatamente surge en nuestras mentes es: ¿Por qué el sábado nos habla de redención? Esto lo consideraré mañana.

Día de liberación II

¡Haraganes, haraganes! —exclamó el faraón—.
¡Eso es lo que son! Por eso andan diciendo:
"Déjanos ir a ofrecerle sacrificios al Señor" (Éxodo 5:17).

AYER LE PREGUNTE SOBRE ESTE NUEVO elemento redentor que aparece en la repetición de la ley en Deuteronomio: "Recuerda que fuiste esclavo en Egipto, y que el Señor tu Dios te sacó de allí con gran despliegue de fuerza y de poder. Por eso el Señor tu Dios te manda observar el día sábado" (Deut. 5:15).

Lo que más resalta en este pasaje es que Dios apela a la obediencia del cuarto mandamiento desde su condición de Señor compasivo, que ama y cuida a su pueblo, y que se preocupó de la situación triste en la que se encontraban cuando eran esclavos en Egipto. Les dice que deben corresponder a este amor con obediencia. Les pide que sean obedientes como expresión de gratitud por lo que hizo por ellos. Es decir, que su obediencia debe nacer del amor que tienen para él, que los amó primero.

Sin embargo, hay otros elementos que se vinculan con la liberación de la esclavitud egipcia, y que tienen que ver directamente con la observancia del sábado. Hay cierta evidencia que cuando Moisés llegó a Egipto desde Madián, enviado por Dios para libertar al pueblo, les señaló la necesidad de cumplir con la orden divina de observar el sábado; cosa que, aparentemente, por lo menos algunos israelitas comenzaron a observar. Esta es la razón por la que el faraón, en dos ocasiones, los acusó de estar ociosos: "Pero sigan exigiéndoles la misma cantidad de ladrillos que han estado haciendo. ¡No les reduzcan la cuota! Son unos holgazanes" (Éxo. 5:8). Poco después, al inicio de su viaje, cuando Dios les comenzó a proveer de maná, se les recordó la necesidad de guardar el sábado (Éxo. 16:29, 30). Por lo tanto, los israelitas sabían que entraron en conflicto con sus opresores por guardar el séptimo día, por eso Dios los liberó. No deben ahora, que gozan de libertad, hacer menos. El Dios al que sirven es el Redentor del mundo.

Día de redención

José tomó el cuerpo, lo envolvió en una sábana limpia y lo puso en un sepulcro nuevo de su propiedad que había cavado en la roca (Mateo 27:59, 60).

CUANDO DIOS SE PROPUSO REDIMIR a su pueblo de la esclavitud, le recordó que debía guardar el sábado. Hoy el Señor hace lo mismo, nos redime del pecado. La razón es que el sábado nos vincula con él en forma muy íntima, de modo que se cumple su deseo de comunión con nosotros.

Resulta interesante que cuando Cristo concluyó su obra redentora, muriendo en la cruz el viernes por la tarde, descansó en el sepulcro de José de Arimatea durante las horas del sábado. El Redentor descansó de su obra de redención. A los cristianos, el sábado también nos recuerda la redención lograda por la muerte de Cristo. En este sentido extendido, el sábado se vincula con el tema de la redención.

A los hijos de Israel se les pidió que guardaran el sábado en memoria de su liberación de la esclavitud; ahora se nos pide que lo hagamos en memoria de la redención del pecado. El sábado es también un recordatorio de la redención.

Meditemos en estas palabras: "Al principio, el Padre y el Hijo habían descansado el sábado después de su obra de creación [...]. Ahora Jesús descansaba de la obra de la redención; y aunque había pesar entre aquellos que le amaban en la tierra, había gozo en el cielo. La promesa de lo futuro era gloriosa a los ojos de los seres celestiales. Una creación restaurada, una raza redimida, que por haber vencido el pecado, nunca más podría caer, era lo que Dios y los ángeles veían como resultado de la obra concluida por Cristo. Con esta escena está para siempre vinculado el día en que Cristo descansó [...]. Cuando se produzca "la restauración de todas las cosas, de la cual habló Dios por boca de sus santos profetas, que ha habido desde la antigüedad", el sábado de la creación, el día en que Cristo descansó en la tumba de José, será todavía un día de reposo y regocijo" (*El Deseado de todas las gentes*, p. 714).

Día de regocijo eterno

¡No hagan daño ni a la tierra, ni al mar ni a los árboles, hasta que hayamos puesto un sello en la frente de los siervos de nuestro Dios! (Apocalipsis 7:3).

EN LOS ÚLTIMOS DÍAS DE LA HISTORIA de la Tierra, habrá una gran crisis para el pueblo de Dios. Esta crisis llevará a los fieles seguidores del Señor al límite de su capacidad de resistir. El libro de Apocalipsis nos dice que habrá una lucha universal de la Bestia y su imagen contra Cristo y su pueblo. En el capítulo 13 de este libro, se menciona que el Dragón, a través de la Bestia y su imagen, promoverá la adoración de la Bestia y sus seguidores, lo que llevará al establecimiento de una marca que sirva para distinguir entre los que adoran a la Bestia y los que se nieguen a hacerlo: "Además logró que a todos, grandes y pequeños, ricos y pobres, libres y esclavos, se les pusiera una marca en la mano derecha o en la frente, de modo que nadie pudiera comprar ni vender, a menos que llevara la marca, que es el nombre de la bestia o el número de ese nombre" (Apoc. 13:16, 17). Esta marca constituirá la señal de lealtad y sumisión a la Bestia.

En contraste, el mismo libro nos dice que los que se mantengan fieles a Dios en medio de esta crisis de lealtades, recibirán también una marca que se llama el sello de Dios. La crisis de los últimos días será una crisis de lealtad y fidelidad. El Apocalipsis nos deja intuir que la crisis final involucrará, de alguna manera, la observancia de los mandamientos de Dios: "¡En esto consiste la perseverancia de los santos, los cuales obedecen los mandamientos de Dios y se mantienen fieles a Jesús!" "Entonces el dragón se enfureció contra la mujer, y se fue a hacer guerra contra el resto de sus descendientes, los cuales obedecen los mandamientos de Dios y se mantienen fieles al testimonio de Jesús" (14:12; 12:17). Ser fieles a Dios ahora, es vital para prepararnos para esa crisis colosal.

Pero luego de esta crisis, vendrá el reino con sus sábados de regocijo eterno: "Sucederá que [...] de un sábado a otro, toda la humanidad vendrá a postrarse ante mí —dice el Señor—" (Isaías 66:23).

Día de reposo

Será para ustedes un día de completo reposo (Deuteronomio 16:31).

SI LA OBSERVANCIA DEL SÁBADO es tan importante para nuestra santificación y nuestro bienestar espiritual, entonces necesitamos saber cómo guardarlo correctamente. El mandamiento, tal como se expresa en el capítulo veinte de Éxodo y en el capítulo cinco de Deuteronomio, no entra en detalles en relación con la manera de guardarlo, pero sí establece el principio general del cual se pueden extraer las especificaciones.

Para que el sábado pueda ser una bendición, es necesario que hagamos dos cosas, seguir el modelo divino: Primero, santificarlo; segundo, descansar en él. Ya sabe lo que significa santificarlo: Ponerlo aparte, consagrarlo para Dios. Luego viene el reposo y descanso en él. En ese orden se presentan esos dos elementos en el texto del mandamiento: "Acuérdate del sábado, para consagrarlo [...]. No hagas en ese día ningún trabajo" (Éxo. 20:8-10). En realidad, ambas cosas están íntimamente relacionadas. No se puede santificar el día sin reposar en él; ni es de valor reposar en él, sin santificarlo. Así que para guardar el sábado correctamente y en armonía con la voluntad de Dios, debemos hacer ambas cosas.

En lo que se refiere al descanso en este día, el mandamiento establece el principio fundamental: El Señor quiere que cesemos de nuestro trabajo diario. Si continuamos con nuestro trabajo y quehaceres, no vamos a tener tiempo para lo que Dios quiere que hagamos. El Señor quiere que extendamos esta bendición del descanso a nuestros empleados, si tenemos, y a los miembros de nuestra familia, y a los que estén en nuestra casa. Es interesante que Dios se preocupa aun de los animales: "Ni tu buey, ni tu burro, ni ninguno de tus animales" (Deut. 5:14). Los animales no pueden santificar el día, pero pueden descansar. En las sociedades antiguas, los animales trabajaban mucho. El sábado traía descanso para ellos también. Cuán amoroso es el Señor.

Día de abundancia

Comieron los israelitas maná cuarenta años, hasta que llegaron a los límites de la tierra de Canaán, que fue su país de residencia (Éxodo 16:35).

E N EL MUNDO ANTIGUO, y en el no tan antiguo, la obtención de alimentos y su preparación consumía mucho tiempo. Alguien podría pensar que, puesto que se trata de una necesidad tan básica como la de alimentarse, el mandamiento obviaría a quienes se ocuparan de estos menesteres. Pero no es así. Justamente porque se requería mucho tiempo para conseguir y preparar la comida, era necesario hacerlo con anticipación para que no se hicieran en el sábado. Por eso, en las leyes complementarias del cuarto mandamiento, se ordenaba: "En sábado no se encenderá ningún fuego en ninguna de sus casas" (Éxo. 35:3). Encender fuego involucraba un trabajo excepcional: Había que ir a recoger la leña, que no estaba cerca en la mayoría de los casos, preparar el fogón y atizar la lumbre. Pero la expresión "encender fuego", no se refería solo al fuego en sí, sino a la preparación y elaboración de la comida del día. Este era el trabajo que competía casi exclusivamente a las mujeres. Dios también quería que las mujeres guardaran el sábado, por eso requería que los alimentos se prepararan de antemano.

Durante cuarenta años, el Señor les dio una lección a los israelitas de lo que él quería decir con descansar el sábado, en lo que se refería a los alimentos. El maná no cayó en sábado durante todas sus peregrinaciones, mientras que el viernes caía suficiente para que todos pudieran recoger una doble porción. Además, si recogían una doble porción entre semana, se les echaba a perder para el día siguiente, mientras que lo que recogían el viernes, no se echaba a perder. Estos milagros semanales les deben haber servido a los israelitas para entender lo que Dios quería que se hiciera en el sábado. Él no quiere que perdamos el alimento espiritual por pensar en las cosas materiales.

Día sin afanes

Cómanlo hoy sábado —les dijo Moisés—, que es el día de reposo consagrado al Señor. Hoy no encontrarán nada en el campo. Deben recogerlo durante seis días, porque el día séptimo, que es sábado, no encontrarán nada (Éxodo 16:25, 26).

PARA PODER DESCANSAR EL SÁBADO como Dios quiere, tenemos que hacer preparativos previos, durante toda la semana. Dios designó el viernes como "el día de preparación". En la historia de la caída del maná, había una lección de previsión: "Entonces el Señor le dijo a Moisés: 'Voy a hacer que les llueva pan del cielo. El pueblo deberá salir todos los días a recoger su ración diaria. Voy a ponerlos a prueba, para ver si cumplen o no mis instrucciones. El día sexto recogerán una doble porción, y todo esto lo dejarán preparado'" (Éxo. 16:4, 5). Esta provisión del maná en viernes, implicaba además dejarlo preparado para que el sábado nadie se afanara por la comida: "Esto es lo que el Señor ha ordenado —les contestó—. Mañana sábado es día de reposo consagrado al Señor. Así que cuezan lo que tengan que cocer, y hiervan lo que tengan que hervir. Lo que sobre, apártenlo y guárdenlo para mañana" (vers. 23). Lo que sobraba debía estar preparado también, pues no debían cocinar en sábado.

Hasta el tiempo del Nuevo Testamento seguía la costumbre de llamar al viernes "día de preparación". Fue en ese día que las mujeres prepararon los ungüentos para ungir el cuerpo de Jesús: "Era el día de preparación para el sábado, que estaba a punto de comenzar. Las mujeres que habían acompañado a Jesús desde Galilea, siguieron a José para ver el sepulcro y cómo colocaban el cuerpo. Luego volvieron a casa y prepararon especias aromáticas y perfumes. Entonces descansaron el sábado, conforme al mandamiento" (Luc. 23:54-56).

Una cosa es cierta: Si no hacemos los preparativos el viernes como Dios lo estipuló, no podremos guardar el sábado conforme al mandamiento. La preparación es crucial para que el sábado pueda ser santificado. De otro modo, el sábado traerá sus afanes y tareas como todos los otros días. Dios nos ayude para que no sea así en nuestro hogar.

Día de delicia y paz

El sábado se hizo para el hombre, y no el hombre para el sábado (Marcos 2:27).

EL SÁBADO bíblico es un período de 24 horas que comienza a la puesta del sol del viernes y concluye a la misma hora el sábado (Lev. 23:32). Pero es obvio que no todo el que dice guardar el sábado, lo hace como Dios quiere que se haga. La correcta observancia del sábado implica cosas que no y si se deben hacer.

El profeta Isaías expresó así lo que no se debe hacer: "Si dejas de profanar el sábado, y no haces negocios en mi día santo; si llamas al sábado "delicia", y al día santo del Señor, "honorable"; si te abstienes de profanarlo, y lo honras no haciendo negocios ni profiriendo palabras inútiles" (Isa. 58:13). De acuerdo a este pasaje, no se deben hacer negocios, no debe uno estar triste o aquejumbrado, ni debemos hablar cosas que estén en conflicto con el espíritu de sábado. Hay quienes no trabajan en sábado, pero hacen negocios por teléfono, por Internet, o simplemente hacen planes de realizarlos al día siguiente. Hay quienes no hicieron ningún preparativo y tienen que ir a comprar lo necesario en el día del Señor. La Biblia establece los principios generales de lo que significa consagrar el sábado, y no da mayores detalles respecto a su observancia. En último análisis, solo hay dos cosas que están prohibidas: Ganancia material y placer mundanal. Lo que no esté cubierto por esto, es lícito hacerlo.

Hay personas que siempre se van a los extremos; y no hay diferencia respecto de la observancia del sábado. Dicen que uno no se debe bañar en sábado, que los hombres no deben de afeitarse, que no se deben comprar medicamentos para aliviar el dolor o la enfermedad, que hay que soportar el sufrimiento hasta que pase el sábado, que no es bueno caminar en sábado o hacer algún tipo de ejercicio físico, etcétera. Dios no nos dio el sábado como una carga, sino para que sea un día de delicia y paz.

Día glorioso

Si llamas al sábado "delicia", y al día santo del Señor, "honorable";
si te abstienes de profanarlo, y lo honras no haciendo negocios
(Isaías 58:13).

N ESTE PASAJE VEMOS CON CLARIDAD cómo debemos considerar el día de reposo que Dios nos dio. Nos dice que el sábado debe
ser honrado. Otras versiones traducen "venerar". ¿Qué significa
"venerar" algo? Es tratarlo con profundo respeto. El día de reposo merece
nuestro respeto, no porque sea un día que tenga elementos mágicos, sino
porque fue dado por Dios, quien merece todo nuestro respeto y veneración. Deshonramos al Dios del sábado cuando no lo observamos cómo él
quiere.

El pasaje añade que el sábado debe ser una "delicia". ¿Qué es una "delicia"? Es algo que nos trae felicidad y que nos gusta mucho, algo que nos
causa un intenso placer. El sábado nos trae una inmensa dicha cuando lo
vemos como la oportunidad para estar en comunión con Dios, para compartir tiempo y amistad con otros, y para gozarnos con el compañerismo
de la familia. Si el sábado no nos trae esa profunda alegría, no hemos
experimentado su significado. Notemos: "El amor de Dios ha puesto un
límite a las exigencias del trabajo. En su día reserva a la familia la oportunidad de tener comunión con él, con la naturaleza y con sus prójimos"
(*La educación*, p. 245).

"El sábado y la familia fueron instituidos en el Edén y en el propósito
de Dios están indisolublemente unidos. En ese día, más que en cualquier
otro nos es posible vivir la vida del Edén" (*ibíd.*, p. 244).

También nos dice que el sábado debe ser un día honorable. Otras versiones traducen esta palabra como "glorioso". ¿Qué es algo "glorioso"? Es lo
que se considera que tiene gran prestigio y mucho aprecio, que es digno
de honor y alabanza. Por eso: "Necesitamos cultivar un espíritu de verdadero culto, un espíritu de devoción hacia el santo día de Dios. Debemos
congregarnos todos confiando en que recibiremos consuelo y esperanza,
luz y paz del Señor Jesucristo" (*La fe por la cual vivo*, p. 37).

Día de esperanza

A todos los que observan el sábado sin profanarlo y se mantienen firmes en mi pacto, los llevaré a mi monte santo; ¡los llenaré de alegría en mi casa de oración! (Isaías 56:6, 7).

NUNCA HEMOS DE OLVIDAR que el sábado fue creado para la felicidad espiritual y física del ser humano. Provee descanso y solaz para nuestras almas cansadas del incesante batallar de la vida. Recuerdo con gran aprecio cuando estábamos en el internado del colegio. Cómo nos alegrábamos cuando llegaba el sábado, que nos traía descanso y tranquilidad. Pienso que así debe sentirse cada hermano y hermana cuando llega el sábado con la sensación de ser libres de la esclavitud del trabajo. Si no fuera por el sábado, tendríamos la tentación de seguir y seguir con las ansiedades de la vida, hasta que cayéramos rendidos bajo la carga ominosa del afán de este mundo. Gracias a Dios que nos dio el sábado para hacernos libres. Cuando todo el mundo anda en su loca carrera para ganarse la vida, para subir un peldaño más, para tener más dinero, al hijo de Dios lo alcanza ese santuario en el tiempo que trae el mensaje de Cristo: "Vengan a mí todos ustedes que están cansados y agobiados, y yo les daré descanso" (Mat. 11:28). El sábado nos lleva a Cristo, quien es el único que nos trae liberación y paz. Agustín dijo: "Tú nos has hecho para ti y nuestros corazones están inquietos hasta que encuentran paz en ti".

Para que alcancemos la felicidad espiritual que Dios quiere darnos, el sábado nos provee tiempo para dedicarlo a la elevación espiritual personal, a la vida espiritual de la familia y el bienestar espiritual de otros.

Tampoco debemos olvidar que el sábado nos trae el descanso de nosotros mismos. El sábado nos enseña a descansar en Dios. El autor de Hebreos escribió estas palabras: "El que entra en el reposo de Dios descansa también de sus obras, así como Dios descansó de las suyas" (Heb. 4:10).

El sábado nos enseña a detenernos en nuestra insensata empresa de tratar de alcanzar la justificación propia.

El quinto mandamiento

"'Ama al Señor tu Dios con todo tu corazón, con todo tu ser y con toda tu mente' —le respondió Jesús.— Este es el primero y el más importante de los mandamientos. El segundo se parece a este: 'Ama a tu prójimo como a ti mismo'. De estos dos mandamientos dependen toda la ley y los profetas" (Mateo 22:37-40).

CON EL QUINTO MANDAMIENTO ENTRAMOS a lo que se llama comúnmente la segunda tabla de la ley. La primera nos habla de nuestro deber para con Dios; la segunda, de nuestro deber hacia nuestros prójimos. Por eso el mandamiento más grande de la ley es amar al Señor nuestro Dios con todo el corazón y la mente. Si lo amamos, no tendremos problemas para obedecer los mandamientos de la primera tabla.

El segundo mandamiento más importante es amar al prójimo como a uno mismo. Si lo hacemos, no tendremos problemas con los mandamientos que rigen nuestra conducta social y que son los que están en la segunda tabla.

Los prójimos más cercanos que tenemos son nuestros padres. Ya dijimos que durante los primeros años del niño, los padres están en lugar de Dios. De allí que la desobediencia y falta de respeto a los padres equivale a desobediencia y falta de respeto para Dios. Notemos: "Se debe a los padres mayor grado de amor y respeto que a ninguna otra persona. Dios mismo, que les impuso la responsabilidad de guiar las almas puestas bajo su cuidado, ordenó que durante los primeros años de la vida, los padres estén en lugar de Dios respecto a sus hijos. El que desecha la legítima autoridad de sus padres, desecha la autoridad de Dios" (*El hogar cristiano*, p. 265).

En la base de este mandamiento, está el respeto a la autoridad. El hombre fue creado para vivir en sociedad. No se puede vivir en sociedad si no hay autoridad y orden. La forma más sencilla de sociedad es el hogar. La forma más simple de autoridad son los padres. Cuando los hijos son educados para honrar a sus padres, van a honrar cualquiera otra autoridad: Las del estado, las de la iglesia, las de la escuela.

Mandamiento con promesa

Honra a tu padre y a tu madre, para que disfrutes de una larga vida en la tierra que te da el Señor tu Dios (Éxodo 20:12).

TODOS LOS MANDAMIENTOS TIENEN PROMESAS implícitas en ellos. La obediencia a los mandamientos trae dicha y felicidad, ya que nos libra del mal que se prohíbe. Pero el quinto mandamiento es el único cuya promesa está expresada en el texto. Por eso, el apóstol Pablo escribió: "Honra a tu padre y a tu madre —que es el primer mandamiento con promesa— para que te vaya bien y disfrutes de una larga vida en la tierra" (Efe. 6:2, 3). En un pasaje paralelo al anterior, el mismo apóstol dijo: "Hijos, obedezcan a sus padres en todo, porque esto agrada al Señor" (Col. 3:20). ¿Por qué será que la honra y el respeto a nuestros padres agrada al Señor? El texto no lo dice, pero sospechamos la respuesta.

La primera autoridad que una persona normalmente conoce son sus padres. Si el niño no aprende a obedecer a sus padres, difícilmente va a obedecer otra autoridad en la vida. Lo más trágico de todo es que Dios está representado por los padres, y cuando no se aprende a obedecer a los padres no se aprenderá a obedecer a Dios.

En la vida vamos a encontrar muchas fuentes de autoridad. A la de los padres, siguen los maestros de la escuela primaria, y de allí hasta la universidad. También están los que son mayores que nosotros, a quienes también se les debe respeto, especialmente a los ancianos. Luego están las autoridades instituidas en la vida social, desde los policías hasta el Presidente de la República. Siempre vamos a tener una autoridad que se merece respeto y obediencia.

Si el niño no aprendió a obedecer a sus padres, tendrá serias dificultades con sus maestros y con toda otra autoridad. La obediencia a nuestros padres es la guía y clave de toda otra obediencia. Por eso Dios se agrada de que obedezcamos a nuestros padres y que se le enseñe al niño a hacerlo.

Respeto por amor

Hijos, obedezcan en el Señor a sus padres, porque esto es justo (Efesios 6:1).

A CAUSA DE QUE EL RESPETO A LA AUTORIDAD es lo que está en la base del quinto mandamiento, no es sorprendente que la antigua ley de honrar a los padres fuese muy estricta, ya que era la base de la seguridad social. El hogar es el fundamento de la sociedad y de la nación. Lo que le pase al hogar, le pasará eventualmente a la sociedad y la nación. Cuando los hogares se destruyen, la sociedad se desmorona. Por eso las leyes complementarias del quinto mandamiento tenían penas muy severas: "Maldito sea quien deshonre a su padre o a su madre" (Deut. 27:16). "El que mate a su padre o a su madre será condenado a muerte" (Éxo. 21:15). "El que maldiga a su padre o a su madre será condenado a muerte" (vers. 17). El proverbista decía: "Al que maldiga a su padre y a su madre, su lámpara se le apagará en la más densa oscuridad" (Prov. 20:20).

El quinto mandamiento ordena que honremos a nuestros padres. Pero, ¿qué significa? Evidentemente, significa respetarlos. La ley levítica decía: "Respeten todos ustedes a su madre y a su padre" (Lev. 19:3). Lo que entraña el respeto es la obediencia. El apóstol entendió muy bien esta idea cuando dijo que los hijos debieran obedecer en el Señor a sus padres. Obediencia significa sumisión a sus instrucciones y correcciones. Por eso, el proverbista decía: "Hijo mío, escucha las correcciones de tu padre y no abandones las enseñanzas de tu madre. Adornarán tu cabeza como una diadema; adornarán tu cuello como un collar" (Prov. 1:8, 9). Obediencia significa disposición a seguir sus consejos y orientaciones: "Hijo mío, obedece el mandamiento de tu padre y no abandones la enseñanza de tu madre" (Prov. 6:20). Meditemos en esto: "En esta era de rebelión, los hijos no han recibido la debida instrucción y disciplina y tienen poca conciencia de sus obligaciones hacia sus padres. Sucede a menudo que cuanto más hacen sus padres por ellos, tanto más ingratos son, y menos los respetan" (*El hogar cristiano*, p. 266).

Honrar la vejez

¿Puede acaso gobernar quien detesta la justicia? (Job 34:17).

HONRAR A LOS PADRES TAMBIÉN significa confortarlos y apoyarlos en su vejez. Los padres generalmente se sacrifican para que sus hijos puedan triunfar en la vida. Es solo un gesto de justicia elemental, no digamos de amor y cariño, que los hijos, cuando puedan, ayuden y apoyen a sus padres si están necesitados. Se nos dice: "Hijos, permitid que vuestros padres achacosos e incapaces de cuidarse a sí mismos vean sus últimos días colmados de contentamiento, paz y amor. Por amor a Cristo, mientras descienden a la tumba, reciban de vosotros tan solo palabras de bondad, amor y perdón" (*El hogar cristiano*, p. 330).

Obviamente, el quinto mandamiento, como todos los demás, contiene un principio que tiene muchas aplicaciones en la vida práctica: "El quinto mandamiento no solo requiere que los hijos sean respetuosos, sumisos y obedientes a sus padres, sino que también los amen y sean tiernos con ellos, que alivien sus cuidados, que escuden su reputación y que les ayuden y consuelen en su vejez. También encarga sean considerados con los ministros y gobernantes, y con todos aquellos en quienes Dios ha delegado autoridad" (*Patriarcas y profetas*, p. 316).

Sin embargo, todo esto no quiere decir que debemos obediencia ciega a nuestros padres o autoridades. Hay padres que merecen ser desobedecidos, y autoridades que deben ser confrontadas. Cuando los padres y autoridades exigen de sus hijos o ciudadanos algo que está en conflicto con la ley de Dios, no deben ser obedecidos. Los que ejercen autoridad, también tienen la responsabilidad de actuar con justicia y de acuerdo a lo que Dios requiere. "Está incluido en el espíritu de este mandamiento el pensamiento de que los que gobiernan en el hogar y fuera de él debieran conducirse de tal manera que sean siempre dignos del respeto y de la obediencia de quienes dependen de ellos (Efe. 6:4, 9; Col. 3:21; 4:1)" (*Comentario bíblico adventista*, t. 1, p. 617).

Recordemos: "No hay en este mundo mejor recomendación para un hijo que el haber honrado a sus padres, ni mejor anotación en los libros del cielo que aquella donde se consigna que amó y honró a su padre y a su madre" (*El hogar cristiano*, p. 329).

El sexto mandamiento

No mates (Éxodo 20:13).

ESTE MANDAMIENTO TIENE EL PROPÓSITO básico de resaltar la santidad de la vida humana y preservarla. La vida es un don de Dios, y por lo tanto debe ser cuidada y protegida. Una de las primeras reglamentaciones que tienen que ver con la preservación de la vida, la hallamos en el libro de Génesis. Es la instrucción que Dios dio a Noé, después del Diluvio: "Por cierto, de la sangre de ustedes yo habré de pedirles cuentas. A todos los animales y a todos los seres humanos les pediré cuentas de la vida de sus semejantes. Si alguien derrama la sangre de un ser humano, otro ser humano derramará la suya, porque el ser humano ha sido creado a imagen de Dios mismo" (Gén. 9:5, 6).

Como la vida humana es sagrada, Dios estableció una reglamentación estricta para preservarla. El asesinato con premeditación se castigaba con la maldición y la muerte: "Maldito sea quien mate a traición a su prójimo" (Deut. 27:24). "El que hiera a otro y lo mate será condenado a muerte" (Éxo. 21:12). Pero no solo se sancionaba el homicidio directo, sino también el indirecto: "Si el toro tiene la costumbre de cornear, se le matará a pedradas si llega a matar a un hombre o a una mujer. Si su dueño sabía de la costumbre del toro, pero no lo mantuvo sujeto, también será condenado a muerte" (Éxo. 21:29).

Sin embargo, la defensa propia y los homicidios accidentales no se consideraban dignos de muerte. Las personas que cometían esos actos eran absueltas, y se proveía un medio para escapar de la venganza personal mediante las ciudades de refugio (Núm. 35:25). Tampoco se condenaba a los que aplicaban la pena de muerte, ni a las personas que mataban a otras en tiempo de guerra, ya que se consideraba defensa personal. Pero se condenaba quitar la vida en las guerras de conquista. Todo era el esfuerzo divino para destacar la santidad de la vida humana, en una época de barbarie y de criminalidad.

Sentimientos que matan

Todo el que odia a su hermano es un asesino, y ustedes saben que en ningún asesino permanece la vida eterna (1 Juan 3:15).

TODOS LOS MANDAMIENTOS DEL DECÁLOGO se refieren a algo literal y concreto, pero tienen un alcance mayor. Es su aplicación espiritual del principio subyacente a una situación específica, o la extensión de ese principio a otros aspectos de la vida. El sexto mandamiento condena el homicidio en forma frontal y directa. Las leyes complementarias se encargaban de regular la aplicación del castigo y sus excepciones. Sin embargo, el espíritu del mandamiento va más allá. Este aspecto espiritual recae en el juicio de Dios, quien tiene las herramientas para determinar la naturaleza del crimen y su castigo correspondiente.

De acuerdo al espíritu de este mandamiento, no necesitamos tomar una pistola u otra arma para matar a una persona. Este precepto nos dice que el sentimiento de odio es una violación de este mandamiento: "Ustedes han oído que se dijo a sus antepasados: "No mates, y todo el que mate quedará sujeto al juicio del tribunal". Pero yo les digo que todo el que se enoje con su hermano quedará sujeto al juicio del tribunal. Es más, cualquiera que insulte a su hermano quedará sujeto al juicio del Consejo. Pero cualquiera que lo maldiga quedará sujeto al juicio del infierno" (Mat. 5:21, 22). Por eso se nos dice: "El espíritu de odio y de venganza tuvo origen en Satanás, y lo llevó a dar muerte al Hijo de Dios. Quienquiera que abrigue malicia u odio, abriga el mismo espíritu; y su fruto será la muerte. En el pensamiento vengativo yace latente la mala acción, así como la planta yace en la semilla" (*El discurso maestro de Jesucristo*, p. 51). De este modo, es una violación del mandamiento "el abrigar cualquier pasión que se traduzca en hechos perjudiciales para nuestros semejantes o que nos lleve siquiera a desearles mal" (*Patriarcas y profetas*, p. 316).

Insensibilidad que mata

¿Acaso no saben que su cuerpo es templo del Espíritu Santo, quien está en ustedes y al que han recibido de parte de Dios? Ustedes no son sus propios dueños; fueron comprados por un precio. Por tanto, honren con su cuerpo a Dios (1 Corintios 6:19, 20).

EL SEXTO MANDAMIENTO, EN SU APLICACIÓN extensiva, es más amplio de lo que a veces imaginamos. Su principio subyacente tiene la posibilidad de aplicarse a muchas situaciones de la vida. Elena G. de White nos dice que "todo acto de injusticia que contribuya a abreviar la vida, todo descuido egoísta que nos haga olvidar a los menesterosos y dolientes", es una violación del sexto mandamiento (*Patriarcas y profetas,* pp. 316, 317). Hay millones de niños que mueren de hambre todos los días ante el descuido egoísta de los que nos llamamos cristianos y pretendemos obedecer la ley de Dios. El salmista decía: "Matan a las viudas y a los extranjeros; a los huérfanos los asesinan" (Sal. 94:6). Solo en los Estados Unidos hay 60 millones de personas que tienen mascotas, en las que gastan millones de dólares para mantenerlas y cuidarlas. En algunos países, con solo 30 dólares al mes se puede alimentar y educar a un niño huérfano. No se trata de descuidar a los animales, sino de cambiar las prioridades.

Hay otras formas más sutiles de quebrantar este mandamiento: "Toda satisfacción del apetito, o privación innecesaria, o labor excesiva que tienda a perjudicar la salud; todas estas cosas son, en mayor o menor grado, violaciones del sexto mandamiento" (*ibíd.*)

En esta misma dirección, el tráfico y el uso de drogas son una violación del sexto mandamiento. Los que corrompen al inocente y seducen al virtuoso, "matan" en un sentido mucho peor que el asesino y el bandido, pues hacen algo más que matar el cuerpo.

El suicidio

De este modo no se derramará sangre inocente en la tierra que el Señor tu Dios te da por herencia, y tú no serás culpable de homicidio (Deuteronomio 19:10).

EL SUICIDIO EN TODAS SUS FORMAS es una violación de la santidad de la vida humana, pues no tenemos derecho de quitar lo que no damos. Dios es el autor de la vida, y no podemos tener la prerrogativa de quitársela a otra persona ni quitárnosla nosotros mismos. En la Biblia se registra el suicidio de varias personas. La Palabra de Dios dice que Saúl, el primer rey de Israel, se quitó la vida ante una muerte inminente: "Saúl mismo tomó su espada y se dejó caer sobre ella" (1 Sam. 31:4). Judas, quien traicionó a Jesús, lleno de remordimiento también se quitó la vida: "Entonces Judas arrojó el dinero en el santuario y salió de allí. Luego fue y se ahorcó" (Mat. 27:5). Entre las personas famosas que se suicidaron se cuentan: Empédocles, Cleopatra VII, Sócrates, Hitler, Marco Antonio, Nerón y Séneca. El suicidio es un crimen contra la misma persona. Al atentar contra la propia vida, se viola el sexto mandamiento.

De acuerdo a la Organización Mundial de la Salud, los países del antiguo bloque comunista ocupan desde hace algunos años los primeros lugares del mundo en suicidios, entre los que sobresalen Lituania, Bielorrusia, Rusia, Kazajstán, Eslovenia, Letonia y Ucrania. Generalmente, se cree que el suicidio "es un problema en el que parece haber consenso entre sociólogos, sicólogos, siquiatras, antropólogos y demógrafos, cuando lo consideran como un rasgo de la modernidad, uno de los males del siglo" (*Wikipedia*, art. "Suicidio").

Hoy en día, hay medios para mantener a una persona con vida, aunque tenga un diagnóstico de muerte. Por otra parte, no debemos juzgar como suicida a una persona que de antemano decida que le desconecten los tubos en caso de padecer coma irreversible.

Sin embargo, desde el punto de vista bíblico no debemos juzgar a los que deciden quitarse la vida. Dios es el único que puede juzgar los motivos secretos del corazón.

El séptimo mandamiento

No cometas adulterio (Éxodo 20:14).

ESTE MANDAMIENTO NOS HABLA DE LA SANTIDAD del matrimonio y el sexo. Se dio para preservar la santidad del matrimonio, y por lo tanto la felicidad del hogar. Dios fue el que inventó el matrimonio, y lo instituyó para que fuese la unión íntima y legítima entre un hombre y una mujer. La intimidad fue el vehículo elegido por Dios para que reinase la felicidad en el matrimonio y el hogar. Esta intimidad se expresa mejor mediante la vida sexual del matrimonio, lo que implica que el sexo debe ser tratado con respeto y responsabilidad.

Cuando una tercera persona se introduce en el matrimonio, se destruye la intimidad de la pareja y se socava la felicidad del hogar. Es el llamado adulterio. En la ley mosaica se castigaba con la muerte: "Si alguien comete adulterio con la mujer de su prójimo, tanto el adúltero como la adúltera serán condenados a muerte" (Lev. 20:10).

La Biblia nos habla del primero que osó romper el vínculo matrimonial: "Lamec tuvo dos mujeres. Una de ellas se llamaba Ada, y la otra Zila" (Gén. 4:19). Dios había establecido que el matrimonio debiera ser entre un hombre y una mujer. Pero Lamec violó el arreglo divino, teniendo dos mujeres, lo que introdujo el caos en la vida matrimonial. De allí en adelante el mundo se corrompió tanto que la institución matrimonial casi desapareció. Fue una de las causas por las que Dios decidió traer el Diluvio sobre la tierra. Nuestro Señor lo dijo bien: "Porque en los días antes del diluvio comían, bebían y se casaban y daban en casamiento, hasta el día en que Noé entró en el arca; y no supieron nada de lo que sucedería hasta que llegó el diluvio y se los llevó a todos" (Mat. 24:38, 39).

Reflexionemos: "Hizo Satanás un premeditado esfuerzo para corromper la institución del matrimonio, debilitar sus obligaciones y disminuir su santidad; pues no hay forma más segura de borrar la imagen de Dios en el hombre, y abrir la puerta a la desgracia y al vicio" (*Patriarcas y profetas*, p. 350).

Lo que Dios unió...

"Moisés les permitió divorciarse de su esposa por lo obstinados que son —respondió Jesús—. Pero no fue así desde el principio" (Mateo 19:8).

DESPUÉS DEL DILUVIO, EL MATRIMONIO se degeneró de nuevo. Al punto que el hombre podía tener más de una esposa, pero la mujer solo un esposo. De este modo se legalizó el adulterio, y se introdujo la infelicidad conyugal. A causa de la inmoralidad reinante, este fue el arreglo social al que llegó el mundo posdiluviano. Dios, cuando dio su ley a Moisés, contemporizó con este arreglo social, pero no era el ideal divino establecido en el Edén. El hombre podía ahora divorciarse de su mujer, pero no la mujer de su marido. Por eso, Dios se compadeció del sufrimiento y de la esclavitud de la mujer, y en la ley de Moisés, ordenó que se le diese carta de divorcio: "Si un hombre se casa con una mujer, pero luego deja de quererla por haber encontrado en ella algo indecoroso, solo podrá despedirla si le entrega un certificado de divorcio" (Deut. 24:1). Esta medida legal abría la posibilidad para que la mujer repudiada pudiese rehacer su vida mediante un segundo matrimonio: "Una vez que ella salga de la casa, podrá casarse con otro hombre" (vers. 2). De este modo, los derechos de la mujer se igualaban a los del hombre.

Pero este no es el ideal de Dios para la familia humana. Él tenía el interés de ir elevando la moral del ser humano hasta alcanzar su ideal. En el Sermón del Monte, nuestro Señor introdujo un peldaño más cerca de ese ideal, y mostró cómo Dios considera la relación conyugal: "Se ha dicho: "El que repudia a su esposa debe darle un certificado de divorcio". Pero yo les digo que, excepto en caso de infidelidad conyugal, todo el que se divorcia de su esposa, la induce a cometer adulterio, y el que se casa con la divorciada comete adulterio también" (Mat. 5:31, 32). El divorcio no es parte del plan de Dios para la familia humana.

No lo separe el hombre

Entre ustedes ni siquiera debe mencionarse la inmoralidad sexual, ni ninguna clase de impureza o de avaricia, porque eso no es propio del pueblo santo de Dios (Efesios 5:3).

EL SÉPTIMO MANDAMIENTO CONDENA el adulterio, es decir, la violación de los votos matrimoniales. De acuerdo a la ley mosaica, solo había adulterio cuando se tenía una relación sexual con una persona casada. Sea que uno de los ofensores fuese soltero o casado, el adulterio existía si uno de los dos involucrados era casado. El adulterio se definía en términos de la violación del lecho conyugal.

Pero en su forma más amplia, el mandamiento condena también la fornicación. Generalmente se considera que la fornicación es la relación sexual entre personas solteras. El sexo es ilícito cuando se realiza fuera de la responsabilidad y santidad del matrimonio. Notemos lo que dice la Palabra de Dios: "Huyan de la inmoralidad sexual. Todos los demás pecados que una persona comete quedan fuera de su cuerpo; pero el que comete inmoralidades sexuales peca contra su propio cuerpo" (1 Cor. 6:18). "Las obras de la naturaleza pecaminosa se conocen bien: inmoralidad sexual, impureza y libertinaje […]. Les advierto ahora, como antes lo hice, que los que practican tales cosas no heredarán el reino de Dios" (Gál. 5:19-21). "Ustedes saben cuáles son las instrucciones que les dimos de parte del Señor Jesús. La voluntad de Dios es que sean santificados; que se aparten de la inmoralidad sexual; que cada uno aprenda a controlar su propio cuerpo de una manera santa y honrosa, sin dejarse llevar por los malos deseos como hacen los paganos, que no conocen a Dios" (1 Tes. 4:2-5). La palabra que se traduce como inmoralidad sexual en estos pasajes es el término griego *porneia,* cuyo significado cubre una amplia gama de inmoralidades sexuales: fornicación, impureza sexual y prostitución. La inmoralidad reinante engaña y ofusca la mente de muchos, y los hace pensar que Dios no se preocupa de la pureza sexual. Pero la Palabra es clara, y debemos vivir en armonía con ella.

Crimen y castigo

¿No saben que sus cuerpos son miembros de Cristo mismo?
¿Tomaré acaso los miembros de Cristo para unirlos con una prostituta?
¡Jamás! ¿No saben que el que se une a una prostituta se hace
un solo cuerpo con ella? Pues la Escritura dice: "Los dos llegarán
a ser un solo cuerpo" (1 Corintios 6:15, 16).

EL SÉPTIMO MANDAMIENTO CONDENA la prostitución en todas sus formas. Las "sexoservidoras" abundan por todas partes. La mentalidad mundana no puede vivir sin la prostitución, promovida por mil y una formas en la vida moderna. Es prácticamente imposible ver una película o programa de televisión que no promueva de una u otra forma la prostitución.

El mundo antiguo no era muy diferente. En tiempos del apóstol Pablo, los cristianos que vivían en ciudades como Antioquía de Siria y Corinto, tenían que presenciar la prostitución como forma de vida. La vida no debe haber sido fácil para ellos, como no lo es para los que viven en ciudades donde abundan el vicio y la licencia. A los hermanos de Corinto que corrían el peligro de contagiarse con la mentalidad licenciosa de su ciudad, les escribió que huyeran de la prostitución. Esas palabras también se aplican hoy con igual fuerza a nosotros.

Las leyes levíticas complementarias del séptimo mandamiento, también condenaban fuertemente el incesto en todas sus formas: "Si alguien se acuesta con la mujer de su padre, deshonra a su padre. Tanto el hombre como la mujer serán condenados a muerte [...]. Si alguien se acuesta con su nuera, hombre y mujer serán condenados a muerte [...]. Si alguien tiene relaciones sexuales con hija y madre, comete un acto depravado [...]. Si alguien tiene relaciones sexuales con una hermana suya, comete un acto vergonzoso y los dos serán ejecutados en público [...]. No tendrás relaciones sexuales ni con tu tía materna ni con tu tía paterna, pues eso significaría la deshonra de un pariente cercano y los dos sufrirían las consecuencias de su pecado [...]. Si alguien viola a la esposa de su hermano, comete un acto de impureza: ha deshonrado a su hermano, y los dos se quedarán sin descendencia" (Lev. 20:11-21).

Sodoma

La voluntad de Dios es que sean santificados; que se aparten de la inmoralidad sexual (1 Tesalonicenses 4:3).

EL SÉPTIMO MANDAMIENTO CONDENA también la homosexualidad. Es un pecado muy grande, porque no solo atenta contra el mandamiento moral de Dios, sino que es una violación de la ley natural. En la ley de Moisés, se condenaba con la muerte: "Si alguien se acuesta con otro hombre como quien se acuesta con una mujer, comete un acto abominable y los dos serán condenados a muerte, de la cual ellos mismos serán responsables" (Lev. 20:13). El apóstol Pablo considera la homosexualidad como una de las degeneraciones morales de la raza humana: "Por tanto, Dios los entregó a pasiones vergonzosas. En efecto, las mujeres cambiaron las relaciones naturales por las que van contra la naturaleza. Asimismo los hombres dejaron las relaciones naturales con la mujer y se encendieron en pasiones lujuriosas los unos con los otros. Hombres con hombres cometieron actos indecentes, y en sí mismos recibieron el castigo que merecía su perversión" (Rom. 1:26, 27). Para el apóstol la inmoralidad sexual es producto de la naturaleza baja que él llama carne: "Las obras de la naturaleza pecaminosa se conocen bien: inmoralidad sexual, impureza y libertinaje" (Gál. 5:19).

El apóstol Pablo estaba seguro de que quienes practican estas desviaciones sexuales no tendrán cabida en el reino de Dios: "¿No saben que los malvados no heredarán el reino de Dios? ¡No se dejen engañar! Ni los fornicarios, ni los idólatras, ni los adúlteros, ni los sodomitas, ni los pervertidos sexuales [...] heredarán el reino de Dios" (1 Cor. 6:9, 10).

Otra aberración sexual contra la naturaleza, condenada por el espíritu de este mandamiento, es el bestialismo: "Si alguien tiene trato sexual con un animal, será condenado a muerte, y se matará también al animal. Si una mujer tiene trato sexual con un animal, se les dará muerte a ambos, y ellos serán responsables de su muerte" (Lev. 20:15, 16).

Meditemos: "Satanás está haciendo esfuerzos soberanos para involucrar a personas casadas, niños y jóvenes, en prácticas impuras" (*Mente, carácter y personalidad*, t. 1, p. 233).

Pensamientos que matan

*Por último, hermanos, consideren bien todo lo verdadero,
todo lo respetable, todo lo justo, todo lo puro, todo lo amable,
todo lo digno de admiración, en fin, todo lo que sea excelente
o merezca elogio (Filipenses 4:8).*

COMO LEY ESPIRITUAL, EL SÉPTIMO MANDAMIENTO no solo condena la acción pecaminosa, sino también los malos deseos y los pensamientos corruptos. Nuestro Señor lo expresó de esta manera: "Ustedes han oído que se dijo: "No cometas adulterio". Pero yo les digo que cualquiera que mira a una mujer y la codicia ya ha cometido adulterio con ella en el corazón. Por tanto, si tu ojo derecho te hace pecar, sácatelo y tíralo. Más te vale perder una sola parte de tu cuerpo, y no que todo él sea arrojado al infierno" (Mat. 5:27-29). En este pasaje, Jesús condena el deseo mórbido. Todo acto pecaminoso comienza en la mente. La tentación se engendra en un pensamiento, por eso no debemos acariciar malos pensamientos. Martín Lutero decía: "No podemos impedir que las aves vuelen sobre nuestra cabeza, pero sí podemos impedir que aniden en nuestros cabellos".

El ojo no tiene la culpa, el problema está en la mente. Esta debe ponerse bajo el control de la fe. El ojo es una de las avenidas de nuestra mente, y debemos evitar que por ella entre información que nos dañe espiritualmente. Con la ayuda de Dios podemos cerrar la revista o el libro pornográfico, apagar la televisión o cambiar el canal que sugiere el mal. Podemos cerrar los ojos a escenas corruptoras.

Meditemos: "El que se niega a ver, escuchar, gustar, oler o tocar lo que incita al pecado, ha ganado buena parte de la batalla para evitar los pensamientos pecaminosos. El que inmediatamente desecha los malos pensamientos, cuando fugazmente pasan como un relámpago en su conciencia, evita así la formación de una manera de pensar que se hace hábito y que condiciona la mente para que peque cuando se presente la oportunidad" (*Comentario bíblico adventista*, t. 5, p. 327).

El octavo mandamiento

No robes (Éxodo 20:15).

ESTE MANDAMIENTO SALVAGUARDA el derecho a la propiedad. Para que exista la sociedad, se debe salvaguardar este principio; de lo contrario, no hay seguridad ni protección. Todo sería anarquía Este mandamiento protege ese derecho, y condena el hurto en todas sus formas.

En la ley levítica, la violación de este mandamiento requería que se resarciera el daño y se pagara una multa: "Será culpable y deberá devolver lo que haya robado, o quitado, o lo que se le haya dado a guardar, o el objeto perdido que niega tener, o cualquier otra cosa por la que haya cometido perjurio. Así que deberá restituirlo íntegramente y añadir la quinta parte de su valor" (Lev. 6:4, 5). En la antigüedad, el robo más común tenía que ver con animales: "Si alguien roba un toro o una oveja, y lo mata o lo vende, deberá devolver cinco cabezas de ganado por el toro, y cuatro ovejas por la oveja" (Éxo. 22:1). Cualquier daño a las propiedades de las personas debía corregirse y hacer restitución. La intención divina era que hubiese orden y respeto a la propiedad ajena.

Pero este mandamiento tenía también una aplicación más amplia: "No explotes a tu prójimo, ni lo despojes de nada" (Lev. 19:13). Prohibía la explotación de las personas por otros. Una forma común de explotación en aquellos días era retener el salario de los trabajadores hasta el día siguiente, o no pagar los salarios justos. Esto significa que este mandamiento tiene una interpretación más amplia.

La ley mosaica también estipulaba que retener algo perdido que se había encontrado es un tipo de robo: "El objeto perdido que niega tener", debía ser devuelto (Lev. 6:4). Muchas cosas se pierden en nuestra vida cotidiana, y luego son halladas por otras personas que nunca las regresan. Hace unos años, la revista *Selecciones* patrocinó un estudio que consistía en dejar carteras con dinero en diversas ciudades del mundo, que incluía una dirección y teléfono, para determinar la honradez de las personas. Los hispanos salimos muy mal en esa encuesta. Los japoneses devolvieron la mayoría de las carteras.

Honradez en todo

*No te aproveches del empleado pobre y necesitado, sea este
un compatriota israelita o un extranjero (Deuteronomio 24:14).*

EL OCTAVO MANDAMIENTO TIENE QUE VER con cualquier cosa que afecte la propiedad o los derechos de los demás. Contiene un principio que tiene la posibilidad de aplicarse a incontables situaciones de la vida diaria. A continuación están algunas de las más obvias:

Podemos robar a nuestro prójimo cuando dañamos su propiedad o su persona: "El octavo mandamiento condena el robo de hombres y el tráfico de esclavos, y prohíbe las guerras de conquista. Condena el hurto y el robo. Exige estricta integridad en los más mínimos pormenores de los asuntos de la vida. Prohíbe la excesiva ganancia en el comercio, y requiere el pago de las deudas y de salarios justos. Implica que toda tentativa de sacar provecho de la ignorancia, debilidad, o desgracia de los demás, se anota como un fraude en los registros del cielo" (*Patriarcas y profetas*, p. 317).

Prohíbe la excesiva ganancia en el comercio y el cobro excesivo de cuotas y honorarios. Requiere el pago de las deudas. Ordena el pago de salarios justos. Prohíbe toda clase de deshonestidad, injusticia o fraude, no importa cuánto se pueda racionalizar. "Cualquiera que retiene de otro lo que en justicia le pertenece, o se apodera de lo ajeno para su propio uso, está robando. El aceptar como propios el reconocimiento por el trabajo o las ideas de otros; el usar lo ajeno sin permiso, o el aprovecharse de otro en cualquier forma, todo eso también es robar" (*Comentario bíblico adventista*, t. 1, p. 618). "Especialmente en estos días, cuando cada vez aparece más borroso el concepto claro de la moralidad, es bueno recordar que la adulteración, el ocultamiento de defectos, la presentación tramposa de la calidad, el empleo de pesas y medidas falsas son todos actos de robo, tanto como los de un ladrón o ratero" (*ibíd.*)

"Los empleados roban cuando reciben una "comisión" a espaldas de sus superiores, se apropian de lo que no entra explícitamente en un convenio, descuidan hacer cualquier trabajo para el que se los ha contratado, o lo realizan descuidadamente, dañan con su negligencia los bienes del propietario o los menoscaban, derrochándolos" (*ibíd.*)

Reflexionemos en estas palabras: "Implica que toda tentativa de sacar provecho de la ignorancia, la debilidad, o desgracia de los demás, se anota como un fraude en los registros del cielo" (*Patriarcas y profetas*, p. 317).

Ladrón de corazones

Yo, el Señor, amo la justicia, pero odio el robo y la iniquidad (Isaías 61:8).

EL DERECHO Y RESPETO a la propiedad ajena, que es el principio que subyace en este mandamiento, abarca muchas facetas de la vida diaria. La lista continúa:

"Los empleadores roban cuando retienen de sus empleados los beneficios que les prometieron, permiten que se atrase el pago de sus salarios, obligan a sus empleados a trabajar fuera de horario sin la debida remuneración, los privan de cualquier otra consideración que razonablemente tienen derecho a esperar" (*Comentario bíblico adventista*, t. 1, p. 618).

"Roban quienes ocultan mercancías de un inspector de aduana o las desfiguran en cualquier forma, o los que falsean sus declaraciones de impuestos, o quienes defraudan a los mercaderes incurriendo en deudas que nunca pueden ser cubiertas, o los que en vista de una bancarrota inminente transfieren sus propiedades a un amigo, con el entendimiento de que más tarde le serán devueltas" (*ibíd.*)

Aun hay otras formas más sutiles de robar a los demás: "Quitándoles su fe en Dios mediante la duda y la crítica; mediante el efecto destructor de un mal ejemplo, cuando ellos esperaban de nosotros una conducta muy diferente; confundiéndolos o dejándolos perplejos mediante declaraciones que no están preparados para entender; con chismes calumniosos y perniciosos que pueden despojarlos de su buen nombre y carácter" (*ibíd.*)

También es robar cuando se "retiene de otro lo que en justicia le pertenece, o se apodera de lo ajeno para su propio uso". Cuando se aceptan "como propios el reconocimiento por el trabajo o las ideas de otros"; cuando se "usa lo ajeno sin permiso", o se aprovechan "de otro en cualquier forma" (*ibíd.*) Se infringe este mandamiento cuando violamos los derechos legítimos de autoría al copiar libros, discos compactos, programas de computadora, o películas para evadir el pago de un precio justo. Cuando obtenemos una calificación que no merecemos y la conseguimos copiando al compañero de al lado, o copiando las tareas o la investigación de alguien en lugar de hacerlas nosotros.

Meditemos en esto: "Jugar con los corazones es un crimen no pequeño a la vista de un Dios santo" (*El hogar cristiano*, p. 48).

Robarnos a nosotros mismos

"Ustedes —la nación entera— están bajo gran maldición, pues es a mí a quien están robando" (Malaquías 3:9).

TAL VEZ LA MÁS TRISTE VIOLACIÓN del octavo mandamiento se da cuando nos robamos a nosotros mismos. ¿Cómo puede ser esto? Cuando nos ausentamos sin razón de las reuniones y los cultos. Notemos estas palabras: "También nos estamos robando a nosotros mismos, pues necesitamos el calor y la luz del compañerismo, tanto como la fortaleza que se pueden ganar de la sabiduría y la experiencia de otros cristianos" (*Conducción del niño*, p. 502).

Pero la transgresión más lamentable de todas de este mandamiento es cuando robamos a Dios. Ya de por sí todo fraude contra el prójimo es un atentado contra Dios: "Si alguien comete una falta y peca contra el Señor al defraudar a su prójimo en algo que se dejó a su cuidado, o si roba u oprime a su prójimo despojándolo de lo que es suyo" (Lev. 6:2). Todo fraude contra el prójimo es también un fraude contra Dios. Pero adquiere un dramatismo más intenso cuando el fraude se hace directamente contra el Señor. ¿Cómo se puede robarle directamente? Malaquías responde: "¿Acaso roba el hombre a Dios? ¡Ustedes me están robando! Y todavía preguntan: '¿En qué te robamos?' En los diezmos y en las ofrendas" (Mal. 3:8). La razón de este reclamo es que, desde el punto de vista bíblico, Dios es el dueño de todo; y nos da las fuerzas para trabajar y ganar dinero. Por ende, nos dice que el diez por ciento de lo que ganamos le pertenece. Notemos que eso lo estableció Dios, no el hombre: "El diezmo de todo producto del campo, ya sea grano de los sembrados o fruto de los árboles, pertenece al Señor, pues le está consagrado" (Lev. 27:30). "Cada año, sin falta, apartarás la décima parte de todo lo que produzcan tus campos" (Deut. 14:22). El diezmo nos recuerda que somos mayordomos de Dios.

Meditemos: "Es peligroso retener como propia la parte que le pertenece a Dios" (*Consejos sobre mayordomía cristiana*, p. 71).

Robar al Creador

¿Acaso roba el hombre a Dios? (Malaquías 3:8).

N O SOLO SE PUEDE ROBAR A OTROS, sino que podemos robarnos a nosotros mismos. Además, también es posible robar a Dios. Esto se hace reteniendo los diezmos que le pertenecen. Sin embargo, no devolver los diezmos y ofrendas, no es la única forma de robar a Dios. Hay otras maneras más sutiles de hacerlo. Por lo menos, hay otras tres formas como podemos despojar a Dios de cosas que le pertenecen.

Primeramente, por medio de la intemperancia. Dios nos da vida y energía para dedicarlas a su servicio. Si por alguna práctica intemperante se menoscaban las energías, y ya no podemos servir a Dios como debiéramos, robamos lo que le pertenece legítimamente. Notemos: "Las personas intemperantes le roban a Dios las energías físicas y mentales que podrían haber consagrado a su servicio si hubieran sido temperantes en todas las cosas" (*Consejos sobre la salud*, p. 70).

En segundo lugar, Dios merece la honra y la gloria que le deben seres racionales creados a su imagen. Cuando por nuestra negligencia otros seres humanos dejan de conocer a Dios, despojamos a Dios de la oportunidad de que esas personas lo honren. Se nos dice: "Al dejar de beneficiar a nuestros semejantes, robamos a Dios la gloria que obtendría por la conversión de las almas" (*Joyas de los testimonios*, t. 3, p. 61).

En tercer lugar, el día del Señor es la ocasión que Dios ha apartado para recibir la adoración de sus hijos. Pero algunas personas trabajan tan arduamente durante la semana, que usan el sábado solo como descanso físico. Se quedan en sus casas sin ir a la iglesia a adorar como grupo. Mucho menos tienen energía para prestar el servicio que Dios necesita para beneficiar la vida de otros. Reflexionemos en estas palabras: "Durante la semana, nadie debiera permitirse quedar tan absorbido por sus intereses temporales y tan extenuado por sus esfuerzos en procura de ganancias materiales, como para que durante el sábado no tenga fuerza ni energía para darlas al servicio de Dios. Estamos robando al Señor cuando nos incapacitamos para rendirle culto en su día santo" (*Conducción del niño*, p. 502).

Ladrón de oficio

*Ciertamente les aseguro que el que no entra por la puerta
al redil de las ovejas, sino que trepa y se mete por otro lado,
es un ladrón y un bandido (Juan 10:1).*

EL HURTO Y EL ROBO PROLIFERAN por todas partes. Hay lugares donde la gente vive de estas actividades. Las calles de las grandes ciudades se han convertido en el vivero natural de los dueños de lo ajeno. Hay quienes dedican toda su vida a estafar y robar a los demás. Hace poco, la policía detuvo a un individuo en la Ciudad de México cuando estaba robando en un domicilio. Resultó ser una persona que llevaba cincuenta años dedicada a ese oficio. Cuando los periodistas le preguntaron si era "ratero", contestó que no. En cambio, dijo: "Soy ladrón". Es increíble que haya personas que se enorgullezcan del delito. Este caballero se sentía orgulloso de ser ladrón porque, según él, había robado a personas famosas y ricas.

La sociedad se desmorona si no existe el respeto a la propiedad ajena. Dios sabe que los seres humanos tenemos que vivir en sociedad, y una manera vital de lograr la convivencia pacífica es respetando los derechos de los demás. Uno de esos derechos fundamentales es el derecho a la propiedad.

En el octavo mandamiento, Dios nos dice: "Respeta la propiedad ajena, porque es la única manera de garantizar el orden y la convivencia social. Acuérdate que eres un mayordomo de Dios, y que algún día Dios te pedirá cuenta de esa mayordomía".

Como el mundo en general desprecia la ley de Dios, no es ninguna maravilla que esté lleno de ladrones. Aun Jesús tuvo un ladrón en su grupo íntimo de discípulos: "Era un ladrón y, como tenía a su cargo la bolsa del dinero, acostumbraba robarse lo que echaban en ella" (Juan 12:6). Los ladrones impenitentes no podrán ser parte de la sociedad armoniosa que Dios creará: "Ni los ladrones, ni los avaros, ni los borrachos, ni los calumniadores, ni los estafadores heredarán el reino de Dios" (1 Cor. 6:10).

El noveno mandamiento

No des falso testimonio en contra de tu prójimo (Éxodo 20:16).

LA LETRA DE ESTE MANDAMIENTO condena el perjurio. El perjurio es mentir en una corte cuando se juró decir la verdad. Es un delito que tiene importancia en el ámbito de los tribunales de justicia, y, específicamente, en lo que se refiere al papel de los testigos en un juicio.

En la antigüedad, los jueces se basaban casi exclusivamente en las declaraciones de los testigos. La ley de Moisés, así como otros códigos antiguos, requería de dos o tres testigos para condenar a una persona: "Un solo testigo no bastará para condenar a un hombre acusado de cometer algún crimen o delito. Todo asunto se resolverá mediante el testimonio de dos o tres testigos" (Deut. 19:15). Era crucial que los testigos dijeran la verdad. Si no, los inocentes podían ser condenados y los culpables absueltos. Para la supervivencia de ese estado de derecho, era indispensable que se dijera la verdad. Durante cierto período de la historia de Israel, la sociedad se hallaba tan degenerada, que el profeta Oseas se quejaba: "Cunden, más bien, el perjurio y la mentira. Abundan el robo, el adulterio y el asesinato. ¡Un homicidio sigue a otro!" (Oseas 4:2).

Por esta razón, el perjurio se castigaba con severidad: "En Atenas, un testigo falso sufría una fuerte multa. Si se le comprobaba tres veces esa falta, perdía sus derechos civiles. En Roma, una ley de las Doce Tablas condenaba al perjuro a ser arrojado cabeza abajo desde la roca Tarpeya. En Egipto, el castigo era la amputación de la nariz y las orejas" (*Comentario bíblico adventista*, t. 1, p. 618). La ley mosaica estipulaba que el castigo para el perjuro consistía en que "le harán a él lo mismo que se proponía hacerle a su hermano" (Deut. 19:19).

El proverbista advierte a los testigos falsos: "El testigo falso no quedará sin castigo; el que esparce mentiras no saldrá bien librado" (Prov. 19:5): "El testigo falso perecerá, y quien le haga caso será destruido para siempre" (21:28).

Mentir para matar

No piensen que he venido a anular la ley o los profetas; no he venido a anularlos sino a darles cumplimiento (Mateo 5:17).

EL PERJURIO MÁS FAMOSO DE LA HISTORIA ES, evidentemente, el cometido en contra de Jesús bajo la supervisión de Anás, ex sumo sacerdote y suegro de Caifás, que era sumo sacerdote en ejercicio y presidente del concilio nacional llamado Sanedrín. Los testigos, que fueron sobornados para dar testimonios falsos contra él, no se ponían de acuerdo en sus declaraciones: "Los jefes de los sacerdotes y el Consejo en pleno buscaban alguna prueba contra Jesús para poder condenarlo a muerte, pero no la encontraban. Muchos testificaban falsamente contra él, pero sus declaraciones no coincidían. Entonces unos decidieron dar este falso testimonio contra él: "Nosotros le oímos decir: 'Destruiré este templo hecho por hombres y en tres días construiré otro, no hecho por hombres'". Pero ni aun así concordaban sus declaraciones" (Mar. 14:55-59).

Estas eran obviamente tergiversaciones de las declaraciones de Jesús. Él había dicho: "Destruyan este templo, y lo levantaré de nuevo en tres días" (Juan 2:19). Había dos tergiversaciones: La primera consistía en que Jesús había usado el término templo en sentido metafórico, y ellos lo cambiaron al sentido literal; la segunda, en la declaración de Jesús, él no era el sujeto de la destrucción, sino el objeto de ella.

Otro famoso perjurio lo encontramos durante el juicio realizado contra Esteban, también delante del Sanedrín. "Se apoderaron de Esteban y lo llevaron ante el Consejo. Presentaron testigos falsos, que declararon: 'Este hombre no deja de hablar contra este lugar santo y contra la ley. Le hemos oído decir que ese Jesús de Nazaret destruirá este lugar y cambiará las tradiciones que nos dejó Moisés'" (Hech. 6:13, 14). También estas acusaciones eran tergiversaciones e interpretaciones equivocadas de lo que Esteban había enseñado. Lo que Jesús había dicho, que sin duda Esteban mencionó, era que el templo sería destruido. Jesús nunca dijo que él destruiría el templo. Tampoco enseñó que cambiaría las leyes de Moisés. Él sí dijo que "ni una letra ni una tilde de la ley desaparecerán hasta que todo se haya cumplido". De nuevo cometieron perjurio, y violaron la ley.

Mentiras sutiles

Todos los mentirosos recibirán como herencia el lago de fuego y azufre (Apocalipsis 21:8).

EN SU SENTIDO MÁS AMPLIO, el noveno mandamiento condena todo tipo de mentira, pero especialmente la que tiene el propósito de engañar para dañar a las personas o su reputación. A veces, cuando en la Biblia se condena el falso testimonio, se menciona también la mentira: "Cunden, más bien, el perjurio y la mentira" (Oseas 4:2); "Cuando abren la boca, dicen mentiras; cuando levantan su diestra, juran en falso" (Sal. 144:11).

Se nos dice: "La mentira acerca de cualquier asunto, todo intento o propósito de engañar a nuestro prójimo, están incluidos en este mandamiento. La falsedad consiste en la intención de engañar. Mediante una mirada, un ademán, una expresión del semblante, se puede mentir tan eficazmente como si se usaran palabras. Toda exageración intencionada, toda insinuación o palabras indirectas dichas con el fin de producir un concepto erróneo o exagerado, hasta la exposición de los hechos de manera que den una idea equivocada, todo es mentir. Este precepto prohíbe todo intento de dañar la reputación de nuestros semejantes por medio de tergiversaciones o suposiciones malintencionadas, mediante calumnias o chismes. Hasta la supresión intencional de la verdad hecha con el fin de perjudicar a otros, es una violación del noveno mandamiento" (*Patriarcas y profetas*, pp. 317, 318).

Hay otras cosas que también están incluidas en el espíritu de este mandamiento: "Estas palabras condenan todas las frases e interjecciones insensatas que rayan profanidad. Condenan los cumplidos engañosos, el disimulo de la verdad, las frases lisonjeras, las exageraciones, las falsedades en el comercio, que prevalecen en la sociedad y en el mundo de los negocios. Enseñan que nadie puede llamarse veraz si trata de aparentar lo que no es o si sus palabras no llevan el verdadero sentimiento de su corazón" (*El discurso maestro de Jesucristo*, p. 60).

Meditemos: "Una mirada, una palabra, aun el tono de la voz, pueden estar henchidos de mentira, penetrar como una flecha en algún corazón, e infligir una herida incurable" (*Joyas de los testimonios*, t. 2, p. 20).

La simulación

> *El Señor aborrece a los de labios mentirosos, pero se complace en los que actúan con lealtad (Prov. 12:22).*

H AY OTRAS FORMAS DE MENTIR que están condenadas en el noveno mandamiento. Notemos esto: "Ser cristiano ocasionalmente, ser devoto de vez en cuando, es un gran falacia, una mentira viviente" (*Alza tus ojos*, p. 211). Cuando pretendemos ser cristianos y tratamos de engañar a la gente, estamos actuando con engaño.

El engaño y la mentira traen su propio castigo. Durante la conquista de Canaán, ocurrió un incidente interesante que ilustra cómo Dios aborrece la mentira. Una de las ciudades importantes vecinas de Jericó y Hai, era Gabaón. Ante la posibilidad de que fueran conquistados, como ya lo habían sido otras ciudades, los gabaonitas mintieron para hacer un pacto de paz con Israel. Pensaban que los israelitas iban a destruir a todos los habitantes de Canaán. Por lo tanto, enviaron emisarios que aparentaban venir de muy lejos, y de esta manera lograron que los dirigentes israelitas les prometieran que serían sus aliados. Cuando los israelitas se dieron cuenta de que eran gabaonitas que vivían cerca, se llenaron de indignación. El resultado fue que los gabaonitas fueron convertidos en aguateros y leñadores para el santuario en las siguientes generaciones (Jos. 9). Los gabaonitas tuvieron éxito en su misión, pero los resultados de su mentira los persiguieron hasta el fin. Si hubiesen actuado con la verdad, su destino habría sido muy diferente, como estaba delineado en Levítico: "Cuando algún extranjero se establezca en el país de ustedes, no lo traten mal. Al contrario, trátenlo como si fuera uno de ustedes. Ámenlo como a ustedes mismos" (Lev. 19:33, 34). Pero por su mentira cosecharon resultados muy distintos. Notemos: "Ser hechos leñadores y aguadores por todas las generaciones no era poca humillación para aquellos ciudadanos de una ciudad real, donde todos los hombres eran "fuertes". Pero habían adoptado el manto de la pobreza con fines de engaño, y les quedó como insignia de servidumbre perpetua. A través de todas las generaciones, esta servidumbre iba a atestiguar el aborrecimiento en que Dios tiene la mentira" (*Patriarcas y profetas*, pp. 541, 542).

Verdad mentirosa

Tal vez sea agradable ganarse el pan con engaños,
pero uno acaba con la boca llena de arena (Proverbios 20:17).

PARA REALIZAR UN ENGAÑO NI SIQUIERA tenemos que decir una mentira. Basta solo que se evite decir la verdad con la intención de dañar a alguien. Notemos: "Hasta la supresión intencional de la verdad, hecha con el fin de perjudicar a otros, es una violación del noveno mandamiento" (*Patriarcas y profetas*, p. 318). Es importante que reconozcamos nuestra obligación de decir la verdad cuando se trata de representar a otros: "El noveno mandamiento requiere de nosotros una consideración inviolable por la verdad exacta de cada declaración que pueda afectar el carácter de nuestros semejantes" (*Hijos e hijas de Dios*, p. 66).

Violamos este mandamiento cuando hablamos mal de otros, cuando manchamos su reputación, cuando sus motivos son tergiversados y sus nombres ensuciados. "Este mandamiento también puede ser quebrantado por los que se quedan en silencio cuando oyen que un inocente es calumniado injustamente. Puede ser quebrantado por un encogimiento de hombros o un arquear de las cejas. Cualquiera que desfigura, de cualquier manera, la verdad exacta para obtener una ventaja personal o por cualquier otro propósito, es culpable de dar 'also testimonio'" (*Comentario bíblico adventista*, t. 1, p. 619). Se puede incurrir en una mentira por una palabra, un acto o por el silencio.

"La mentira es uno de los pecados populares de nuestros días; y gradualmente está llegando a ser considerada como digna de respeto. En sus diversas formas, desde la mentira atrevida y evidente, hasta la suave mentira diplomática, se la practica común y universalmente. En sus formas más leves se la considera como un medio necesario de suavizar las situaciones desagradables y se la tolera como manera aceptable de hablar. La habilidad de mentir en forma elegante y convincente es toda una hazaña en el mundo social y político y se la considera como una habilidad necesaria para mantener ciertos cargos" (*Comentario bíblico adventista*, t. 1, p. 751; comentario de Lev. 6:4).

Meditemos en estas palabras: "La veracidad y la integridad son atributos de Dios y el que posee estas cualidades posee un poder que es invencible" (*En los lugares celestiales*, p. 179).

El color de la mentira

Pero la serpiente le dijo a la mujer: "¡No es cierto, no van a morir!
Dios sabe muy bien que, cuando coman de ese árbol, se les abrirán los ojos
y llegarán a ser como Dios, conocedores del bien y del mal"
(Génesis 3:4, 5).

ENTRE LAS MUCHAS FORMAS DE MENTIRAS, se destacan algunas muy concretas. En primer lugar, tenemos la así llamada mentira blanca. Es la que se dice para salir de una incomodidad, pero que no tiene el propósito de dañar a nadie, salvo al que la hace. Este tipo de mentira, incluso, se usa para ayudar a alguien. Por eso se la llama mentira inocente. Esta clase de mentira es dañina para el que la hace. Crea el hábito de mentir, y lo que primero es inocente y sin mala intención, con el tiempo se convierte en engaño avieso. Cuando Saúl fue confrontado por Samuel después de venir de la derrota de los amalecitas, le dijo al profeta: "¡Que el Señor te bendiga! He cumplido las instrucciones del Señor" (1 Sam. 15:13). Samuel, por supuesto, se dio cuenta que no había cumplido exactamente.

Tenemos lo que podríamos llamar la mentira atrevida. Es aquella que se dice con la intención de ocultar o ayudar a resolver un mal peor. Es como la mentira de Caifás durante una junta del Sanedrín: "¡Ustedes no saben nada en absoluto! No entienden que les conviene más que muera un solo hombre por el pueblo, y no que perezca toda la nación" (Juan 11:49, 50).

Luego tenemos la mentira sucia. Es la que se dice con la intención premeditada de perjudicar a alguien, dañar su reputación o presentarlo bajo una luz desfavorable, que más que luz es tinieblas. Es la que dijo Tértulo, abogado judío escogido para desacreditar a Pablo delante del gobernador Antonio Félix: "Hemos descubierto que este hombre es una plaga que por todas partes anda provocando disturbios entre los judíos. Es cabecilla de la secta de los nazarenos. Incluso trató de profanar el templo; por eso lo prendimos. Usted mismo, al interrogarlo, podrá cerciorarse de la verdad de todas las acusaciones que presentamos contra él" (Hech. 24:5-8).

La diplomacia

Mediante la sangre de Jesús, tenemos plena libertad para entrar en el lugar santísimo, por el camino nuevo y vivo que él nos ha abierto (Hebreos 10:19, 20).

AMPLIA ES LA VARIEDAD DE FORMAS para mentir y alejarse de la estricta verdad. Otra forma de hacerlo es a través de la mentira diplomática. Es la que se dice para salir de una situación embarazosa, pero que puede ser perjudicial para los oyentes. Es la que se incurre al ocultar la verdad. Es la forma preferida de los políticos y de los que ocupan puestos públicos. Las decían frecuentemente los profetas antiguos, para quedar bien con la política de sus reyes a quienes servían como consultores. Así, lo hizo Jananías en tiempos de Jeremías: "Así dice el Señor Todopoderoso, el Dios de Israel: 'Voy a quebrar el yugo del rey de Babilonia. Dentro de dos años devolveré a este lugar todos los utensilios que Nabucodonosor, rey de Babilonia, se llevó de la casa del Señor a Babilonia. [...] ¡Voy a quebrar el yugo del rey de Babilonia! Yo, el Señor, lo afirmo'" (Jer. 28:2-4). Todo era falsedad y elaborado para quedar bien con el rey y los dirigentes de Jerusalén.

Finalmente, tenemos la mentira teológica. Caemos en ella cuando creemos algo que está en contra de Dios, su naturaleza, su gobierno o su Palabra. Dios es el "Dios de la verdad" (Isa. 65:16; Sal. 31:5; Deut. 32:4). Él no puede mentir, porque es algo que está en contra de su naturaleza (Tito 1:2). Por eso todo lo que se relaciona con él es verdad. El Hijo es verdad (Juan 14:6). El Espíritu es verdad (1 Juan 5:6). Su Palabra es verdad (Juan 17:17). Su ley es verdad (Sal. 119:142). Todas las obras de Dios son verdad y rectitud (Dan. 4:37). Sus planes son de verdad (Isa. 25:1). Sus juicios son verdad (Rom. 2:2). Su iglesia es columna y baluarte de la verdad (1 Tim. 3:15). Cristo vino a dar testimonio de la verdad (Juan 18:37). Sus seguidores han de llegar al conocimiento de esa verdad (1 Tim. 2:4). Los que no creen la verdad, sin embargo, serán condenados (2 Tes. 2:12).

La mentira teológica

Porque surgirán falsos Cristos y falsos profetas que harán grandes señales y milagros para engañar, de ser posible, aun a los elegidos (Mateo 24:24).

LA MENTIRA TEOLÓGICA SE REVELA EN EL HECHO de despreciar la verdad. Es el rechazo de la verdad divina cuando ésta ilumina la mente. Se incurre en una mentira teológica cuando se rechaza la verdad. Pero no solo cuando se la rechaza, sino cuando se descuida la oportunidad de conocer la verdad a la que Dios nos guía. Observemos: "Dios no condenará a nadie en el juicio porque honradamente haya creído una mentira […] sino que será porque descuidó las oportunidades de familiarizarse con la verdad" (*Testimonios para los ministros*, p. 444).

Satanás es el padre de toda mentira: "Desde el principio este ha sido un asesino, y no se mantiene en la verdad, porque no hay verdad en él. Cuando miente, expresa su propia naturaleza, porque es un mentiroso. ¡Es el padre de la mentira!" (Juan 8:44). Pero su mentira preferida es la que se dirige contra Dios y su gobierno. Elaboró la primera gran mentira teológica en el Edén: "Pero la serpiente le dijo a la mujer: '¡No es cierto, no van a morir!'" (Gén. 3:4). En los últimos días orquestará una mentira fabulosa contra el Creador, que será de proporciones colosales: "El malvado vendrá, por obra de Satanás, con toda clase de milagros, señales y prodigios falsos. Con toda perversidad engañará a los que se pierden por haberse negado a amar la verdad y así ser salvos. Por eso Dios permite que, por el poder del engaño, crean en la mentira. Así serán condenados todos los que no creyeron en la verdad sino que se deleitaron en el mal" (2 Tes. 2:9-12). El Apocalipsis se refiere a este gran engaño teológico: "También hacía grandes señales milagrosas, incluso la de hacer caer fuego del cielo a la tierra, a la vista de todos. Con estas señales que se le permitió hacer en presencia de la primera bestia, engañó a los habitantes de la tierra. Les ordenó que hicieran una imagen en honor de la bestia que, después de ser herida a espada, revivió" (Apoc. 13:13, 14).

No podemos engañar a Dios

*Dichoso aquel a quien el Señor no toma en cuenta su maldad
y en cuyo espíritu no hay engaño (Salmo 32:2).*

EL MÉTODO FAVORITO de Satanás para mentir es representar mal a Dios y su gobierno y tiene como blanco atacar el carácter de Dios. Sus mentiras favoritas son teológicas, porque a través de ellas obtiene los fines y propósitos que busca y hace que los seres humanos se extravíen y adquieran una imagen distorsionada del carácter de Dios, que los lleve a perder esa relación con Dios que es vital para su salvación.

Pero Satanás usa a los seres humanos como sus agentes para desfigurar el carácter de Dios y difundir sus mentiras. Cuando representamos mal su carácter ante otros, hablamos mentiras de Dios, que es la verdad: "Los cristianos que llenan su alma de amargura y tristeza, murmuraciones y quejas, están representando ante otros falsamente a Dios y la vida cristiana. Hacen creer que Dios no se complace en que sus hijos sean felices, y en esto dan falso testimonio contra nuestro Padre celestial" (*El camino a Cristo*, p. 117). Dios es justo y honesto, pero cuando nosotros que nos llamamos cristianos no lo somos, hablamos mal de él: "Los que profesan seguir a Cristo y comercian de un modo injusto dan un testimonio falso contra el carácter de un Dios santo, justo y misericordioso" (*El Deseado de todas las gentes*, p. 509).

El Señor no quiere que sus hijos sigan actitudes engañosas. En la tierra nueva no entrarán personas mentirosas: "Nunca entrará en ella nada impuro, ni los idólatras ni los farsantes, sino solo aquellos que tienen su nombre escrito en el libro de la vida, el libro del Cordero" (Apoc. 21:27). Uno de los rasgos notables en la presentación de los 144,000 es que "no se encontró mentira alguna en su boca, pues son intachables" (Apoc. 14:5). Esto es especialmente cierto de los engaños teológicos de los últimos días, de los cuales ellos estarán exentos.

Meditemos en esto: "Se pueden pasar por alto y ocultar a los ojos de los hombres el engaño, la mentira y la infidelidad, pero no a los ojos de Dios" (*Joyas de los testimonios*, t. 1, p. 510).

Decir la verdad, pero no siempre

Les di leche porque no podían asimilar alimento sólido,
ni pueden todavía (1 Corintios 3:2).

ESTE ASUNTO DE OCULTAR LA VERDAD con fines de engaño, que es violación del noveno mandamiento, está relacionado con el hecho de no decir toda la verdad. ¿Se considera violación del mandamiento no decir toda la verdad en toda circunstancia? Evidentemente no. La obligación moral de decir la verdad no necesariamente implica que se debe decir toda la verdad en todo momento. Nuestro Señor dijo en una ocasión: "Muchas cosas me quedan aún por decirles, que por ahora no podrían soportar" (Juan 16:12). En la situación en la que sus discípulos se encontraban, no era prudente que Jesús les dijera toda la verdad. Por amor a ellos retuvo cierta información que no les haría bien en ese momento. Posteriormente, el Espíritu les revelaría toda la verdad.

Es interesante que Jesús nunca se refiriera a sí mismo, en público, como el Mesías o el Hijo de David, que era otra manera de decir lo mismo. Tampoco se presentó como rey de Israel, aunque era ambas cosas. Pero puesto que esos términos se hallaban tan saturados de nacionalismo y política, los eludió en forma consciente y premeditada. Era una gran verdad, pero sus coterráneos la habrían entendido mal. Solo a pocas personas se las dijo en privado. No siempre se puede decir toda la verdad sin causar dolor y rechazo. Pero no debe confundirse con la negación de la verdad.

A los médicos y enfermeros se les dio una vez este consejo: "Tampoco se les puede decir siempre toda la verdad a aquellos cuyas dolencias son en buena parte imaginarias. [...] Si a estos pacientes se les dijera la verdad respecto de sí mismos, algunos se darían por ofendidos y otros se desalentarían. Cristo dijo a sus discípulos: "Aún tengo muchas cosas que deciros, mas ahora no las podéis llevar" (Juan 16:12). Pero si bien la verdad no puede decirse en toda ocasión, nunca es necesario ni lícito engañar. Nunca debe el médico o el enfermero rebajarse al punto de mentir" (*El ministerio de curación*, p. 189).

Mentira de patas cortas

Los labios sinceros permanecen para siempre, pero la lengua mentirosa dura solo un instante (Proverbios 12:19).

EL CRISTIANO DEBE SER MOTIVADO por una pasión por la verdad. Es un representante del Dios de verdad, y no debe dar falso testimonio en ningún sentido. Debe amar la verdad, porque es la que da libertad (Juan 8:32). Debe llegar al conocimiento de la verdad (1 Tim. 2:4) y ser obediente a ella (1 Ped. 1:22). Debe ser santificado por la verdad (Juan 17:19), y tener el Espíritu que lo guía a toda verdad (Juan 16:13). Debe dar testimonio de la verdad (Juan 18:37) y este será presentado con amor (Efe. 4:15). El amor será el amor de la verdad (2 Tes. 2:10). Se nos dice: "Dios no solo desea una conformidad exterior con la verdad; desea que haya verdad "en lo íntimo", en el corazón (Sal. 51:6; 15:2)" (*Comentario bíblico adventista*, t. 1, p. 751; comentario de Lev. 6:4).

Probablemente el espíritu de este mandamiento es uno de los más violados en el mundo actual. Se requiere gran cuidado para mantenerse del lado de la verdad. Resulta fácil decir lo que no es cierto.

Reflexionemos en esta declaración: "Ni siquiera la existencia debiera comprarse al precio de la mentira. Por una palabra o una inclinación de la cabeza los mártires podrían haber negado la verdad y salvado la vida. Consintiendo en arrojar un solo grano de incienso sobre el altar del ídolo, podrían haberse salvado del potro, el cadalso y la cruz. Pero se negaron a ser falsos en palabra o en acción, aunque la vida fuese el don que ello les hubiese granjeado. Daban la bienvenida a la prisión, la tortura y la muerte, con la conciencia limpia, más bien que a la liberación a condición de engañar, mentir y apostatar. Por la fidelidad y la fe en Cristo, obtuvieron mantos sin mancha, coronas enjoyadas. Sus vidas fueron ennoblecidas y elevadas a la vista de Dios, porque permanecieron firmes por la verdad en las circunstancias más graves" (*Joyas de los testimonios*, t. 2, p. 71).

El décimo mandamiento

No codicies la casa de tu prójimo: No codicies su esposa, ni su esclavo,
ni su esclava, ni su buey, ni su burro, ni nada que le pertenezca
(Éxo. 20:17).

ESTE ES EL MANDAMIENTO MÁS AMPLIO y profundo del Décalogo. No describe el pecado en términos de acciones, sino que se refiere a él como el deseo desmedido. Nos dice que el pecado puede referirse al pensamiento y no solo a los actos.

¿Qué significa "codiciar"? Desear con ansia; la codicia es el deseo exagerado por algo o alguien. El mandamiento se enfoca en la prohibición del deseo exagerado de las propiedades de otro. Prohíbe el deseo desordenado que se concentra en lo que pertenece a otro. Por lo tanto, este mandamiento no alude a un acto, sino a un pecado mental. Es, entonces, un mandamiento que va a la raíz del problema del pecado en la vida humana, pues prohíbe el deseo egoísta, que engendra el acto pecaminoso.

En este sentido, el décimo mandamiento se refiere a todos los mandamientos del Decálogo, pues cada uno de ellos puede ser violado en la mente antes de que se realice el pecado. En cierta forma, cuando codiciamos estamos atentando contra cada uno de esos mandamientos.

Este mandamiento del Decálogo representa un avance notable sobre los otros códigos de leyes antiguas que conocemos. Esos códigos se referían a las acciones de las personas, y algunos de ellos regulaban el uso de palabras, pero ninguno pretendió regular los pensamientos de las personas. Esto, obviamente, se debía al hecho de que eran códigos de leyes penales, que legislaba sobre la acción mala e indicaba el castigo correspondiente. La violación de este mandamiento no se podía probar en una corte, de allí que no existiera en ningún código humano. Pero el caso de la ley de Dios es distinto. Dios sí puede leer el pensamiento y los motivos, razón por la cual lo incluyó en su ley. Por lo tanto, este mandamiento condena los motivos que rigen la conducta humana, y de este modo se convierte en el mandamiento más espiritual de todos.

Último pero primero

En el desierto cedieron a sus propios deseos;
en los páramos pusieron a prueba a Dios (Salmo 106:14).

EL DÉCIMO MANDAMIENTO va a la raíz del pecado en la vida humana, porque regula los motivos y los pensamientos que llevan al acto pecaminoso. Dios pudo incluirlo en el Decálogo porque él puede leer los pensamientos, y, por lo tanto, puede saber quiénes violan ese mandamiento. Recordemos lo que Dios dijo a Samuel: "No te dejes impresionar por su apariencia ni por su estatura, pues yo lo he rechazado. La gente se fija en las apariencias, pero yo me fijo en el corazón" (1 Sam. 16:7).

Este mandamiento enseña que no solo somos responsables delante de Dios por nuestros actos sino también por nuestros motivos y pensamientos. Dios sabe que el deseo pecaminoso lleva a la acción mala y nos previene. Santiago escribió: "Todo lo contrario, cada uno es tentado cuando sus propios malos deseos lo arrastran y seducen. Luego, cuando el deseo ha concebido, engendra el pecado; y el pecado, una vez que ha sido consumado, da a luz la muerte" (Sant. 1:14, 15).

Pero, ¿qué produce un deseo enfermizo por las propiedades de los otros? Obviamente, la codicia se nutre de la insatisfacción personal, del no estar contento con lo que se tiene. Como cristianos debemos aprender a estar satisfechos y contentos con lo que Dios nos ha dado. San Pablo decía: "No digo esto porque esté necesitado, pues he aprendido a estar satisfecho en cualquier situación en que me encuentre. Sé lo que es vivir en la pobreza, y lo que es vivir en la abundancia. He aprendido a vivir en todas y cada una de las circunstancias, tanto a quedar saciado como a pasar hambre, a tener de sobra como a sufrir escasez. Todo lo puedo en Cristo que me fortalece" (Fil. 4:11-13). Aquí está el secreto para evitar la codicia: Aprender a vivir contentos con lo que tenemos. Cuando nos concentramos en lo que otros tienen que nosotros no, podemos caer presas del deseo y la codicia.

Secretos que matan

*La justicia libra a los justos, pero la codicia atrapa a los falsos
(Proverbios 11:6).*

L A HISTORIA DE NAAMÁN, EL GENERAL sirio que fue a que lo sanara el profeta Eliseo, es un relato que nos habla del poder de una fe que salva. Pero también contiene una lección adicional muy importante: la codicia produce la ruina de las personas.

Naamán quiso recompensar a Eliseo por haberlo sanado de la lepra, y le ofreció muchos regalos: plata, oro y ropas, cosas muy apreciadas en todos los tiempos. Eliseo las rechazó, y dio las gracias al general sirio, porque no quería que la fe de Naamán se enturbiara con el pensamiento de que los siervos de Dios hacen milagros por amor a lo material. Pero el siervo de Eliseo, Giezi, pensó que su amo había sido necio al rechazar los regalos que se le ofrecieron. Cuando Naamán se había ido, Giezi lo alcanzó, sin que lo supiera Eliseo, y le pidió algunos de los regalos que Naamán había traído, bajo pretexto de que eran para estudiantes que habían llegado a visitarlos. Luego los escondió para que no los viera Eliseo. El relato concluye: "Entonces Giezi se presentó ante su amo. "¿De dónde vienes, Giezi?", le preguntó Eliseo. "Su servidor no ha ido a ninguna parte", respondió Giezi. Eliseo replicó: "¿No estaba yo presente en espíritu cuando aquel hombre se bajo de su carro para recibirte? ¿Acaso es este el momento de recibir dinero y ropa, huertos y viñedos, ovejas y bueyes, criados y criadas? Ahora la lepra de Naamán se les pegará a ti y a tus descendientes para siempre". No bien había salido Giezi de la presencia de Eliseo cuando ya estaba blanco como la nieve por causa de la lepra" (2 Reyes 5:25-27). "Cegado por la avaricia, Giezi se dispuso a recibir el pago por servicios que él no había prestado, de parte de un hombre del cual Eliseo creía que no debía aceptar nada" (*Comentario bíblico adventista*, t. 2, p. 875). Guiezi procuró ocultar su avaricia con una mentira, enredándose más en el pecado.

Ambiciones que matan

*Con la verdadera religión se obtienen grandes ganancias,
pero solo si uno está satisfecho con lo que tiene (1 Timoteo 6:6).*

OTRO EJEMPLO TRISTE DE ALGUIEN codicioso es el caso lamentable de Balaam. Había sido honrado por Dios como su mensajero entre los paganos, pero poco a poco había sucumbido a la influencia de la avaricia. Cuando Balac le ofreció riqueza y honores a cambio de pronunciar encantamientos contra Israel, Balaam vio la oportunidad de enriquecerse. "El soborno de los regalos costosos y de la exaltación en perspectiva excitaron su codicia. Ávidamente aceptó los tesoros ofrecidos, y luego, aunque profesando obedecer estrictamente a la voluntad de Dios, trató de cumplir los deseos de Balac. El pecado de la avaricia que, según la declaración divina, es idolatría, le hacía buscar ventajas temporales, y por ese solo defecto, Satanás llegó a dominarlo por completo. Esto ocasionó su ruina" (*Patriarcas y profetas*, pp. 468, 469).

La codicia trae la ruina de las personas. Grandes hombres del pasado han caído por la codicia. Siervos de Dios que han sido honrados por el cielo con talentos y aptitudes para hacer mucho bien, se han incapacitado por causa de la codicia.

La Biblia también nos habla del lamentable caso de Acán, en tiempos de la conquista de Jericó. Esta ciudad había sido destinada a la destrucción total. Nada de ella debía tomarse. Esas eran las órdenes expresas y claras de Dios. Pero Acán, víctima de la codicia, violó este mandato y se apoderó de un lingote de oro y un manto babilónico que encontró en algún lugar durante la toma de la ciudad. Ceder a la codicia le ocasionó la ruina. Fue descubierto por el Señor después de haber perjudicado a sus hermanos y deshonrado el nombre de Dios. "Acán había escuchado las advertencias frecuentemente repetidas contra el pecado de la codicia. La ley de Dios, clara y positiva, había prohibido el robo y todo engaño, pero él continuó acariciando el pecado. Como no fue descubierto y reprendido abiertamente, se hizo más osado; las advertencias tuvieron cada vez menos efecto en él, hasta que su alma estuvo sujetada por cadenas de oscuridad" (*Conflicto y valor*, p. 119).

Judas

Porque donde esté tu tesoro, allí estará también tu corazón (Mateo 6:21).

TAL VEZ EL CASO MÁS NOTABLE DE CODICIA en la fe cristiana sea el ejemplo de Judas Iscariote, discípulo de Jesús, quien por causa de la codicia se convirtió en el traidor del Maestro. Al igual que los casos anteriores, también terminó en la ruina. Judas tenía un fuerte apego al dinero, y la razón por la que se unió a Jesús debió haber sido para lograr un puesto importante en el reino que, según creía, Jesús muy pronto iba a establecer. El Señor se dio cuenta de esta inclinación de Judas, y trató por varios medios de influir sobre él para que venciera la codicia: "¡Cuán tiernamente obró el Salvador con aquel que había de entregarle! En sus enseñanzas, Jesús se espaciaba en los principios de la benevolencia que herían la misma raíz de la avaricia. Presentó a Judas el odioso carácter de la codicia, y más de una vez el discípulo se dio cuenta de que su carácter había sido pintado y su pecado señalado; pero no quería confesar ni abandonar su iniquidad" (*El Deseado de todas las gentes*, p. 261).

"Cuando María ungió los pies del Salvador, Judas manifestó su disposición codiciosa. Bajo el reproche de Jesús, su espíritu se transformó en hiel. El orgullo herido y el deseo de venganza quebrantaron las barreras, y la codicia durante tanto tiempo alimentada le dominó. Así sucederá a todo aquel que persista en mantener trato con el pecado. Cuando no se resisten y vencen los elementos de la depravación, responden ellos a la tentación de Satanás y el alma es llevada cautiva a su voluntad" (*El Deseado de todas las gentes*, p. 667). Se puede decir que la soga con la que se colgó Judas fue la soga de la codicia. Es la misma que ocasiona la ruina de muchos de los que pretenden servir al Señor.

El carácter cristiano no puede estar completo cuando hay egoísmo y codicia. Ningún codicioso podrá entrar por las puertas de la ciudad de Dios, porque la codicia es idolatría. Pero la clase de idolatría más perversa es la del yo.

Desde el origen

No he codiciado ni la plata ni el oro ni la ropa de nadie (Hechos 20:33).

EL PRIMER CASO DE CODICIA EN ESTE MUNDO se remonta al origen de la raza humana. El libro de Génesis nos dice qué le sucedió a nuestra madre Eva: "La mujer vio que el fruto del árbol era bueno para comer, y que tenía buen aspecto y era deseable para adquirir sabiduría, así que tomó de su fruto y comió" (Gén. 3:6). Dios había dado instrucciones claras a nuestros primeros padres con respecto al fruto del árbol prohibido. Era una prueba de fidelidad que demostraría al universo que ellos estaban dispuestos a creer y confiar en Dios. Pero el enemigo tentó a Eva con la codicia. Le dijo que si ella y su esposo comían de ese árbol, llegarían a ser como Dios, que lo sabe todo. Era una tentación fuerte, ya que eran estudiantes que aprendían cada día sobre el universo y de la naturaleza. Dios y los ángeles eran los maestros que los instruían. La serpiente sugirió a Eva que tendría acceso a una fuente inagotable de conocimiento, como Dios la tiene. "Esa mentira estaba de tal modo escondida bajo una apariencia de verdad, que Eva, infatuada, halagada y hechizada, no descubrió el engaño. Codició lo que Dios había prohibido; desconfió de su sabiduría. Echó a un lado la fe, la llave del conocimiento" (*La educación*, p. 21). La ruina de la humanidad tuvo su origen en la codicia.

Así sucedió también, siglos después, cuando la iglesia cristiana estaba en su infancia, con Ananías y Safira. Aceptaron el evangelio y se unieron a la iglesia de Jerusalén. Prometieron dar los recursos que obtendrían de la venta de una propiedad para aliviar la necesidad urgente por la que pasaban muchos miembros de la iglesia. Pero su codicia los destruyó: "Primero albergaron la codicia, luego, avergonzados de que sus hermanos supiesen que su alma egoísta lloraba lo que habían dedicado y prometido solemnemente a Dios, practicaron el engaño. [...] Cuando se los convenció de su mentira, su castigo fue la muerte instantánea" (*Joyas de los testimonios*, t. 1, pp. 542, 543).

El cáncer del alma

En otro tiempo yo tenía vida aparte de la ley; pero cuando vino el mandamiento, cobró vida el pecado y yo morí (Romanos 7:9).

EN LA BIBLIA HAY VARIOS EJEMPLOS de personajes que sucumbieron ante el pecado de la codicia. Transgredieron el décimo mandamiento y cosecharon las consecuencias funestas de albergar un mal deseo y un pensamiento descontrolado.

El apóstol Pablo tenía un gran dilema en su experiencia personal. Notemos sus palabras: "¿Qué concluiremos? ¿Que la ley es pecado? ¡De ninguna manera! Sin embargo, si no fuera por la ley, no me habría dado cuenta de lo que es el pecado. Por ejemplo, nunca habría sabido yo lo que es codiciar si la ley no hubiera dicho: "No codicies" (Rom. 7:7). El apóstol tenía problemas con este mandamiento. Aparentemente, no con los otros mandamientos, pero con el que señalaba la codicia sí. Es que los otros mandamientos regían las acciones, pero este controlaba el pensamiento. Como buen fariseo, había creído que el pecado es una acción; que si controlaba sus acciones estaba en paz con Dios. Pero al conocer a Cristo y meditar en este mandamiento, descubrió que la verdadera obediencia no es una conformidad externa con la letra de la ley, sino que tiene que ver con la mente, el corazón y el espíritu. Por eso afirma que los principios de la ley gobiernan la vida entera de una persona, incluyendo sus acciones y sus deseos. Pablo se dio cuenta de que el décimo mandamiento era el que más lo condenaba y el que más hacía que se arrojara a la gracia y a la misericordia de Dios.

En esencia, el décimo mandamiento nos dice que no debemos codiciar, porque la codicia es la raíz de toda mala acción. Nos dice: "Acuérdate que las malas acciones proceden de malos pensamientos". Esta ley, de la que el décimo mandamiento es una pequeña parte, es la representación objetiva de los grandes principios que gobiernan el universo de Dios. Son, a su vez, un reflejo de su carácter, que debemos reflejar como seres que fuimos creados a la imagen de Dios.

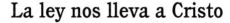

La ley nos lleva a Cristo

*Entonces, ¿qué? ¿Vamos a pecar porque no estamos
ya bajo la ley sino bajo la gracia? (Mateo 5:17).*

HEMOS ESTUDIADO LOS DIEZ MANDAMIENTOS en el contexto más amplio de la justificación por la fe. El apóstol Pablo nos dice que para recibir la justicia que Dios demanda para llevarnos al cielo a vivir con él, se requiere fe; es necesario creer. Todo el que crea recibirá la justicia de Dios.

Pero la creencia a la que Pablo se refiere no es un mero asentimiento intelectual; no es un ejercicio de la mente sin contenido objetivo. Es la fe que tiene como objeto a una persona. Es creer en un individuo, porque es el que nos salva realmente. Por eso debemos creer en Cristo como nuestro salvador personal. Si no vamos a él en busca de salvación, no podremos ser salvos. Nadie más nos puede salvar. Es absolutamente imperioso ir y aferrarnos a él por fe, es decir, con la seguridad y confianza que nos puede salvar.

Sin embargo, no podemos ir a Cristo siguiendo un impulso humano, porque los seres humanos no sentimos naturalmente deseos de ir a él. La razón es que no sentimos la necesidad. Alguien tiene que despertarnos a la realidad de nuestra condición humana. El Espíritu Santo nos llama y nos despierta de nuestro letargo espiritual. Lo hace señalando el pecado en nuestra vida. Nos dice que estamos transgrediendo la ley de Dios, y que somos pecadores. Nos dice que el pecado lleva a la muerte, y que a menos que recibamos el perdón, vamos a perecer.

Así, la ley nos conduce a Cristo. La ley fue dada con la finalidad de señalar el pecado y hacer que las personas, con la ayuda del Espíritu, reconozcan su pecado. Cuando lo hemos reconocido, entonces se nos señala al Cordero de Dios que quita el pecado del mundo. La finalidad de la ley es llevarnos a Cristo. La ley no nos salva. Obedecerla no nos hace ganar el cielo. Pero nos conduce a quien sí puede salvarnos.

Las funciones de la ley

Sabemos que todo lo que dice la ley, lo dice a quienes
están sujetos a ella (Romanos 3:19).

EL PROPÓSITO BÁSICO de la ley es llevarnos a Cristo. La ley señala nuestra necesidad y nos indica dónde debemos solucionar nuestra carencia. Por eso Pablo dice que el fin de la ley es Cristo. El término "fin" aquí quiere decir finalidad, no terminación. La función de la ley no termina mientras vivamos en este mundo. Somos pecadores y vivimos en un mundo de pecado. Necesitamos la ayuda de la ley para ver nuestros errores. Por eso, el apóstol dice: "Así que la ley vino a ser nuestro guía encargado de conducirnos a Cristo, para que fuéramos justificados por la fe" (Gál. 3:24).

Pero la ley, además de llevarnos a Cristo, es norma de conducta. Es decir, cuando señala lo que es pecado, también nos dice cuál es el ideal de Dios. Al indicarnos qué es lo que Dios quiere, por defecto, señala el pecado. Indica cuál es la voluntad de Dios; y si no la cumplimos, entonces estamos en desarmonía con él, lo cual es pecado. De esta manera, la ley nos lleva a Cristo, diciéndonos que estamos en desarmonía con la voluntad de Dios, que somos pecadores. Por ser pecadores, no tenemos justicia; y sin justicia, estamos bajo la ira de Dios.

Al mostrar el ideal de Dios y señalarnos el pecado, nos indica lo que debemos hacer. Pero la ley no va más allá. No tiene poder para ayudarnos a obedecer. Ese poder es dado por Dios, y viene de otra fuente. Así que la ley tiene dos funciones importantes: Indica el ideal de Dios para la familia humana, lo que la hace norma de conducta, y señala lo que no está en armonía con la voluntad divina, es decir, el pecado.

Meditemos en esto: "Mediante la ley los hombres son convencidos de pecado y deben sentirse como pecadores, expuestos a la ira de Dios, antes de que comprendan su necesidad de un Salvador. Satanás trabaja continuamente para disminuir en el concepto del hombre el atroz carácter del pecado" (*Mensajes selectos*, t. 1, p. 256).

La ley en general

Así que la ley vino a ser nuestro guía encargado de conducirnos a Cristo (Gálatas 3:24).

CUANDO COMÚNMENTE HABLAMOS DE LA LEY que nos guía a Cristo y crea conciencia del pecado, pensamos en los Diez Mandamientos. Es esta ley la que más claramente señala el pecado y conduce a Cristo. Pero cuando los hebreos hablaban de la ley, tenían un concepto más amplio. Consideraban que el término "ley" se refería a toda la instrucción que Dios había dado a su pueblo, y que se encontraba especialmente en los libros de Moisés. Fue en estos libros que Dios dio un sinnúmero de leyes al pueblo, que señalaban cuál era su voluntad en el momento de la historia que estaba viviendo. Este concepto más amplio de ley lo notamos en el Nuevo Testamento. Cuando Jesús dijo: "No piensen que he venido a anular la ley o los profetas; no he venido a anularlos sino a darles cumplimiento" (Mat. 5:17), se estaba refiriendo al Pentateuco escrito por Moisés. Asimismo, cuando dijo a sus discípulos: "Cuando todavía estaba yo con ustedes, les decía que tenía que cumplirse todo lo que está escrito acerca de mí en la ley de Moisés, en los profetas y en los salmos" (Luc. 24:44), se refería a la ley en los mismos términos.

El Cristo resucitado creía que la ley de Moisés, es decir, el Pentateuco, hablaba de él como el Mesías venidero. Se entiende que la ley dirigía la mirada de los lectores hacia Cristo. Sabemos que en los profetas hay muchos pasajes mesiánicos. Pasajes que nos hablan de la venida del Mesías, y su ministerio y triunfo. También sabemos de varios salmos que los judíos consideraban mesiánicos. Jesús citó muchos pasajes de los salmos para hablar de su persona y su misión. De hecho, murió en la cruz con un salmo en sus labios.

Lo que no resulta muy claro es el mesianismo de la ley, es decir, del Pentateuco. Si la ley, dijera Pablo, tiene como finalidad llevarnos a Cristo y es nuestro guía que nos conduce a él, debiéramos hallar, por lo menos, varios pasajes claros que lo indiquen.

El Mesías en la ley

El Señor tu Dios levantará de entre tus hermanos
un profeta como yo (Deuteronomio 18:15).

ECÍAMOS QUE JESÚS DIJO A SUS DISCÍPULOS que su venida, y especialmente su muerte, se revelaban en la ley de Moisés. La ley debe revelar, entonces, a Cristo. Los escritos de Moisés, de un modo o de otro, debieran haber conducido a las personas a Jesús. Es razonable pensar que los primeros cristianos creían que, como Pablo lo dijo, la ley guiaba a Cristo.

Sin embargo, no es tan fácil hallar pasajes en el Pentateuco que hablen con claridad del Mesías venidero, mucho menos de su muerte. Bueno, hay pasajes que los cristianos entendieron como referencias al Mesías en la ley de Moisés. Está, por ejemplo, la primera promesa de un salvador en Génesis 3:15. Es obvio que esta declaración era demasiado críptica y oscura para la gente. Está la declaración de Jacob cuando bendijo a Judá en su lecho de muerte: "El cetro no se apartará de Judá, ni de entre sus pies el bastón de mando, hasta que llegue el verdadero rey, quien merece la obediencia de los pueblos" (Gén. 49:10). Este pasaje establecía el derecho a la realeza de Judá. Luego la declaración de Balaam: "Una estrella saldrá de Jacob; un rey surgirá en Israel. Aplastará las sienes de Moab y el cráneo de todos los hijos de Set" (Núm. 24:17).

Muchos han pensado que este es un pasaje mesiánico. También está la declaración de Moisés cuando anunció el establecimiento del profetismo en Israel (Deut. 18:15). Este pasaje tal vez era considerado por algunos judíos como una referencia al verdadero profeta que Dios levantaría en el futuro (Juan 1:21, 25; 6:14; 7:40). También es posible que la referencia fuera al profeta Elías, que se creía aparecería antes de la venida del Mesías (Mal. 4:5, 6).

Estos son todos los pasajes de la ley que podrían tener una directa implicación mesiánica, y que Jesús podría haber citado cuando habló con los caminantes de Emaús. Obviamente, requerían cierto grado de interpretación, pero ninguno de ellos se relacionaba directamente con la muerte del Mesías.

La ley que lleva a Cristo

Si le creyeran a Moisés, me creerían a mí, porque de mí escribió él
(Juan 5:46).

CUANDO PABLO DIJO QUE LA LEY nos conduce a Cristo (Rom. 10:4), y que fue nuestro guía para llevarnos a él (Gál. 3:24), debemos entender que hablaba teológicamente. Es decir, que como la ley señala y define el pecado, nos condena a todos como pecadores, y consecuentemente corremos a refugiarnos en la gracia de Cristo.

Pero cuando Cristo se apareció a los caminantes de Emaús y a sus discípulos, les dijo que la ley y los profetas hablaban de su muerte y resurrección (Luc. 24:26, 27, 44, 45). Sabemos lo que dicen los profetas, especialmente Isaías 53, que describe al siervo sufriente de Jehová. Los escritos de Moisés, sin embargo, no presentan la muerte del Mesías con esa claridad. Por lo tanto, uno se pregunta: ¿A qué parte de la ley de Moisés se debe haber referido Jesús como preanuncio de su pasión y muerte?

La única posibilidad que nos queda, después de haber visto algunos pasajes que fueron entendidos en forma mesiánica en los escritos de Moisés, es que Jesús haya hecho alusión al sistema de sacrificios, cuyo inicio y desarrollo ulterior se relatan en los escritos del Pentateuco, es decir, la ley. Desde el primer sacrificio de animales relatado en el Génesis, que fue la primera víctima que Dios mismo debe haber sacrificado, cuando cambió las hojas con que nuestros primeros padres habían cubierto su desnudez por pieles de animales, hasta los sacrificios elaborados y el ritual del santuario del desierto y el templo, es evidente que Dios educaba a la gente en los principios del evangelio, hasta que viniera el Mesías en cumplimiento de ellos.

Me parece que, especialmente, las ceremonias del santuario hebreo deben haber provisto un material simbólico para entender la misión y muerte del Mesías por medio de la ley de Moisés. De hecho, para los hebreos, los servicios del santuario tenían la posibilidad de ser entendidos como una revelación sencilla del plan de salvación. Por lo tanto, era posible hallar a Cristo en los servicios del santuario.

La institución de los sacrificios

Caín presentó al Señor una ofrenda del fruto de la tierra. Abel también presentó al Señor lo mejor de su rebaño (Génesis 4:3, 4).

LA BIBLIA NO DICE CUÁNDO LOS SERES HUMANOS comenzaron a ofrecer sacrificios. Pero sabemos que Dios los instituyó como un medio para educarlos en el plan de salvación: "El sacrificio de animales fue ordenado por Dios para que fuese para el hombre un recuerdo perpetuo, un penitente reconocimiento de su pecado y una confesión de su fe en el Redentor prometido. Tenía por objeto manifestar a la raza caída la solemne verdad de que el pecado era lo que causaba la muerte" (*Patriarcas y profetas*, p. 54). Su propósito era "mantener delante del hombre caído lo que la serpiente había hecho que Eva no creyera, que la paga de la desobediencia es la muerte" (*Cristo en su santuario*, p. 25). Así que Dios quería enseñar tres cosas importantes mediante la institución de los sacrificios: El reconocimiento penitente del pecado, el convencimiento de que la paga del pecado es la muerte, y la confesión de fe en un redentor venidero.

Adán y Eva fueron instruidos en este ritual del sacrificio de animales, lo que fue para ellos una experiencia demoledora, pues no habían conocido la muerte: "Para Adán el ofrecimiento del primer sacrificio fue una ceremonia muy dolorosa. Tuvo que alzar la mano para quitar una vida que solo Dios podía dar. Por primera vez iba a presenciar la muerte, y sabía que si hubiese sido obediente a Dios no la habrían conocido el hombre ni las bestias. Mientras mataba a la inocente víctima temblaba al pensar que su pecado haría derramar la sangre del Cordero inmaculado de Dios" (*Patriarcas y profetas*, p. 54).

El primer sacrificio realizado por seres humanos dedicado a Dios lo hallamos en el capítulo cuatro de Génesis. Es el relato de las ofrendas presentadas por Caín y Abel. El texto no dice que ellos presentaron estas ofrendas a Dios porque él las haya requerido: "Estos hermanos […] conocían el medio provisto para salvar al hombre, y entendían el sistema de ofrendas que Dios había ordenado" (*ibíd.*, p. 58).

Noé construye un altar

Luego Noé construyó un altar al Señor, y sobre ese altar ofreció como holocausto animales puros y aves puras (Génesis 8:20).

EL SISTEMA DE SACRIFICIOS FUE INSTITUIDO tan pronto como nuestros primeros padres fueron expulsados del Edén. Tenía por objeto educarlos en el plan de la salvación, e incluía como elementos básicos el reconocimiento del pecado, la confesión y la fe en el salvador venidero. Los primeros hermanos que vivieron en este mundo, Caín y Abel, lo aprendieron de sus padres. Sabían que "mediante esas ofrendas podían expresar su fe en el Salvador a quien estas representaban, y al mismo tiempo reconocer su completa dependencia de él para obtener perdón; y sabían que sometiéndose así al plan divino para su redención, demostraban su obediencia a la voluntad de Dios. Sin derramamiento de sangre no podía haber perdón del pecado; y ellos habían de mostrar su fe en la sangre de Cristo como la expiación prometida ofreciendo en sacrificio las primicias del ganado" (*Patriarcas y profetas,* p. 58). Especialmente de Abel se dio este testimonio: "Por la fe Abel ofreció a Dios un sacrificio más aceptable que el de Caín, por lo cual recibió testimonio de ser justo, pues Dios aceptó su ofrenda" (Heb. 11:4).

La siguiente persona que se menciona que ofreció un sacrificio a Dios, fue el patriarca Noé. Se dice que lo hizo después del diluvio, cuando salieron del arca. Fue su primer acto de culto sobre la nueva faz de la tierra. Lo hizo como una expresión de gratitud por la liberación divina y una expresión de fe en Dios: "Noé no se olvidó de Dios, que los había protegido tan bondadosamente; en seguida erigió, en cambio, un altar y tomó de todos los animales limpios y las aves limpias, y los ofreció en holocausto sobre él para manifestar así su fe en Cristo, el gran Sacrificio, y su gratitud a Dios por su maravillosa protección" (*La historia de la redención,* p. 72). Noé construyó el primer altar que se menciona en las Escrituras, aunque eso no quiere decir que antes no hayan edificado altares.

Los sacrificios en la era patriarcal

El Señor miró con agrado a Abel y a su ofrenda, pero no miró así a Caín ni a su ofrenda (Génesis 4:4, 5).

L A PRÁCTICA DE OFRECER SACRIFICIOS a Dios, instituida después de la caída del hombre, aparentemente llegó a ser la norma para las generaciones subsiguientes. Adán la pasó a sus hijos, Caín y Abel. Pero Caín, al ofrecer sacrificios a Dios, se rebeló contra la instrucción de sus padres, y ofreció el sacrificio de una manera distinta de la ordenada por Dios. Esa fue la razón por la que la ofrenda de Caín no fue aceptada como lo fue el sacrificio de Abel: "Caín desobedeciendo el directo y expreso mandamiento del Señor, presentó solo una ofrenda de frutos" (*Conflicto y valor*, p. 24). Dios había ordenado un sacrificio cruento de animales, y Caín quiso traer su propia ofrenda de verduras. Como sabemos, esto despertó la ira de Caín contra Abel, al que terminó asesinando, inaugurando así una era de crimen y violencia en la tierra.

El sacrificio que Noé ofreció debe haber sido costumbre en la era patriarcal: edificar un altar sobre el cual ofrecer sacrificios de animales. Primeramente lo hacían en los lugares donde vivían, y luego en los sitios donde peregrinaban. Se los llamaba holocaustos, que significa "todo quemado", porque la victima era totalmente quemada sobre el altar. Eran ceremonias de adoración y consagración a Dios. El ejemplo de Abraham llegó a ser típico: "Allí el Señor se le apareció a Abram y le dijo: "Yo le daré esta tierra a tu descendencia". Entonces Abram erigió un altar al Señor, porque se le había aparecido. De allí se dirigió a la región montañosa que está al este de Betel, donde armó su campamento, teniendo a Betel al oeste y Hai al este. También en ese lugar erigió un altar al Señor e invocó su nombre" (Gén. 12:7, 8).

La adoración de un Dios espiritual

Entonces el criado de Abraham se arrodilló y adoró al Señor
(Génesis 24:26).

LOS PATRIARCAS ADORABAN a Dios mediante sacrificios ofrecidos en los altares que construían por donde pasaban. Estos altares eran de piedra, provisionales y transitorios. El altar de los holocaustos de la era patriarcal sirvió de base para el ceremonial del santuario cuando el pueblo de Israel fue al desierto. Allí, la adoración y el culto se centraban también en el altar de los holocaustos, llamado altar de bronce, aunque era de madera con un enrejado y una cobertura de bronce.

Los altares de piedra de la era patriarcal eran erigidos en distintos lugares. Esto le dio un elemento particular a la adoración: no estaba confinada a un determinado lugar. Los patriarcas deben haber enfatizado en la mente del pueblo que a Dios se lo puede adorar en todas partes. Esto era una gran ventaja. Pero a los fines educativos, el lugar de adoración y sacrificio tenía la limitación de la precariedad. El santuario que lo sucedió contenía más instrucción con respecto al perdón, la intercesión y la expiación.

Sin embargo, a causa de que el pueblo de Israel se había acostumbrado a la idolatría en Egipto, y se había familiarizado mucho con las representaciones materiales de Dios, llegó a ser incapaz de una adoración espiritual. Durante el tiempo que permanecieron en Egipto, especialmente en la última etapa de su estancia allí, cuando llegaron a ser esclavos, perdieron de vista el hecho de que Dios es Espíritu, y que se lo puede adorar en cualquier lugar. La adoración pagana era y es una religión de adoración objetiva, donde los adoradores tienen que visualizar al dios para poder adorarlo. Esto llevó al confinamiento de sus dioses. Tenían que estar en templos y nichos, y había que ir allí para adorarlos. Pero con el Dios de Israel no era así.

El único altar

"Después me harán un santuario, para que yo habite entre ustedes"
(Éxodo 25:8).

LOS ISRAELITAS se acostumbraron tanto a la idolatría reinante en Egipto, que perdieron la capacidad de adorar a un Dios espiritual, como lo habían hecho los patriarcas durante sus peregrinaciones. Ni siquiera pudieron ofrecer sacrificios a Dios durante sus años de cautiverio y esclavitud: "A causa de la supersticiosa veneración que los egipcios rendían a los animales, no se les permitió a los hebreos que ofrecieran sacrificios. Así sus pensamientos no fueron dirigidos al gran Sacrificio por medio de este culto, y su fe se debilitó" (*Patriarcas y profetas*, p. 345).

En las peregrinaciones iniciales del éxodo, frecuentemente los israelitas se preguntaban si Dios estaba con ellos. Sabían que los paganos tenían sus dioses en nichos y altares, y había templos para ir a adorarlos. Tenían estatuas y figuras que los representaban. Pero, ¿dónde estaba el Dios de Israel? ¿Cómo estar seguros de su presencia? Dios se compadeció de la incapacidad espiritual de ellos, y les dio el santuario como un símbolo de su presencia. Es posible que si hubiesen sido más maduros espiritualmente, los servicios del santuario no hubieran sido ordenados. Pero Dios les dio el santuario y su ritual para preservarlos de la idolatría reinante.

Ahora bien, mediante el tabernáculo y la nube que se posaba sobre él de día, y la columna de fuego durante la noche, los israelitas sabían que Dios estaba con ellos en el campamento. Para vencer la tendencia idolátrica de la mentalidad egipcia, que había saturado a los israelitas, Dios, en su misericordia, centralizó la adoración en el santuario. Ellos ya no podían adorar a Dios en cualquier parte. Debían presentarse delante del santuario. Ya no podían ofrecer sacrificios en cualquier altar, ni era permitido que erigieran otros altares. Debían acudir delante del altar del Señor, y allí ofrecer sus sacrificios ordenados. Cualquier otro tipo de altar o sacrificio era idolátrico, y, por lo tanto, prohibido bajo pena de muerte. El concepto de un Dios y una adoración espirituales obviamente se redujo.

Adoración espiritual

El que se une al Señor se hace uno con él en espíritu (1 Corintios 6:17).

L A INSTITUCIÓN DEL SISTEMA de sacrificios y los servicios del santuario nació como consecuencia de la incapacidad del pueblo para rendir a Dios una adoración espiritual. Dios se compadeció de sus hijos, y les dio el ritual del santuario para preservarlos de la idolatría reinante.

Dios quiere una adoración espiritual. ¿Qué significa esto? Es el culto que se rinde a Dios mediante las facultades del espíritu. Son posibles solo en los seres humanos, porque están vinculadas con las facultades superiores de la mente. Estas facultades dependen del raciocinio y la inteligencia, que solo tienen los seres humanos en este mundo. Los animales no pueden adorar a Dios, porque carecen de estas facultades superiores.

Cuando Dios creó al primer hombre y a la primera mujer, los creó como seres inteligentes, para que pudieran tener relación con él. Dice la Biblia: "'Hagamos al ser humano a nuestra imagen y semejanza'. [...] Y Dios creó al ser a su imagen; lo creó a imagen de Dios" (Gén. 1:26, 27). Esta imagen de Dios en el hombre tiene que ver en primer lugar con el hecho de que el ser humano fue creado como ser libre e inteligente, para tener una comunión estrecha e íntima con su Hacedor. Dios dotó a los seres humanos con la capacidad de relacionarse con él espiritualmente. Esto implica que podamos sentir la presencia de Dios, sin palparlo; ver a Dios con la mente, sin necesidad de usar el sentido de la vista; oír a Dios, sin que tengamos que usar nuestros oídos. Que podamos adorar a Dios con nuestra mente: Esto es lo que significa una adoración espiritual. Cuando el ser humano desarrolla estas facultades, no necesitamos un lugar físico ni permanente para adorar a Dios. Puede estar en todas partes, donde estemos nosotros; allí podemos adorarlo. En esto consiste la adoración espiritual.

¿Dónde vive Dios?

El cielo es mi trono, y la tierra, el estrado de mis pies. ¿Qué casa me pueden construir? ¿Qué morada me pueden ofrecer? (Isaías 66:1).

EL SER HUMANO FUE CREADO con una dimensión espiritual semejante a su Creador, razón por la cual podemos adorarlo con las más altas facultades del espíritu. Pero debemos desarrollar toda facultad dada por Dios; de otra manera, se va deteriorando y eventualmente se pierde. Por eso, nuestro Señor, hablando de los talentos, dijo: "A todo el que tiene, se le dará más, y tendrá en abundancia. Al que no tiene se le quitará hasta lo que tiene" (Mat. 25:29; Luc. 19:26). En Egipto, los israelitas fueron perdiendo su facultad espiritual de entender a Dios por medio de las facultades del espíritu. Se incapacitaron tanto, que Dios condescendió con ellos y les dio el santuario, como una demostración objetiva de su presencia. Por eso, el santuario se llama "tabernáculo", es decir, morada de Dios.

Desde el punto de vista puramente humano, el santuario era la casa de Dios. Aun hoy, los templos actuales reciben ese nombre. El tabernáculo era una especie de casa. Tenía dos recintos. El primero, era lo que llamaríamos la estancia, donde estaba la iluminación (el candelero), un lugar para perfumar el ambiente (el altar de incienso) y el comedor (la mesa de los panes). Después estaba la alcoba (lugar santísimo), donde estaba la morada real de Dios en la *shekina*. Al ver el tabernáculo, el israelita común podía decir: "Dios está con nosotros".

Todo esto era la condescendencia de Dios ante una mentalidad que no había crecido espiritualmente. Algunas personas reflexivas y más espirituales, deben haberse dado cuenta de que esto era el esfuerzo divino para comunicar seguridad y confianza a su pueblo. Salomón lo expresó así cuando dedicó el templo, años después: "Pero ¿será posible, Dios mío, que tú habites en la tierra? Si los cielos, por altos que sean, no pueden contenerte, ¡mucho menos este templo que he construido!" (1 Reyes 8:27).

Sacrificio vivo

Por lo tanto, hermanos, tomando en cuenta la misericordia de Dios,
les ruego que cada uno de ustedes, en adoración espiritual, ofrezca
su cuerpo como sacrificio vivo, santo y agradable a Dios (Romanos 12:1).

DIOS QUIERE HABITAR EN NUESTRA MENTE, o como lo decimos comúnmente, en nuestro corazón. El ideal de Dios para la familia humana es que desarrollemos nuestra vida espiritual de tal manera, que sintamos su presencia entre nosotros. Debemos habituarnos a pensar que Dios está dondequiera que vayamos, y en ese lugar podemos elevar nuestra mente para adorarlo. Esto, de ninguna manera elimina las reuniones de la iglesia. Pero es inmadurez espiritual pensar que un templo es el único lugar donde Dios puede ser adorado.

En conversación con la mujer samaritana, el Señor reveló qué clase de adoración espera de sus hijos en este mundo. Surgió el tema de la adoración, que era tema sensible y controvertido entre samaritanos y judíos. Estos pensaban, en armonía con la ley de Moisés, que el lugar de adoración era el templo de Jerusalén; mientras que los samaritanos creían que el lugar indicado era el monte Gerizim, donde habían adorado sus padres antiguamente. De hecho, edificaron allí un templo rival en algún momento de su historia. Al respecto, la samaritana dijo: "Nuestros antepasados adoraron en este monte, pero ustedes los judíos dicen que el lugar donde debemos adorar está en Jerusalén". Jesús contestó algo muy importante: "Se acerca la hora, y ha llegado ya, en que los verdaderos adoradores rendirán culto al Padre en espíritu y en verdad, porque así quiere el Padre que sean los que le adoren. Dios es espíritu, y quienes lo adoran deben hacerlo en espíritu y en verdad" (Juan 4:20, 23, 24).

Comunicación directa

*No vi ningún templo en la ciudad, porque el Señor Dios Todopoderoso
y el Cordero son su templo (Apocalipsis 21:22).*

L A ADORACIÓN ESPIRITUAL EN LA QUE DIOS está interesado
es importante, porque no pone límites al poder y la presencia de
Dios, no rebaja su dignidad y grandeza, y hace que la adoración sea
un principio universal. A través de la mente podemos comunicarnos con
Dios, y él puede comunicarse con nosotros en todo tiempo y lugar.

No debemos pensar que Dios solo quiere revelarse al ser humano por
medio de la vía espiritual. El esquema de comunicación divina del Edén
será válido por los siglos de la eternidad. En el Edén, Dios se comunicaba
con nuestros primeros padres cara a cara. A causa del pecado, usó intermediarios y una comunicación espiritual. Satanás, en cambio, engañó a
los seres humanos con la sugerencia de que hicieran imágenes y objetos,
para que compensaran de ese modo la pérdida de la comunicación personal.
Esto, como vimos al estudiar el segundo mandamiento, degrada la adoración de Dios, porque degrada su grandeza.

En el libro de Apocalipsis vemos que el ideal de Dios es restaurar la
comunicación libre y directa con el Creador, como existía en el Edén. Se
nos dice: "Ya no habrá maldición. El trono de Dios y del Cordero estará
en la ciudad. Sus siervos lo adorarán; lo verán cara a cara, y llevarán su
nombre en la frente" (Apoc. 22:3, 4). Cuando ya no exista el pecado ni los
pecadores, la adoración de Dios será como la planeó desde el principio. Una
adoración que involucrará a todo el ser, y que por lo tanto será perfecta.
Veremos a Dios cara a cara. Ya no habrá más intermediarios. Por eso, el
profeta de Patmos no vio templo en la tierra nueva. Ya no habrá cortinas ni
puertas que sean un obstáculo para gozar la presencia de Dios. El sistema
antiguo de comunicación indirecta será obsoleto.

Sacrificios desvirtuados

Harto estoy de holocaustos de carneros y de la grasa de animales engordados; la sangre de toros, corderos y cabras no me complace. ¿Por qué vienen a presentarse ante mí? (Isaías 1:11, 12).

DIOS LE DIO A SU PUEBLO el ceremonial del santuario para instruirlos en los elementos esenciales del plan de la salvación. Esto a causa de la degradación espiritual padecida por los años en Egipto. El tabernáculo en sí era un símbolo de su presencia, y su ritual era signo de la obra que Cristo realizaría por ellos en el futuro. Pero todo era transitorio y provisional, porque eran símbolos e ilustraciones; nada era permanente en sí. Estos símbolos caducarían cuando viniera la realidad que señalaban.

Pero Satanás es maestro del engaño y la falsificación. Así como había pervertido la institución del sacrificio sencillo de la era patriarcal, cuando llevó a los hombres a sacrificar toda clase de animales y hasta seres humanos, corrompió también el ritual del santuario hebreo. Llevó a los judíos a la creencia de que el santuario y su ritual eran un fin en sí mismos, y no algo transitorio y provisional, válido solo hasta que viniera la nueva revelación prefigurada en ellos.

Para el tiempo del templo de Salomón, "sus servicios estaban corrompidos con las tradiciones y prácticas del paganismo; y al cumplir los ritos de sacrificios no miraban más allá de la sombra de la realidad. No discernían a Cristo, la verdadera ofrenda por los pecados del hombre. El Señor decidió llevar a su pueblo a la cautividad y suspender los servicios del templo, a fin de que las ceremonias externas no llegaran a ser el todo de su religión. Los principios y las prácticas debían ser purificados de paganismo, el servicio ritual debía cesar a fin de que el corazón pudiera ser revitalizado. Fue quitada la gloria exterior para que pudiera revelarse la espiritual" (*Alza tus ojos*, p. 159).

Sacrificios corrompidos

"¡Saquen esto de aquí! ¿Cómo se atreven a convertir la casa de mi Padre en un mercado?" (Juan 2:16).

LA CENTRALIZACIÓN DEL CULTO A DIOS en el santuario, y posteriormente en el templo, tenía la finalidad de evitar que los israelitas cayeran en la idolatría rampante que había en Canaán en tiempos de la conquista. La religión cananea estaba basada en los sentidos, y esto tendía a corromper a las personas, promoviendo la prostitución, el vicio y la licencia. Estaba saturada de brujería y espiritismo, que la hacía sumamente atractiva para la mentalidad de aquellos días. Pero llegó a ser una trampa para los israelitas.

La única manera de permanecer alejados de esa religión era adorando en un lugar concreto. Además había que destruir los lugares de culto pagano. Los israelitas al principio fueron reacios a destruir dichos lugares de adoración. Finalmente también se abandonó la centralidad del culto. En tiempos de Jeroboam se erigieron centros de adoración rivales en el reino del norte. Esto corrompió la religión en Israel, y afectó al reino de Judá. Dios tuvo que poner fin a ese sistema corrupto de culto que no había instituido.

En la época de Cristo la religión judía tocó fondo nuevamente. Se llegó a pensar que los sacrificios eran un fin en sí mismos, y que por medio de ellos se obtenía mérito delante de Dios. La religión judía se convirtió en culto a las obras, una religión legalista y paganizada. No se discernían los elementos espirituales relacionados con el ceremonial. "Habían sido impuestas numerosas ceremonias al pueblo, sin la debida instrucción acerca de su significado. Los adoradores ofrecían sus sacrificios sin comprender que prefiguraban al único sacrificio perfecto. [...] El culto espiritual estaba desapareciendo rápidamente. Ningún vínculo unía a los sacerdotes y gobernantes con su Dios. La obra de Cristo consistía en establecer un culto completamente diferente" (*El Deseado de todas las gentes*, p. 130). Todo el sistema debía se desechado, pues no había poder espiritual en esa religión.

El modelo a seguir

Procura que todo esto sea una réplica exacta de lo que se te mostró en el monte (Éxodo 25:40).

POR MEDIO DE LOS HOLOCAUSTOS de la era patriarcal y del sistema ritual del santuario, Dios se proponía educar a su pueblo en el plan de salvación. Los servicios del santuario eran más instructivos que los sencillos holocaustos de los patriarcas.

Dios fue el creador de todo el sistema ceremonial. No solo ordenó que se edificara un tabernáculo como símbolo de su presencia, sino que el ritual elaborado era un medio educativo para transmitir las verdades esenciales del plan que Dios había ideado para redimir al ser humano. Expresamente dijo a Moisés: "Después me harán un santuario, para que yo habite entre ustedes. El santuario y todo su mobiliario deberán ser una réplica exacta del modelo que yo te mostraré" (Éxo. 25:8, 9). Como Dios tenía el propósito de que los servicios del santuario fuesen un medio didáctico para transmitir las ideas relacionadas con la salvación del género humano, era necesario seguir el plan cuidadosamente. Por eso, Dios mostró a Moisés los planos exactos para construir el santuario, y le dio instrucción cuidadosa de cómo se realizarían las ceremonias y el ritual.

Se nos dice: "Sin embargo, las verdades importantes acerca del santuario celestial y de la gran obra que allí se efectúa en favor de la redención del hombre debían enseñarse mediante el santuario terrenal y sus servicios" (*Cristo en su santuario,* p. 43). "El santuario terrenal y sus servicios revelaban importantes verdades relativas al santuario celestial y a la gran obra que allí se llevaba a cabo para la redención del hombre" (*ibíd.,* p.102). La mente perceptiva del autor de la Epístola a los Hebreos creía que las ceremonias del santuario mosaico eran "copias de las realidades celestiales" (Heb. 9:23). Los servicios del santuario, entonces, tenían la intención expresa de enseñar esas verdades.

Comunión imposible

Sean ustedes santos, porque yo, el Señor, soy santo, y los he distinguido entre las demás naciones, para que sean míos (Levítico 20:26).

A PESAR DE LAS DECLARACIONES POSTERIORES, podemos legítimamente preguntarnos: ¿cuál realmente era el significado del santuario y sus servicios? Es interesante ver que en ninguna parte del Antiguo Testamento se da una explicación del significado de las ceremonias y los ritos del santuario. En ningún lugar se dice cómo entendían los participantes las diferentes ceremonias. Pareciera que, para muchos israelitas, los diversos ritos que se realizaban no significaban mucho más que cumplir con un requerimiento de la religión, como todavía piensa mucha gente hoy,. Todo dependía de las instrucciones orales que se dieran, pero no se registraron para la posteridad.

Sin embargo, el significado del ceremonial hebreo se puede deducir por cómo se introduce la construcción del santuario en el libro de Éxodo. Este libro registra, en secuencia, tres eventos importantes: El primero nos habla del éxodo mismo (capítulos 1 al 15). El segundo presenta el cuidado de Dios por su pueblo en el desierto (16 al 24). El tercero relata la construcción del santuario (25 al 40). Como ya vimos, la razón de la edificación del santuario tenía el propósito de servir como un símbolo de la presencia divina: "Después me harán un santuario, para que yo habite entre ustedes" (Éxo. 25:8): "Habitaré entre los israelitas, y seré su Dios. Así sabrán que yo soy el Señor su Dios, que los sacó de Egipto para habitar entre ellos. Yo soy el Señor su Dios" (Éxo. 29:45, 46). Si algo podemos deducir de esta secuencia informativa, es que Dios tenía la intención de liberar a su pueblo para tener comunión con él.

Pero, ¿cómo podía Dios tener comunión con su pueblo, cuando él es santo y su pueblo era pecador e idólatra? Obviamente, esa comunión que Dios deseaba tener con los que habían sido redimidos de la esclavitud, sería obstaculizada por la presencia del pecado en la vida humana.

Arreglo temporal

Esto nos ilustra hoy día que las ofrendas y los sacrificios que allí se ofrecen no tienen poder alguno para perfeccionar la conciencia de los que celebran ese culto (Hebreos 9:9).

ES PERTINENTE PREGUNTARSE cómo Dios podía tener comunión con su pueblo, algo que deseaba pero el pecado impedía. Si Dios los sacó de la esclavitud egipcia con el propósito de morar con ellos, entonces debía tener un plan para solucionar el problema del pecado, por lo menos temporalmente. De allí que el ritual y los servicios del santuario debían tener la finalidad de mantener la relación de Dios con su pueblo, mediante la expiación, la mediación y la intercesión. El ritual del santuario enseñaba cómo liberarse del pecado y de la culpa. De esta manera, se enseñaba al pueblo cómo alcanzar el perdón de los pecados y tener una conciencia tranquila. "Todo el santuario, incluyendo sus enseres, su sacerdocio y su ritual, tenía que ver con el pecado. Los servicios giraban en torno de la desobediencia del hombre y de la necesidad de salvación" (*Comentario bíblico adventista*, t. 1, p. 741).

En esencia, el tabernáculo implicaba la presencia de Dios en medio del campamento hebreo; era la cura para el problema del pecado. Los servicios y el ritual brindados por el santuario respondían a esta necesidad. Era un arreglo temporal para adecuarse a las circunstancias de la época. No pretendía ser algo que tuviera valor permanente. No tenía el propósito de ser un fin en sí mismo, ni tenía visos de perpetuidad. Los judíos no entendieron, o no quisieron entender, que estos sacrificios que se ofrecían en el santuario eran un símbolo del sacrificio de Cristo. No alcanzaron a percibir que los sacrificios de animales no pueden realmente quitar el pecado, y que debían entenderse simbólicamente, como anuncios del futuro acto sacrificial del Mesías.

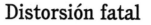

Distorsión fatal

Todos andábamos perdidos, como ovejas; cada uno seguía su propio camino, pero el Señor hizo recaer sobre él la iniquidad de todos nosotros (Isaías 53:6).

LOS JUDÍOS SE AFERRARON a su ritual y a sus sacrificios, y convirtieron su religión espiritual en un culto a la justicia propia y al mérito. Los mensajes que Dios envió posteriormente por diversos profetas tenían la finalidad de hacerles entender debidamente el ceremonial instituido por Dios. Cuando su religión se degeneró, Dios les dijo: "¿De qué me sirve este incienso que llega de Sabá, o la caña dulce de un país lejano? Sus holocaustos no me gustan; sus sacrificios no me agradan" (Jer. 6:20). El profeta Isaías les recordó: "'¿De qué me sirven sus muchos sacrificios? —dice el Señor—. Harto estoy de holocaustos de carneros y de la grasa de animales engordados; la sangre de toros, corderos y cabras no me complace. ¿Por qué vienen a presentarse ante mí? ¿Quién les mandó traer animales para que pisotearan mis atrios? No me sigan trayendo vanas ofrendas; el incienso es para mí una abominación. Luna nueva, día de reposo, asambleas convocadas, ¡no soporto que con su adoración me ofendan! Yo aborrezco sus lunas nuevas y festividades; se me han vuelto una carga que estoy cansado de soportar'" (Isa. 1:11-14).

Poco después, el profeta Isaías se centró en la verdadera finalidad de los sacrificios, cuando dijo que el Siervo del Señor, el Mesías venidero, sería llevado al sacrificio por los pecados de su pueblo: "Ciertamente él cargó con nuestras enfermedades y soportó nuestros dolores, pero nosotros lo consideramos herido, golpeado por Dios, y humillado. Él fue traspasado por nuestras rebeliones, y molido por nuestras iniquidades; sobre él recayó el castigo, precio de nuestra paz, y gracias a sus heridas fuimos sanados" (Isa. 53:4, 5). Tan distorsionado tenían el significado de sus sacrificios, que prefirieron entender estas palabras de Isaías como refiriéndose a ellos mismos, en lugar de al Mesías. Así que sus maestros les dijeron que el siervo del Señor era Israel, quien sufriría quebranto por su fidelidad a Dios.

El Cordero de Dios

En ese momento la cortina del santuario del templo se rasgó en dos, de arriba abajo (Mateo 27:51).

SIN EMBARGO, JUAN EL BAUTISTA, inspirado por Dios, entendió la verdadera función del Mesías, cuando dijo: "¡Aquí tienen al Cordero de Dios, que quita el pecado del mundo!" (Juan 1:29). Esta expresión que une los términos "Cordero de Dios" con "quitar el pecado", es obviamente una alusión al ritual del santuario. Para él, por lo menos en esta declaración el Mesías haría el papel de redentor del pecado, al estilo de los corderos sacrificados para lograr la expiación en el ritual levítico.

Los primeros cristianos vieron esta conexión del ritual del santuario con la misión de Jesús, no solo en el hecho de que Jesús cumplió con su muerte los símbolos del santuario, sino que con su muerte también los hizo obsoletos. Esteban, el primer mártir cristiano, fue condenado como hereje por haber hablado contra la ley de Moisés y contra el templo, de acuerdo a los cargos que se presentaron contra él (Hech. 6:13). Una de las primeras cosas que los cristianos abandonaron del judaísmo fueron los sacrificios por los pecados. Puesto que Jesús había muerto por el pecado del mundo, era obvio que no sintieron la necesidad de continuar ofreciendo sacrificios. Teológicamente, no era correcto, porque sería una negación de lo que Cristo había logrado por su muerte. Esteban explicó esto en las sinagogas de Jerusalén, donde lo invitaron a predicar, y atrajo el odio de los dirigentes judíos, que pensaron que era una violación de la ley y el templo.

Los judíos rechazaron a Jesús como el Mesías, y con eso se incapacitaron para entender cuál era la voluntad de Dios con respecto al sistema ritual del santuario. En la hora que Cristo murió, Dios les señaló simbólicamente cuál era el futuro de aquel santuario: La cortina del templo que separaba el lugar santo del lugar santísimo se rasgó de arriba abajo.

El Siervo del Señor

Porque ni aun el Hijo del hombre vino para que le sirvan, sino para servir y para dar su vida en rescate por muchos (Marcos 10:45).

JESÚS ENTENDIÓ SU MISIÓN en los términos del capítulo 53 de Isaías. Para él, quien iba a sufrir por los pecados del mundo no era Israel como nación, sino el Mesías. De acuerdo a los Evangelios sinópticos, tres veces explicó claramente a sus discípulos que su destino era morir en Jerusalén a manos de su propio pueblo. "Desde entonces comenzó Jesús a advertir a sus discípulos que tenía que ir a Jerusalén y sufrir muchas cosas a manos de los ancianos, de los jefes de los sacerdotes y de los maestros de la ley, y que era necesario que lo mataran y que al tercer día resucitara" (Mat. 16:21). Más adelante: "Mientras subía Jesús rumbo a Jerusalén, tomó aparte a los doce discípulos y les dijo: 'Ahora vamos rumbo a Jerusalén, y el Hijo del hombre será entregado a los jefes de los sacerdotes y a los maestros de la ley. Ellos lo condenarán a muerte y lo entregarán a los gentiles para que se burlen de él, lo azoten y lo crucifiquen. Pero al tercer día resucitará'" (Mat. 20:17-19). Durante la cena pascual, se refirió claramente a su muerte como un sacrificio: "Después tomó la copa, dio gracias, y se la ofreció diciéndoles: 'Beban de ella todos ustedes. Esto es mi sangre del pacto, que es derramada por muchos para el perdón de pecados'" (Mat. 26:27, 28).

Por eso, los primeros cristianos entendían el texto de Isaías sobre el "Siervo del Señor" como un pasaje mesiánico, que hablaba de la muerte vicaria de Jesús. Felipe, el evangelista, explicó este capítulo al eunuco etíope que iba leyendo precisamente Isaías: "'Dígame usted, por favor, ¿de quién habla aquí el profeta, de sí mismo o de algún otro?', le preguntó el eunuco a Felipe. Entonces Felipe, comenzando con ese mismo pasaje de la Escritura, le anunció las buenas nuevas acerca de Jesús" (Hech. 8:34, 35). Era claro para Felipe que la muerte de Jesús cumplió la profecía de Isaías.

Hacia una comunión perfecta

Y el Verbo se hizo hombre y habitó entre nosotros.
Y hemos contemplado su gloria, la gloria que corresponde al Hijo
unigénito del Padre, lleno de gracia y de verdad (Juan 1:14).

DIOS EXPRESÓ su deseo de morar con su pueblo cuando mandó a construir un santuario. El ritual tenía la finalidad de mostrar un camino de solución para el problema del pecado. El sistema de sacrificios ordenado por Dios, entonces, era de naturaleza transitoria y provisional, hasta que el pueblo madurara en su comprensión del carácter del Creador.

Como era algo transitorio, el ritual tenía las deficiencias propias de las circunstancias en las que fue dado. ¿Cuáles eran esas deficiencias? En primer lugar, no había comunión directa con Dios. El adorador no podía entrar a la presencia de Dios sin castigo de muerte. Segundo, era necesario acercarse al santuario con un sacrificio. Tercero, los sacerdotes eran los mediadores e intermediarios. Había cortinas y cercas que impedían el paso del adorador al santuario. El sumo sacerdote solo podía entrar al lugar santísimo una vez al año, y no sin antes ofrecer un sacrificio por sus pecados y los de su familia. Así que el santuario y su ritual eran un esfuerzo de parte de Dios para mantener una comunión con su pueblo. Pero el sistema no era perfecto. No representaba el ideal de Dios.

El ideal de Dios era restaurar la comunión del Edén, donde la humanidad se relacionaba cara a cara con el Creador. Para lograrlo, Dios tenía que poner fin al problema del pecado en la vida humana. El santuario fue un camino de solución, pero temporario y parcial. Dios tenía un plan para dar una solución definitiva al drama del pecado.

Con el paso del tiempo, Dios fue preparando una nueva revelación de su voluntad. El apóstol nos dice: "Pero cuando se cumplió el plazo, Dios envió a su Hijo, nacido de una mujer, nacido bajo la ley, para rescatar a los que estaban bajo la ley, a fin de que fuéramos adoptados como hijos" (Gál. 4:4, 5).

Unidos en Cristo

A Dios nadie lo ha visto nunca; el Hijo unigénito, que es Dios y que vive en unión íntima con el Padre, nos lo ha dado a conocer (Juan 1:18).

DIOS TENÍA LA INTENCIÓN DE RESTABLECER la comunión directa que tuvo con el hombre en el Edén. Como parte de ese plan, envió a su Hijo al mundo con dos propósitos básicos: Solucionar el problema del pecado de manera definitiva, y unir a la humanidad consigo mediante lazos inseparables. La palabra que en nuestro texto se traduce como "habitó", en esta traducción significa literalmente plantar una tienda, edificar una morada. Dios había erigido un tabernáculo para morar con su pueblo en el desierto, ahora envía a su Hijo para morar entre los hombres. Es como si él hubiese levantado su tienda entre nosotros. Al hacerlo, hizo algo más que solo morar entre los seres humanos temporalmente. Como fue una encarnación, se unió con la raza humana mediante lazos que no se pueden romper. "Pero por la encarnación del Hijo de Dios, se cumple el propósito del cielo. Dios mora en la humanidad, y mediante la gracia salvadora, el corazón del hombre vuelve a ser su templo" (*El Deseado de todas las gentes*, p. 132).

Esta comunión de Dios con su pueblo se logra de dos maneras. Primeramente, puesto que su Hijo se hace ser humano, la humanidad y la Deidad quedan unidas. De esta manera, Dios habita con su pueblo por medio de un lazo perfecto, sin cortapisas ni impedimentos. En segundo lugar, Cristo vino a morir por el pecado, e hizo posible que Dios pueda perdonar al ser humano. Al hacerlo, queda eliminado lo que impedía la comunión, y Dios puede nuevamente habitar entre los hombres. "Cristo logró aun más que restaurar lo que el pecado había arruinado. Era el propósito de Satanás conseguir una eterna separación entre Dios y el hombre; pero en Cristo llegamos a estar más íntimamente unidos a Dios que si nunca hubiésemos pecado. Al tomar nuestra naturaleza, el Salvador se vinculó con la humanidad por un vínculo que nunca se ha de romper" (*El Deseado de todas las gentes*, p. 17).

La morada del Espíritu

¿No saben que ustedes son templo de Dios y que el Espíritu de Dios habita en ustedes? Si alguno destruye el templo de Dios, él mismo será destruido por Dios; porque el templo de Dios es sagrado, y ustedes son ese templo (1 Corintios 3:16, 17).

ON LA VENIDA DE CRISTO A ESTE MUNDO, se empieza a concretar el plan de Dios para la familia humana. Jesús inauguró un nuevo modo de unirnos a Dios, antes de que se concrete la unión final. Cristo anunció a la mujer samaritana que vendría un tiempo en que se adoraría a Dios en espíritu: "Pero se acerca la hora, y ha llegado ya, en que los verdaderos adoradores rendirán culto al Padre en espíritu y en verdad, porque así quiere el Padre que sean los que le adoren. Dios es espíritu, y quienes lo adoran deben hacerlo en espíritu y en verdad" (Juan 4:23, 24).

Tener comunión con Dios en espíritu no es solo adorarlo con las facultades de la mente. La mente humana sola no puede entrar en comunión con Dios como él lo desea. La adoración espiritual debe ser motivada por el Espíritu Santo. El ser humano debe ser guiado por la tercera persona de la Deidad en esta empresa. La presencia del Espíritu divino en la vida humana fue una de las bendiciones que trajo la venida de Cristo a esta tierra. Es a través de su Espíritu como Dios mora con su pueblo en su peregrinaje terrenal: "¿Acaso no saben que su cuerpo es templo del Espíritu Santo, quien está en ustedes y al que han recibido de parte de Dios?" (1 Cor. 6:19); "Porque nosotros somos templo del Dios viviente. Como él ha dicho: 'Viviré con ellos y caminaré entre ellos. Yo seré su Dios, y ellos serán mi pueblo'" (2 Cor. 6:16).

Ya vimos que la comunión perfecta con Dios se alcanzará en la tierra nueva. Aquí en la tierra y en la vida actual podemos tener comunión con Dios solo por el Espíritu que nos ha dado. Esta bendición es parte de las bendiciones que se gozan por estar en Cristo.

Adorar en el Espíritu

*Pues los que rinden culto, purificados de una vez por todas,
ya no se habrían sentido culpables de pecado. Pero esos sacrificios son
un recordatorio anual de los pecados, ya que es imposible que la sangre
de los toros y de los machos cabríos quite los pecados (Hebreos 10:2-4).*

EL SANTUARIO DEL DESIERTO Y LOS TEMPLOS sucesivos de Israel fueron el intento de Dios de solucionar el problema del pecado, que impedía la comunión con Dios. Los sacrificios de animales recordaban al pueblo que Dios tiene una solución para el problema del pecado. Pero el sistema ritual era imperfecto, a causa de la imperfección humana. La sangre de animales no podía limpiar la conciencia. El acceso a Dios tenía limitaciones de espacio. Pero en general, anticipaba el día cuando Dios enviaría al Mesías como la verdadera ofrenda por el pecado, y quien inauguraría un acceso diferente al Creador.

Con el advenimiento de Cristo se avanzó a una religión más espiritual, sin límites geográficos ni nacionales. Una religión trascendente y universal. Esto es posible por la comprensión de Cristo como nuestra ofrenda y sacrificio por el pecado, y como intercesor y sumo sacerdote en el santuario celestial. Por medio de él podemos acercarnos a Dios espiritualmente y sin impedimentos: "Tenemos el privilegio de contemplar a Jesús por la fe y verlo de pie entre la humanidad y el trono eterno. Él es nuestro Abogado que presenta nuestras oraciones y ofrendas como un sacrificio espiritual a Dios. Jesús es la gran propiciación sin pecado y, mediante sus méritos, Dios y el hombre pueden platicar juntos" (*A fin de conocerle*, pp. 27, 28).

El sacrificio Cristo preparó el camino para aquel día cuando el plan de Dios para la familia humana se concrete definitivamente; cuando podremos tener comunión directa con el Creador. Este es el ideal de Dios para sus hijos. Por eso, el Apocalipsis dice que en la tierra nueva no habrá templo (21:22). No habrá cortinas ni puertas ni intermediarios. La comunión del Edén será restaurada para siempre. Lo veremos cara a cara.

Consagración diaria

No se amolden al mundo actual, sino sean transformados mediante la renovación de su mente. Así podrán comprobar cuál es la voluntad de Dios (Romanos 12:2).

PARA LLEGAR AL IDEAL QUE DIOS tiene para sus hijos, él tuvo que educar a su pueblo, partiendo casi de la nada. Comenzó en el desierto, dándoles el santuario y su ritual con lecciones objetivas del evangelio. Esas lecciones son útiles aún hoy para nosotros, ya que podemos entenderlas con más claridad pues estamos de este lado de la cruz.

En el santuario había dos tipos de ceremonias rituales: El servicio diario y el servicio anual. El servicio diario constaba del holocausto matutino y vespertino, las ofrendas por los pecados individuales, y el ofrecimiento de incienso. Los holocaustos de mañana y tarde, y el ofrecimiento de incienso eran ministerios colectivos, pues se ofrecían para toda la nación. Las ofrendas por el pecado eran un ministerio individual. Los ofrecían quienes de alguna manera consideraban que habían violado las leyes de Dios o los reglamentos ceremoniales. Los holocaustos y las ofrendas por el pecado se realizaban en el atrio, en el altar de los holocaustos.

El ofrecimiento de incienso se realizaba en el lugar santo, en el altar de incienso que se hallaba frente al velo que separaba al lugar santo del Santísimo.

Cada mañana y cada tarde se ofrecía en holocausto sobre el altar un cordero de un año sin defecto. La instrucción era: "Todos los días ofrecerás sobre el altar dos corderos de un año. Al despuntar el día, ofrecerás uno de ellos, y al caer la tarde, el otro" (Éxo. 29:38, 39). Esta ceremonia simbolizaba la consagración diaria a Dios de toda la nación, y su constante dependencia del Señor. "Las horas designadas para el sacrificio matutino y vespertino se consideraban sagradas, y llegaron a observarse como momentos dedicados al culto por toda la nación judía. En esta costumbre, los cristianos tienen un ejemplo para su oración matutina y vespertina" (*Patriarcas y profetas*, p. 367).

El culto diario

Yo, Señor, te invoco cada día, y hacia ti extiendo las manos (Salmo 88:9).

LA CONSAGRACIÓN DIARIA A DIOS era vital para la nación judía; y lo es para nosotros hoy. El holocausto matutino y vespertino les brindaba la oportunidad de consagrarse a Dios para las labores del día, y para reflexionar en ellas al descansar en la noche. Necesitamos hacer esto con diligencia cada día. "Si bien Dios condena la mera ejecución de ceremonias que carezcan del espíritu de culto, mira con gran satisfacción a los que le aman y se postran de mañana y tarde, para pedir el perdón de los pecados cometidos y las bendiciones que necesitan" (*Patriarcas y profetas*, p. 367).

Este holocausto matutino y vespertino llegó a ser muy importante con el paso del tiempo, cuando la mayoría de los judíos no estaba cerca del santuario o del templo para ir a orar mientras este sacrificio se ofrecía. Los que vivían lejos, o en países remotos, y querían consagrarse a Dios cada día, lo hacían en sus hogares a esas horas, en el lugar donde estuvieran, para unirse en oración y hacer propios esos sacrificios. Tal fue la práctica de Daniel en Babilonia (Dan. 6:10).

Estos sacrificios se ofrecían sobre el altar de los holocaustos, que era el primer mueble del santuario que el adorador encontraba al entrar por la puerta del atrio. La misma posición de este altar, junto a la puerta de entrada del santuario, indicaba que la primera necesidad del pecador era que sus pecados fuesen lavados por la sangre del cordero. Así debe ser también hoy en nuestra experiencia. Lo primero que tenemos que hacer es reconocer nuestra condición pecaminosa, y acudir a Cristo, el Cordero que fue sacrificado por nosotros.

Reflexionemos en esto: "A la mañana y a la noche, el padre, como sacerdote de la casa, debe confesar a Dios los pecados cometidos durante el día por él mismo y por sus hijos [...]. Esta norma, celosamente observada por el padre cuando está presente, o por la madre cuando él está ausente, resultará en bendiciones para la familia" (*El hogar cristiano*, p. 189).

Perfecto y continuo

El precio de su rescate no se pagó con cosas perecederas, como el oro o la plata, sino con la preciosa sangre de Cristo, como de un cordero sin mancha y sin defecto (1 Pedro 1:18, 19).

DIOS INDICÓ EXPRESAMENTE A LOS ISRAELITAS que toda ofrenda presentada para el servicio del santuario debía ser "sin defecto" (Éxo. 12:5). Los sacerdotes debían examinar rigurosamente todos los animales que se traían como sacrificio, a fin de ver que no hubiese defecto alguno en ellos, y rechazar los que estuvieran defectuosos. Estos sacrificios simbolizaban la consagración a Dios que debía ser sincera y sin doblez. Nuestra consagración y entrega al servicio de Dios debiera ser así. Es necesario que tratemos de hacer esta ofrenda tan perfecta como sea posible. Dios solo quedará satisfecho con lo mejor que podamos ofrecerle. Además, el rito enseñaba que solo una ofrenda "sin defecto" podía simbolizar la perfecta pureza de Aquel que había de ofrecerse como "cordero sin mancha y sin defecto" (1 Ped. 1:19).

A estos sacrificios se los conoce como holocaustos: "todo quemado". Debía consumirse en el fuego totalmente. Esto nos habla claramente de que el sacrificio, para que sea de olor grato a Dios, debe ser una entrega total. Todo debe colocarse sobre el altar; todo debe dedicarse a Dios.

Este holocausto proporcionaba expiación temporaria y provisoria para la nación, hasta tanto el pecador pudiese comparecer, llevando su propio sacrificio. Los rabinos enseñaban que el sacrificio matutino expiaba los pecados cometidos durante la noche; y el sacrificio vespertino, los pecados del día. Los holocaustos diarios eran quemados en el altar, pero con fuego lento, para que un sacrificio durara hasta que fuese colocado el siguiente (Lev. 6:9). El sacrificio vespertino duraba hasta la mañana, y el sacrificio matutino duraba hasta la tarde. De este modo, siempre había una víctima sobre el altar, para proporcionar expiación provisoria y temporaria para Israel. Era parte del servicio llamado "continuo", que simbolizaba la benévola y continua provisión que Dios hace para el hombre. Apuntaba hacia el ministerio de Cristo, quien vive "siempre para interceder por ellos" (Heb. 7:25).

Sacrificios por el pecado I

Él es el sacrificio por el perdón de nuestros pecados, y no solo por los nuestros sino por los de todo el mundo (1 Juan 2:2).

OTRA PARTE DEL SERVICIO DIARIO que se ofrecía a la comunidad era el sacrificio por el pecado individual. Las personas que reconocían haber cometido una violación involuntaria contra los mandamientos de Dios, debían traer una ofrenda como sacrificio por su pecado. La ley decía: "Si el que peca inadvertidamente es alguien del pueblo, e incurre en algo que los mandamientos del Señor prohíben, será culpable. Cuando se le haga saber que ha cometido un pecado, llevará como ofrenda por su pecado una cabra sin defecto. Pondrá la mano sobre la cabeza del animal, y lo degollará en el lugar donde se degüellan los animales para el holocausto. Entonces el sacerdote tomará con el dedo un poco de la sangre y la untará en los cuernos del altar del holocausto, después de lo cual derramará el resto de la sangre al pie del altar. [...] Así el sacerdote hará expiación por él, y su pecado le será perdonado" (Lev. 4:27-31). La ceremonia incluía el acto de confesión del pecado.

Debe haber sido una experiencia horrible tomar una oveja inocente y degollarla delante del altar después de confesar el pecado. La sangre salía del cuello de la víctima a borbotones. Esto debió de haber dejado en el corazón de cada israelita una impresión duradera de cuánto Dios aborrece el pecado. El primer sacrificio que Adán ofreció a Dios fue, por una parte, una experiencia aterradora, y por otra, una experiencia que le infundió gozosa esperanza. Leemos: "Mientras mataba la inocente víctima temblaba al pensar que su pecado haría derramar la sangre del Cordero inmaculado de Dios. Esta escena le dio un sentido más profundo y vívido de la enormidad de su transgresión, que nada sino la muerte del querido Hijo de Dios podía expiar. Y se admiró de la infinita bondad del que daba semejante rescate para salvar a los culpables. Una estrella de esperanza iluminaba el tenebroso y horrible futuro, y lo libraba de una completa desesperación" (*Cristo en su santuario*, p. 26).

Sacrificio por el pecado II

Por eso Dios envió a su propio Hijo en condición semejante a nuestra condición de pecadores, para que se ofreciera en sacrificio por el pecado (Romanos 8:3).

EL SACRIFICIO POR EL PECADO INDIVIDUAL era la ofrenda que más particularmente señalaba la muerte vicaria de Cristo. Como vimos anteriormente, Juan el Bautista lo señaló como "el Cordero de Dios que quita el pecado del mundo". El que ofrecía un sacrificio por su culpa, obviamente estaba reconociendo su pecado y confiando en que el sacrificio de la víctima inocente le daba el perdón. Pero todavía en forma más dramática tenía que poner su mano sobre la víctima y confesar su pecado antes de degollarla. Con este acto, estaba diciendo varias cosas: Primero, que era pecador; segundo, que estaba arrepentido; tercero, que era necesario confesar su pecado; cuarto, que confiaba en la víctima como su sustituto; quinto, que la sangre del animal traía el perdón de su pecado; sexto, que Dios, quien perdonaba su pecado, aceptaba la muerte del animal en lugar de la suya propia; séptimo, que por esta ceremonia podría regresar a casa en paz con Dios.

Los que diariamente asistían al atrio del santuario con su ofrenda, ¿cuánto de esto entendían? ¿Comprendían acaso que simbolizaba la muerte del Mesías venidero? No lo sabemos. Sospechamos, sin embargo, que para muchos se convirtió en una mera rutina religiosa, con el fin de apaciguar sus conciencias. Y debe de haber sido así, porque en varias ocasiones Dios dijo a su pueblo que rechazaba sus sacrificios, que eran vanos e inútiles, y que los hacían por motivos equivocados (Heb. 10:8). Tanto se pervirtió el sistema, que Dios tuvo que desecharlo finalmente.

Para que estos sacrificios cumplieran su propósito educativo y ayudaran a resolver provisionalmente el problema del pecado en la vida humana, la gente tenía que ofrecerlos con una fe firme en Dios.

Meditemos en esto: Mediante el establecimiento de un sistema simbólico de sacrificios y ofrendas, la muerte de Cristo había de estar siempre delante del hombre culpable, para que pudiera comprender mejor la naturaleza del pecado, los resultados de la transgresión y el mérito de la ofrenda divina.

Pecado voluntario

Si después de recibir el conocimiento de la verdad pecamos obstinadamente, ya no hay sacrificio por los pecados (Hebreos 10:26).

EN EL RITUAL DEL SANTUARIO, solo se proveía solución al pecado cuando este era involuntario o inadvertido. La ley decía: "Si el que peca inadvertidamente es alguien del pueblo, e incurre en algo que los mandamientos del Señor prohíben, será culpable" (Lev. 4:27). El pecado no se disculpaba porque fuese hecho involuntariamente. Pero se proveía una manera para resolverlo mediante el ofrecimiento del sacrificio respectivo: "Así el sacerdote hará expiación por él, y su pecado le será perdonado" (vers. 31). En todos los casos que se ofrecía perdón al transgresor, se debía a que el pecado era involuntario (vers. 1, 13, 22; 5:14, 17, 18; 22:14; etc.). En el sistema de expiación del santuario no se ofrecía perdón ni expiación por el pecado voluntario. Este se define como rebelión abierta y descarada contra Dios. Se castigaba con la muerte.

Seguramente no se expiaba en el santuario porque, siendo un acto de arrogancia y rebelión abierta y descarada contra la ley de Dios, la persona no sentía necesidad de arrepentimiento ni de confesión (que implica aceptación de culpa) ni de perdón. En tal circunstancia, el individuo se colocaba fuera del alcance de la misericordia divina. A este pecado se refiere Hebreos, cuando dice: "Si después de recibir el conocimiento de la verdad pecamos obstinadamente, ya no hay sacrificio por los pecados. Solo queda una terrible expectativa de juicio, el fuego ardiente que ha de devorar a los enemigos de Dios. Cualquiera que rechazaba la ley de Moisés moría irremediablemente por el testimonio de dos o tres testigos" (Heb. 10:26-28).

Por lo tanto, cuando el pecador se arrepentía, el pecado era considerado involuntario, como hecho sin querer. Todos los pecados son hechos conscientemente, pero cuando media el arrepentimiento, Dios los considera como hechos involuntariamente. Mira a esa persona como si fuera inocente, sin la intención aviesa de pecar, sin arrogancia.

Para meditar: "Cristo está pronto para libertarnos del pecado, pero no fuerza la voluntad; y si por la persistencia en el pecado la voluntad misma se inclina enteramente al mal y no deseamos ser libres, si no queremos aceptar su gracia, ¿qué más puede hacer?" (*El camino a Cristo*, p. 33).

Pecados desiguales

El Señor les dijo a Moisés y a Aarón: "Por no haber confiado en mí, ni haber reconocido mi santidad en presencia de los israelitas, no serán ustedes los que lleven a esta comunidad a la tierra que les he dado" (Números 20:12).

EN LA EXPIACIÓN REQUERIDA POR EL SISTEMA ritual del santuario, no todos los pecados se expiaban de la misma manera. Ya vimos que había ciertos pecados que no tenían expiación. Pero entre los que sí tenían, se hacían dos consideraciones que nos ayudan a entender mejor la justicia y la misericordia de Dios.

La primera consistía en que no todos los pecados eran iguales a la vista de Dios, considerados desde el punto de vista de la ofrenda requerida para la expiación. Debemos aclarar que todo pecado es una ofensa contra Dios, y que, desde la perspectiva de la santidad divina, todo pecado conlleva la ira de Dios. En este sentido, no hay pecado pequeño delante de Dios.

Sin embargo, de acuerdo a la ley levítica, para expiar los pecados involuntarios se hacía diferencia entre una persona y otra. El israelita común debía llevar una ofrenda menor que la del gobernante, o de toda la congregación. Aparentemente, Dios consideraba más grave el pecado del dirigente y de la comunidad entera, que el de alguien común del pueblo. Notemos: "Si el que peca inadvertidamente es alguien del pueblo […] llevará como ofrenda por su pecado una cabra sin defecto" (Lev. 4:27, 28). Si quien cometía la falta era todo el pueblo, se procedía diferente: "Si la que peca inadvertidamente es toda la comunidad de Israel […] deberá ofrecer un novillo como sacrificio expiatorio" (vers. 13, 14). Si el que pecaba inadvertidamente era uno de los gobernantes, "llevará como ofrenda un macho cabrío sin defecto" (vers. 22, 23).

Cuando Moisés y Aarón pecaron contra Dios en el asunto de sacar agua de la roca, el Señor reveló que el castigo del pecado del dirigente es más serio: "El Señor reprendió a estos guías y declaró que no debían entrar en la tierra prometida. Ante la hueste hebrea el Altísimo demostró que el pecado del dirigente fue mayor que el de quienes eran guiados" (*Alza tus ojos,* p. 297).

El dirigente tiene más responsabilidad

A todo el que se le ha dado mucho, se le exigirá mucho; y al que se le ha confiado mucho, se le pedirá aun más (Lucas 12:48).

DIOS HACE DIFERENCIA ENTRE EL PECADO de la gente común y el de sus líderes. Aparentemente, el Señor considera el pecado de los dirigentes de su pueblo de una manera distinta. ¿Por qué? Porque el dirigente tiene más luz y conocimiento que el miembro común; porque el dirigente tiene el deber dar el ejemplo a sus dirigidos, y guiar sus pasos para que no tropiecen y caigan. El pecado puede ser el mismo, pero las consecuencias son distintas cuando quien lo comete es un dirigente. El miembro de iglesia se frustra y confunde más cuando su pastor comete pecado que cuando lo hace uno de los miembros de la congregación. Sobre los dirigentes recae una responsabilidad mayor: ser ejemplo de sus dirigidos.

Cuando el apóstol Pablo habla de las cualidades que debían tener los dirigentes en la iglesia de su tiempo, dice lo siguiente: "Así que el obispo debe ser intachable, esposo de una sola mujer, moderado, sensato, respetable, hospitalario, capaz de enseñar; no debe ser borracho ni pendenciero, ni amigo del dinero, sino amable y apacible. Debe gobernar bien su casa y hacer que sus hijos le obedezcan con el debido respeto; porque el que no sabe gobernar su propia familia, ¿cómo podrá cuidar de la iglesia de Dios? Se requiere además que hablen bien de él los que no pertenecen a la iglesia, para que no caiga en descrédito y en la trampa del diablo" (1 Tim. 3:2-7).

Claramente, Dios requiere más de los dirigentes. "El Señor había perdonado a la gente transgresiones mayores que este error de Moisés, pero no podía considerar el pecado de un dirigente del pueblo como si fuera el de uno de sus dirigidos. No podía excusar el pecado de Moisés y permitirle entrar en la tierra prometida" (*La historia de la redención*, p. 170).

El sacrificio del pobre

Si a alguien no le alcanza para comprar ganado menor, entonces
le llevará al Señor, como sacrificio por la culpa del pecado cometido,
dos tórtolas o dos pichones de paloma, una de las aves como sacrificio
por el pecado y la otra como holocausto (Levítico 5:7).

L A SEGUNDA CONSIDERACIÓN ACERCA de la ofrenda por el pecado es la siguiente: Dios no solo hacía diferencia entre el pecado del dirigente y el del pueblo común, sino también entre el oferente rico y el pobre. Dios conoce las distintas situaciones económicas de sus hijos. Por lo tanto, la misericordia divina estipulaba que si alguien era demasiado pobre para llevar como ofrenda una oveja o una cabra, podía llevar un par de tórtolas. Los pajaritos no solo eran más baratos, sino que el oferente podía conseguirlos en el campo.

Cuando María, madre de Jesús, cumplió los días de su purificación, fue al templo y presentó la ofrenda del pobre: "También ofrecieron un sacrificio conforme a lo que la ley del Señor dice: 'un par de tórtolas o dos pichones de paloma'" (Luc. 2:24). Esto indica que los padres de Jesús eran tan pobres que no tenían lo suficiente para comprar una oveja o una cabra.

Incluso podía darse el caso de alguien que no tuviese dinero para comprar dos tórtolas. Entonces la ley decía: "Si a esa persona tampoco le alcanza para comprar dos tórtolas o dos pichones, presentará entonces en sacrificio expiatorio, como ofrenda por el pecado cometido, dos litros de flor de harina" (Lev 5:11). Esta consideración por la situación económica del oferente no solo nos habla del amor divino, sino que nos enseña que lo importante para Dios no es la cantidad de la ofrenda, sino la actitud del que la ofrece. Por eso Jesús dijo de la viuda pobre: "Les aseguro [...] que esta viuda pobre ha echado más que todos los demás" (Luc. 21:3).

Pecado mortal

Hay un pecado que sí lleva a la muerte, y en ese caso no digo
que se ore por él (1 Juan 5:16).

L OS SACRIFICIOS QUE SE OFRECÍAN en el santuario eran por los pecados involuntarios, es decir, que se cometían "inadvertidamente". Los pecados voluntarios o premeditados que se cometían en flagrante violación de la ley divina, no tenían expiación. La persona llevaba su culpa. Tal era el caso, por ejemplo, del que daba falso testimonio en un juicio: "Si alguien peca por negarse a declarar bajo juramento lo que vio o escuchó, sufrirá las consecuencias de su pecado" (Lev. 5:1). No había expiación para esa persona. Lo mismo sucedía con pecados abiertos o descarados que se hacían en rebelión contra Dios, y sin que luego mediara algún tipo de arrepentimiento. Ejemplo de estos pecados eran el adulterio, el asesinato y la violación desafiante del sábado. No se proveía expiación por ellos, porque eran actos de rebeldía, que expresaban la intención del pecador de no tener en cuenta a Dios, de no querer recibir su perdón. Actos que revelaban falta de arrepentimiento y contrición.

En el Nuevo Testamento se lo llama "el pecado contra el Espíritu Santo" (Mat. 12:31, 32); porque desoye intencionalmente la voz del Espíritu que llama al arrepentimiento. Es el desprecio al deseo divino de perdonar al pecador. A este pecado también se lo llama el pecado de muerte, porque lleva a la muerte. Este tipo de pecado no tiene expiación. Dios no concede el perdón, porque el pecador no busca el perdón. Es el pecado en el que, de acuerdo al autor de Hebreos, es imposible restaurar al ofensor: "Es imposible que renueven su arrepentimiento aquellos que han sido una vez iluminados, que han saboreado el don celestial, que han tenido parte en el Espíritu Santo y que han experimentado la buena palabra de Dios y los poderes del mundo venidero, y después de todo esto se han apartado. Es imposible, porque así vuelven a crucificar, para su propio mal, al Hijo de Dios, y lo exponen a la vergüenza pública" (Heb. 6:4-6).

Expiación personal

*Por medio de Cristo nos reconcilió consigo mismo
y nos dio el ministerio de la reconciliación (2 Corintios 5:18).*

DECÍAMOS AYER QUE EN LOS SERVICIOS del santuario no había expiación por el pecado de rebeldía abierta contra Dios. Vemos, por otra parte, que en los servicios del santuario se ofrecían los holocaustos matutino y vespertino a favor de toda la nación, y se consideraban como una expiación colectiva en favor de Israel. Pero eso no cancelaba el requerimiento de una expiación personal. El pecador debía aún llevar su ofrenda personal por su pecado. Sin esa ofrenda por el pecado individual, las personas eran "cortadas de su pueblo", es decir, eliminadas de su derecho a recibir las promesas y bendiciones de Dios.

Esto nos muestra el valor del sacrificio de Cristo para expiar los pecados del mundo. Él cargó sobre sí el peso del pecado de toda la humanidad. No ha existido ni existirá una persona por la que Cristo no haya pagado por su pecado. El apóstol dice: "Él es el sacrificio por el perdón de nuestros pecados, y no solo por los nuestros sino por los de todo el mundo" (1 Juan 2:2). Pero eso no elimina la necesidad de que ofrezcamos nuestra expiación personal. Es decir, la expiación lograda por el sacrificio de Cristo debe ser aceptada personalmente. Por decirlo de algún modo: debemos ofrecer nuestro sacrificio individual, el sacrificio por nuestro pecado. Esto significa aceptar a Cristo como nuestro Salvador personal. Si no ofrecemos este sacrificio, y despreciamos la misericordia divina ofrecida por la expiación de nuestro Señor, entonces no hay expiación personal. Es como si derrocháramos la sangre de Cristo. Él se ofreció por el mundo entero, pero hay muchos que no lo aprovechan, porque se niegan a ofrecer su sacrificio personal. Como dice el apóstol: "Solo queda una terrible expectativa de juicio, el fuego ardiente que ha de devorar a los enemigos de Dios" (Heb. 10:27). El servicio diario del santuario proveía al israelita la oportunidad de hallar expiación personal por su pecado. Del mismo modo, hoy debemos acudir diariamente a Cristo, para llevarle nuestro pecado y que nos limpie de toda maldad.

Desprecio del plan de Dios

Yo me voy, y ustedes me buscarán,
pero en su pecado morirán (Juan 8:21).

EL SERVICIO DEL SANTUARIO QUE EXPIABA diariamente los pecados de los israelitas, era el medio divino para educar al pueblo en los principios del plan de la salvación. Estos se desplegarían de una manera más completa a lo largo de la historia del evangelio. En este vemos con claridad lo que el santuario transmitía en forma de símbolos.

El servicio diario del santuario enseñaba que Dios ofrece el perdón como la solución al problema del pecado. Ilustraba de una manera dramática el principio de la expiación del pecado. Pero también nos dice que los que rechazan el perdón y la misericordia divina tienen que enfrentar las consecuencias de su pecado. Si el pecador no aceptaba el ofrecimiento de perdón mediante un sacrificio por el pecado, debía enfrentar totalmente solo las consecuencias del pecado. La única razón por la que alguien podía negarse a seguir el plan de Dios para la solución del pecado, era la incredulidad y el desprecio a la instrucción divina. Era muy claro el hecho de que Dios era la solución al problema de los pecados del pueblo, y estaba dispuesto a limpiarlo del mal. Pero había que aceptar la provisión que Dios ofrecía.

Meditemos en esto: "Al ofrecer su propia vida, Cristo se ha hecho responsable de todo hombre y toda mujer de la tierra. Está de pie en la presencia de Dios y dice: "Padre, yo asumo la culpa de esta alma. Morirá si la dejo cargar con ella. Si se arrepiente, será perdonada. Mi sangre la limpiará de todo pecado. Yo di mi vida por los pecados del mundo". Si el transgresor de la ley de Dios está dispuesto a ver en Cristo su sacrificio expiatorio, si cree en el que es capaz de limpiar de toda injusticia, Cristo no habrá muerto en vano para él" (*Comentario bíblico adventista*, t. 7, p. 478).

El incienso

*No ofrezcas sobre ese altar ningún otro incienso, ni holocausto
ni ofrenda de grano, ni derrames sobre él libación alguna (Éxodo 30:9).*

EL SERVICIO DIARIO DEL SANTUARIO que ofrecía los holocaustos matutino y vespertino, y las ofrendas por los pecados individuales, incluía también el ofrecimiento diario del incienso. Esta era otra de las ceremonias que formaban parte del servicio continuo del santuario.

Esta ceremonia se realizaba en el altar de oro, que estaba en frente del velo que separaba el lugar santo, del Santísimo. Había una íntima conexión entre el altar de oro y las funciones del lugar santísimo, ya que a veces se usaba el incienso para disipar la gloria de la *shekina,* que se manifestaba encima del velo hacia el lugar santo. Esto producía temor en los sacerdotes que oficiaban allí, por eso añadían más incienso sobre el altar de oro, lo que proveía una nube más espesa de incienso. Se creía que esto los protegía de la muerte. Tal vez, esta conexión estrecha llevó al autor de Hebreos a decir que ese altar estaba en el lugar santísimo (Heb. 9:4).

La ceremonia se describe así: "Cada mañana, cuando Aarón prepare las lámparas, quemará incienso aromático sobre el altar, y también al caer la tarde, cuando las encienda. Las generaciones futuras deberán quemar siempre incienso ante el Señor" (Éxo. 30:7, 8).

Se nos dice: "Mientras de mañana y de tarde los sacerdotes entraban en el lugar santo a la hora de ofrecer el incienso, el sacrificio diario estaba listo para ser colocado sobre el altar de los holocaustos, en el atrio. Esta era una hora de intenso interés para los adoradores que se congregaban ante el tabernáculo. Antes de presentarse ante el Señor por medio del ministerio del sacerdote, debían hacer un ferviente examen de sus corazones y luego confesar sus pecados. Se unían en oración silenciosa, con los rostros vueltos hacia el lugar santo. Así sus peticiones ascendían con la nube de incienso, mientras la fe aceptaba los méritos del Salvador prometido al que simbolizaba el sacrificio expiatorio" (*Cristo en su santuario,* p. 38, 39).

Incienso especial

Nadab y Abiú murieron bajo el juicio del Señor por haberle ofrecido fuego profano (Números 26:61).

HAY MÁS QUE DECIR ACERCA DEL OFRECIMIENTO del incienso sobre el altar de oro. El incienso era preparado especialmente para uso sagrado: "El Señor le dijo a Moisés: 'Toma una misma cantidad de resina, ámbar, gálbano e incienso puro, y mezcla todo esto para hacer un incienso aromático, como lo hacen los fabricantes de perfumes. Agrégale sal a la mezcla, para que sea un incienso puro y sagrado. Muele parte de la mezcla hasta hacerla polvo, y colócala en la Tienda de reunión, frente al arca del pacto, donde yo me reuniré contigo. Este incienso será para ustedes algo muy sagrado, y no deberá hacerse ningún otro incienso con la misma fórmula, pues le pertenece al Señor. Ustedes deberán considerarlo como algo sagrado. Quien haga otro incienso parecido para disfrutar de su fragancia, será eliminado de su pueblo'" (Éxo. 30:34-38).

No debía usarse cualquier clase de incienso. El del santuario era exclusivo. ¿La razón? En la antigüedad, la gente aromatizaba sus casas con diferentes tipos de inciensos. Además, los templos paganos también eran aromatizados del mismo modo. Quemar incienso a los dioses era una forma de culto y adoración. Dios no quería que su culto fuera confundido con el de los dioses paganos. Si en el santuario del Señor se hubiera ofrecido la misma clase de incienso que en las casas y en los templos paganos, la dignidad de la adoración al Creador se hubiese visto rebajada; y esto hubiera llevado a la práctica de la idolatría.

Los sacerdotes debían usar brasas del altar de los holocaustos para sus incensarios. El fuego que ardía sobre el altar del incienso, provenía del altar del holocausto. No debía usarse otra clase de fuego para encender el incienso del altar. Cualquier otro tipo era "fuego profano".

Deber sagrado

Cada mañana, cuando Aarón prepare las lámparas, quemará incienso aromático sobre el altar, y también al caer la tarde, cuando las encienda (Éxodo 30:7, 8).

EL OFRECIMIENTO DEL INCIENSO era uno de los deberes sagrados de los sacerdotes. Siglos después, cuando aumentó la cantidad de sacerdotes, ofrecer el incienso era motivo de honra. Era un deber exclusivo de los descendientes de Aarón. Ni los levitas estaban autorizados para conducir esta ceremonia. Uzías, uno de los reyes más importantes y famosos de Judá, se arrogó este derecho, y fue castigado por el Señor: "Esto enfureció a Uzías, quien tenía en la mano un incensario listo para ofrecer el incienso. Pero en ese mismo instante, allí en el templo del Señor, junto al altar del incienso y delante de los sacerdotes, la frente se le cubrió de lepra. Al ver que Uzías estaba leproso, el sumo sacerdote Azarías y los demás sacerdotes lo expulsaron de allí a toda prisa. Es más, él mismo se apresuró a salir, pues el Señor lo había castigado. El rey Uzías se quedó leproso hasta el día de su muerte" (2 Crón. 26:19-21).

En el Nuevo Testamento se registra el caso de Zacarías, padre de Juan el Bautista, a quien le tocó en suerte ofrecer el incienso cuando el ángel del Señor le anunció que tendría un hijo, a quien llamaría Juan. En tiempos del Nuevo Testamento no era común que un sacerdote se encargara del incienso. Podía suceder solo una vez en la vida, ya que había 24 órdenes sacerdotales. El sacerdote que ofrecía el incienso era ayudado por otros dos compañeros, quienes limpiaban el altar y colocaban nuevos carbones encendidos. Luego, el sacerdote a cargo ofrecía el incienso y oraba por la venida del Mesías. El humo subía y era visto desde el atrio exterior, donde el pueblo inclinado acompañaba en oración al sacerdote oficiante. Cuando este salía del lugar santo después de ofrecer el incienso, debía levantar las manos y pronunciar una bendición sobre la multitud que lo esperaba.

Símbolo de oración y dedicación

¡No soporto que con su adoración me ofendan! (Isaías 1:13).

ESTA CEREMONIA IMPORTANTE DEL SERVICIO diario del santuario llegó a ser un símbolo de adoración y culto. Por eso no se debía quemar incienso en otro lugar que no fuera el destinado para ese propósito. Hacerlo en otro lugar era idolatría. El salmista decía: "Que suba a tu presencia mi plegaria como una ofrenda de incienso; que hacia ti se eleven mis manos como un sacrificio vespertino" (Sal. 141:2).

En el libro de Apocalipsis, el incienso se identifica con la oración: "Cuando lo tomó, los cuatro seres vivientes y los veinticuatro ancianos se postraron delante del Cordero. Cada uno tenía un arpa y copas de oro llenas de incienso, que son las oraciones del pueblo de Dios" (Apoc. 5:8). "Se acercó otro ángel y se puso de pie frente al altar. Tenía un incensario de oro, y se le entregó mucho incienso para ofrecerlo, junto con las oraciones de todo el pueblo de Dios" (Apoc. 8:3).

La nube de humo fragante que ascendía al cielo era una analogía de la oración que se elevaba al trono de Dios.

También el incienso era un símbolo de consagración y dedicación a Dios, pues se colocaba sobre ciertas ofrendas, y sobre el pan de la proposición que se ponía sobre la mesa en el lugar santo (Lev. 2:1; 24:7).

Pero quemar incienso por el mero hecho de hacerlo, no tenía significado. Más bien era un insulto al Señor. Meditemos: "Con la nube de incienso se elevaba de cada corazón contrito la oración de que Dios aceptara sus ofrendas como una muestra de fe en el Salvador venidero" (*Cristo en su santuario*, p. 26).

Símbolo de los méritos de Cristo

*El perfume y el incienso alegran el corazón; la dulzura
de la amistad fortalece el ánimo (Proverbios 27:9).*

EL INCIENSO ERA UN SÍMBOLO de la oración que asciende a Dios como olor fragante. Pero, además, era símbolo de la justicia de Cristo, porque las oraciones del pueblo de Dios solo tienen valor por los méritos de nuestro Señor: "La nube de incienso que ascendía con las oraciones de Israel representaba su justicia, que es lo único que puede hacer aceptable ante Dios la oración del pecador" (*A fin de conocerle,* p. 103). De hecho, se presenta a Cristo como ofreciendo personalmente estas oraciones a favor de su pueblo: "Él está ahora [...] presentando las oraciones de aquellos que desean su ayuda" (*El Deseado de todas las gentes,* p. 522).

La vinculación de las oraciones del pueblo de Dios con la justicia de Cristo, resalta el aspecto intercesor de la obra del Señor: "El incienso, que ascendía con las oraciones de Israel, representaba los méritos y la intercesión de Cristo, su perfecta justicia, la cual por medio de la fe es acreditada a su pueblo, y es lo único que puede hacer el culto de los seres humanos aceptable a Dios" (*Patriarcas y profetas,* p. 366). Representa así la mediación de Cristo en el santuario celestial: "Este incienso era un emblema de la mediación de Cristo" (*La temperancia,* p. 39).

Las oraciones del pueblo de Dios tienen poder en virtud de esta intercesión de Cristo y de la eficacia de su justicia concedida al pecador: "Puesto que los cuernos simbolizaban poder, en el altar del incienso representan el poder de la oración" (Gén. 32:24-30) (*Comentario bíblico adventista,* t. 1, p. 669). Cristo es la razón de que las oraciones tengan poder. Porque el que ora, avalado por la justicia de Jesús, puede entrar en la presencia del Dios Todopoderoso: "El hecho de que el altar estuviese "delante del propiciatorio" nos enseña que por medio de la oración podemos entrar en la presencia de Dios" (*ibíd.*)

El Día de la Expiación

Cualquiera que no observe el ayuno será eliminado de su pueblo.
Si alguien hace algún trabajo en ese día, yo mismo lo eliminaré
de su pueblo (Levítico 23:29,30).

E N EL SANTUARIO había un servicio diario que se ofrecía en favor del pecador, que constaba de tres partes básicas: Los sacrificios matutinos y vespertinos, los sacrificios por los pecados individuales y el ofrecimiento del incienso. Pero también se realizaba un servicio anual. En el servicio diario, oficiaban los sacerdotes comunes; mientras que en el servicio anual el sumo sacerdote. Esto ya nos dice, de entrada, que era un servicio muy importante.

Además, el servicio diario se realizaba en el atrio y en el lugar santo del santuario. Sin embargo, la principal ceremonia anual se realizaba en el lugar santísimo, al final del año religioso, el día diez del séptimo mes, llamado *Tisri.* Se lo conocía con el nombre de *Yom Kipur,* que quiere decir, Día de la Expiación. Aún hoy los judíos celebran este día, al que llaman "el día del perdón". Según el calendario judío, este año cayó el 18 de septiembre. Todos los días se hacía expiación en el santuario, pero esta era la expiación final que conducía al cierre de las actividades religiosas. Era un día muy solemne, y se requería una actitud especial del pueblo: "Este será para ustedes un estatuto perpetuo, tanto para el nativo como para el extranjero: El día diez del mes séptimo ayunarán y no realizarán ningún tipo de trabajo. En dicho día se hará propiciación por ustedes para purificarlos, y delante del Señor serán purificados de todos sus pecados. Será para ustedes un día de completo reposo, en el cual ayunarán" (Lev. 16:29-31). Esta ceremonia traía la reconciliación final y completa del pueblo con Dios. Era una purificación de todas las expiaciones acumuladas durante un año. Involucraba no solo la limpieza del santuario, también de los sacerdotes y del pueblo en general.

El Día del Perdón

En ese día no harán ningún tipo de trabajo, porque es el día del Perdón, cuando se hace expiación por ustedes ante el Señor su Dios"
(Levítico 23:28).

EL DÍA DE LA EXPIACIÓN, que caía el día diez del séptimo mes del calendario judío, era una ocasión muy solemne. En él se realizaba la purificación del santuario y la expiación final de todo el pueblo. En esta ocasión, el sumo sacerdote entraba por lo menos dos veces al lugar santísimo. La primera para hacer expiación por sí mismo y su familia, y la segunda para hacer la purificación del santuario, que redundaba en la purificación y expiación final del pueblo. Básicamente consistía en la selección de dos machos cabríos, sobre los que se echaba suerte para saber cuál sería sacrificado y cuál quedaría vivo, a fin de colocar sobre uno todos los pecados acumulados en el santuario y enviarlo al desierto.

Este día debía observarse celosa y estrictamente, bajo pena de perder la identidad como miembro del pueblo de Dios. Su observancia consistía en ayunar desde la puesta del sol del día nueve hasta la del día diez. A esto se lo llamaba "afligir el alma". También la gente debía dedicarse a la oración y al análisis y reflexión personales. Cada uno debía estar seguro de que sus pecados habían sido perdonados y transferidos al santuario.

El Día de la Expiación era una representación del juicio final, cuando Dios ajustará cuentas con todos. La purificación del santuario indicaba la erradicación del pecado de la presencia de Dios. Durante todo el año, se acumulaba simbólicamente el pecado perdonado por medio de los sacrificios y del holocausto diario. Pero en el Día de la Expiación se juntaba toda esa culpa y se la expulsaba fuera del campamento. Así se enseñaba que vendría un tiempo cuando Dios erradicaría el pecado para siempre. Un día cuando no habría ningún obstáculo para la comunión plena del Señor con su pueblo.

Enviado al desierto

El hombre soltará en el desierto al macho cabrío, y este se llevará
a tierra árida todas las iniquidades (Levítico 16:22).

EN EL DÍA DE LA EXPIACIÓN, Dios se reconciliaba totalmente
con su pueblo. Se limpiaban simbólicamente los pecados del
santuario, poniéndolos sobre el macho cabrío que quedaba vivo y
era enviado al desierto para ser abandonado a su suerte. De esta manera,
el santuario quedaba limpio y purificado. Esto simbolizaba el día cuando
Dios ponga fin al pecado en el universo.

Cuando el sumo sacerdote salía del santuario la segunda vez, después
de haber hecho purificación de todo, colocaba sus manos sobre el macho
cabrío destinado a Azazel, un símbolo de Satanás, y confesaba sobre su
cabeza todos los pecados del pueblo. Esta era una manera simbólica de
transferir los pecados del pueblo al chivo de Azazel. Así, Satanás llevaría
la culpabilidad del pecado y tendría que pagar por ello: "Al poner sus
manos sobre la cabeza del segundo macho cabrío, confesaba sobre él
todos esos pecados, transfiriéndolos así figurativamente del sacerdote al
macho cabrío emisario. Este los llevaba luego lejos y se consideraba que
los pecados habían sido eliminados del pueblo para siempre" (*Cristo en
su santuario*, p. 108).

"Solo después de haberse alejado el macho cabrío el pueblo se consideraba libre de la carga de sus pecados. Todo hombre debía contristar
su alma mientras se verificaba la obra de expiación. Todos los negocios
se suspendían, y toda la congregación de Israel pasaba el día en solemne
humillación delante de Dios, en oración, ayuno y profundo análisis del
corazón" (*ibíd.*, p. 41).

"Toda la ceremonia estaba destinada a inculcar en los israelitas una
idea de la santidad de Dios y de su odio al pecado; y además hacerles ver
que no podían ponerse en contacto con el pecado sin contaminarse. Se
requería de todos que afligieran sus almas mientras se celebraba el rito de
la expiación. Toda ocupación debía dejarse a un lado, y toda la congregación de Israel debía pasar el día en solemne humillación ante Dios, con
oración, ayuno y examen profundo del corazón" (*ibíd.*, p. 107).

En tiempos solemnes

"Vengan, pongamos las cosas en claro —dice el Señor—.
¿Son sus pecados como escarlata? ¡Quedarán blancos como la nieve!
¿Son rojos como la púrpura? ¡Quedarán como la lana!" (Isaías 1:18).

D E ACUERDO A LA PALABRA DE DIOS, de la cruz para acá estamos viviendo en los últimos días de la historia de la humanidad. Eso quiere decir, entre otras cosas, que vivimos en el tiempo simbolizado por el Día de la Expiación. Cuanto más avanza el tiempo, más nos acercamos a su fin. Eso implica que vivimos una época muy solemne, y que nuestra actitud debiera ser la que Dios recomendó a su pueblo. Así se nos dice: "Estamos viviendo ahora en el gran Día de la Expiación. Cuando en el ritual simbólico el sumo sacerdote realizaba la propiciación por Israel, todos debían afligir sus almas, arrepentirse de sus pecados y humillarse ante el Señor, si no querían verse separados del pueblo. De la misma manera, todos los que desean que sus nombres se mantengan en el libro de la vida, deben ahora, en los pocos días que les quedan de este tiempo de gracia, afligir sus almas ante Dios con verdadero arrepentimiento y dolor por sus pecados. Hay que escudriñar honda y sinceramente el corazón. Hay que deponer el espíritu liviano y frívolo al que se entregan tantos cristianos profesos. Empeñada lucha espera a todos los que quieran subyugar las malas inclinaciones que tratan de dominarlos. La obra de preparación es individual. No nos salvamos en grupos. La pureza y la devoción de uno no suplirán la falta de estas cualidades en otro. Si bien todas las naciones deben pasar en juicio ante Dios, él examinará el caso de cada individuo de un modo tan rígido y minucioso como si no hubiese otro ser en la tierra. Cada cual tiene que ser probado y encontrado sin mancha, ni arruga, ni cosa semejante" (*Cristo en su santuario*, pp. 137, 138).

"Si alguna vez hubo un tiempo cuando una actitud de seria reflexión conviene a todo aquel que teme a Dios, es ahora, cuando es esencial la piedad personal" (*Eventos de los últimos días*, p. 73).

La Fiesta de las Cabañas

Al terminar la vendimia y la cosecha del trigo, celebrarás durante siete días la fiesta de las Enramadas. Te alegrarás en la fiesta junto con tus hijos y tus hijas, tus esclavos y tus esclavas, y los levitas, extranjeros, huérfanos y viudas que vivan en tus ciudades (Deuteronomio 16:13-14).

DESPUÉS DEL DÍA DE LA EXPIACIÓN venían las alegres festividades de la Fiesta de las Cabañas. Se celebraban cinco días después y simbolizaba la feliz reunión de Cristo con los redimidos en la tierra nueva, una vez que el pecado fuese eliminado de la tierra y de su pueblo.

Durante estas fiestas, que duraban ocho días, los israelitas recordaban las peregrinaciones de sus padres en el desierto, cuando viajaban de Egipto a la tierra de Canaán. Toda la fiesta era una alegría indescriptible, por el fin de los trabajos del año agrícola y la gratitud por el cuidado y la bondad de Dios. "Los servicios del último día de la fiesta eran de una solemnidad peculiar; pero el mayor interés se centralizaba en la ceremonia que conmemoraba cuando surgió agua de la roca" (*A fin de conocerle*, p. 105).

"A fin de conmemorar su vida en tiendas, los israelitas moraban durante la fiesta en cabañas o tabernáculos de ramas verdes. Los erigían en las calles, en los atrios del templo, o en los techos de las casas. Las colinas y los valles que rodeaban a Jerusalén estaban también salpicados de estas moradas de hojas, y bullían de gente" (*El Deseado de todas las gentes*, p. 412).

"Así como los hijos de Israel celebraban la liberación que Dios efectuó para sus padres, y la forma milagrosa en que los preservó durante su viaje de Egipto a la tierra prometida, así el pueblo de Dios debiera en la actualidad recordar con gratitud las diversas formas en que él los ha sacado del mundo, de las tinieblas del error, a la preciosa luz de la verdad. [...] Con gratitud, debiéramos considerar las sendas antiguas y refrigerar nuestra alma con el recuerdo de la bondad amante de nuestro generoso Benefactor" (*A fin de conocerle*, p. 107).

El altar del sacrificio

Desarmó a los poderes y a las potestades, y por medio de Cristo los humilló en público al exhibirlos en su desfile triunfal (Colosenses 2:15).

POR MEDIO DE LOS RITOS Y LAS CEREMONIAS del santuario, Dios quería enseñar los principios del plan de la salvación para el ser humano. No quiere decir que todos los israelitas percibían. Pero para los que reflexionaban y meditaban en ellos, esos servicios les enseñaban el fundamento del evangelio.

Pero los muebles también debían transmitir ciertas verdades que se revelarían con mayor claridad a las generaciones posteriores. El primer mueble que encontramos es el altar de los holocaustos. Sobre él se sacrificaba todo animal que servía como expiación. Llegó a ser un símbolo de muerte, derramamiento de sangre y expiación. Decir "altar" era referirse al lugar del sacrificio, de la sangre vertida y de la víctima que muere como sustituto del pecador.

Este mueble se encontraba en el atrio, frente a la puerta de entrada al santuario y fuera de ella. Siglos más tarde, ese dato tuvo significado para los judíos que aceptaron a Cristo como su expiación del pecado, porque él también sufrió fuera de la puerta (Heb. 13:12).

El altar de los sacrificios llegó a ser un símbolo de la cruz del Calvario, donde Cristo, por su muerte, sustituyó al pecador. Fue allí donde derramó su sangre para salvar al hombre. Por eso el tema de la sangre de Cristo corre como un hilo de oro a través de las páginas del Nuevo Testamento. Por medio de su uso profuso y significativo, se rememora el ritual del santuario con su énfasis en la expiación y el derramamiento de sangre.

La sangre llegó a ser un símbolo del triunfo de Cristo: "Para pastorear la iglesia de Dios, que él adquirió con su propia sangre" (Hech. 20:28). Él triunfó sobre las fuerzas del mal que querían la destrucción de la raza humana. Su sangre vertida en la cruz alcanzó la victoria. Nosotros también participamos de su triunfo. Somos más que vencedores por su sangre derramada.

Su sangre da vida

Por eso también Jesús, para santificar al pueblo mediante su propia sangre, sufrió fuera de la puerta de la ciudad (Hebreos 13:12).

L A MUERTE DE CRISTO EN LA CRUZ CUMPLIÓ lo prefigurado en el altar de los sacrificios. Su sangre vertida representa su vida entregada en favor del pecador.

La sangre de Cristo llegó a ser también un medio para apaciguar la ira de Dios: "A quien Dios puso como propiciación por medio de la fe en su sangre" (Rom. 3:25; RV95). La sangre de Cristo propició la ira de Dios y trajo la paz entre el hombre y Dios. Ya no es nuestro enemigo. Estamos reconciliados y en paz con él por lo que Jesús hizo en la cruz.

Además, la sangre que Cristo derramó llegó a ser el medio por el que se alcanza la justificación: "Y ahora que hemos sido justificados por su sangre, ¡con cuánta más razón, por medio de él, seremos salvados del castigo de Dios!" (Rom. 5:9). Dios ya no nos considera pecadores, porque Cristo derramó su sangre por nosotros, que hace posible que nos vistamos con el manto de su justicia.

La sangre de Cristo hace posible que seamos santificados: "Por eso también Jesús, para santificar al pueblo mediante su propia sangre, sufrió fuera de la puerta de la ciudad" (Heb. 13:12). En virtud de su muerte en la cruz, Cristo adquirió el derecho de derramar su Espíritu sobre sus seguidores. El Espíritu Santo es el poder divino que transforma la vida de las personas. Por su poder somos transformados poco a poco para recuperar la imagen perdida de nuestro Hacedor.

La sangre de Cristo se convirtió en agente de nuestra redención: "En él tenemos la redención mediante su sangre, el perdón de nuestros pecados" (Efe. 1:7). Antes estábamos perdidos, pero Cristo nos redimió. Habíamos sido esclavos del mal, pero él nos emancipó. Estábamos presos en nuestros delitos y pecados, pero él nos liberó. Estábamos secuestrados, pero él pagó nuestro rescate. Habíamos caído en el nauseabundo foso del mal, pero él extendió su mano para sacarnos.

septiembre

La sangre del Nuevo Pacto

"Ellos no son del mundo, como tampoco lo soy yo" (Juan 17:16).

L A SANGRE DE CRISTO llega a ser un símbolo de su triunfo sobre los poderes del mal, y también signo de nuestra reconciliación con Dios, nuestra justificación, nuestra santificación y nuestra redención.

Pero también es una señal del Nuevo Pacto: "De la misma manera, después de cenar, tomó la copa y dijo: 'Esta copa es el nuevo pacto en mi sangre; hagan esto, cada vez que beban de ella, en memoria de mí'" (1 Cor. 11:25). Los israelitas con sus rebeliones y violaciones de la ley rompieron el pacto que Dios había hecho con ellos. Dios, sin embargo, prometió: "'Vienen días —afirma el Señor— en que haré un nuevo pacto con el pueblo de Israel y con la tribu de Judá. No será un pacto como el que hice con sus antepasados el día en que los tomé de la mano y los saqué de Egipto, ya que ellos lo quebrantaron a pesar de que yo era su esposo —afirma el Señor—. Este es el pacto que después de aquel tiempo haré con el pueblo de Israel —afirma el Señor—: Pondré mi ley en su mente, y la escribiré en su corazón. Yo seré su Dios, y ellos serán mi pueblo'" (Jer. 31:31-33). Cristo cumplió esta promesa. Por medio de su muerte entramos en un nuevo pacto con Dios.

Mediante la sangre de Cristo somos hechos ciudadanos del reino de Dios: "Recuerden que en ese entonces ustedes estaban separados de Cristo, excluidos de la ciudadanía de Israel y ajenos a los pactos de la promesa, sin esperanza y sin Dios en el mundo. Pero ahora en Cristo Jesús, a ustedes que antes estaban lejos, Dios los ha acercado mediante la sangre de Cristo" (Efe. 2:12, 13). Por causa del pecado perdimos nuestra ciudadanía celestial. Éramos extranjeros y advenedizos en este mundo. No teníamos derechos ciudadanos. Nos sentíamos alejados de los miembros de la familia de Dios. Pero Cristo nos dio la ciudadanía.

Sangre intercesora y purificadora

Pero si vivimos en la luz, así como él está en la luz [...] y la sangre de su Hijo Jesucristo nos limpia de todo pecado" (1 Juan 1:7).

LA SANGRE DE CRISTO ES EL INSTRUMENTO de su intercesión: "Cristo, por el contrario, al presentarse como sumo sacerdote de los bienes definitivos en el tabernáculo más excelente y perfecto, no hecho por manos humanas (es decir, que no es de esta creación), entró una sola vez y para siempre en el lugar santísimo. No lo hizo con sangre de machos cabríos y becerros, sino con su propia sangre, logrando así un rescate eterno" (Heb. 9:11, 12). Cristo, en virtud de su sangre derramada en la cruz se convirtió en nuestro sumo sacerdote. Es ahora nuestro único mediador, por quien podemos tener acceso a Dios. Ahora podemos acercarnos al Señor con libertad y confianza: "Así que, hermanos, mediante la sangre de Jesús, tenemos plena libertad para entrar en el lugar santísimo, por el camino nuevo y vivo que él nos ha abierto a través de la cortina, es decir, a través de su cuerpo; y tenemos además un gran sacerdote al frente de la familia de Dios" (Heb. 10:19-21). En el nuevo esquema de la salvación, ya no tenemos muchos intermediarios. Cristo es nuestro mediador que nos abrió una puerta nueva para acceder a Dios. Él es un ser humano; y a través de su humanidad, regresamos a Dios.

Este nuevo sacerdote que nos representa ante Dios, logra por su sangre lo que no se podía de otra manera: limpiar nuestras conciencias. "Si esto es así, ¡cuánto más la sangre de Cristo, quien por medio del Espíritu eterno se ofreció sin mancha a Dios, purificará nuestra conciencia de las obras que conducen a la muerte, a fin de que sirvamos al Dios viviente!" (Heb. 9:14). En el sentido literal, la sangre mancha lo que toca. En el sentido espiritual, la sangre de Cristo limpia la mancha que el pecado deja sobre la conciencia del pecador.

Sangre que limpia la conciencia

Aquellos son los que están saliendo de la gran tribulación; han lavado y blanqueado sus túnicas en la sangre del Cordero (Apocalipsis 7:14).

L A SANGRE DE CRISTO ES CAPAZ de limpiar nuestra conciencia del mal. En los servicios del santuario ofrecidos diariamente, la sangre de los animales cubría los pecados, para que el oferente pudiera regresar a casa con una conciencia tranquila, y liberarse así de la culpa, que es tan destructiva. De este modo, la gente se sentía bien. Es algo así como cuando tenemos un fuerte dolor de cabeza y tomamos un analgésico. Decimos que desapareció el dolor. En realidad, la causa no desaparece. Lo que sucede es que no sentimos dolor. Los israelitas iban al santuario llevando su ofrenda por la culpa a buscar un analgésico, para sentirse bien. Regresaban a sus casas con una conciencia tranquila, con la promesa del perdón. Pero allá en el fondo de sus mentes se preguntarían cómo la sangre de animales podía solucionar el pecado. Esto lo tenían que hacer continuamente, cada vez que cometían un pecado y su conciencia los molestaba. El autor de Hebreos decía: "Esto nos ilustra hoy día que las ofrendas y los sacrificios que allí se ofrecen no tienen poder alguno para perfeccionar la conciencia de los que celebran ese culto" (Heb. 9:9).

Pero la sangre de Cristo sí puede limpiar nuestra conciencia. Es decir, no solo nos trae el perdón de nuestros pecados y nos libera de la culpa, sino que nos purifica y limpia interiormente del mal. El apóstol nos dice: "La sangre de su Hijo Jesucristo nos limpia de todo pecado" (1 Juan 1:7). Limpiar la conciencia significa limpiar la mente. Solo Dios puede hacer esto. Ha obtenido el derecho en virtud de lo que Cristo hizo en la cruz por nosotros.

Se nos dice: "Debemos formar caracteres libres de pecado, caracteres hechos justos en la gracia de Cristo y por ella. Nuestros corazones deben ser limpiados de toda impureza en la sangre derramada para quitar el pecado" (*Consejos sobre la salud*, p. 635).

La sangre como medio de victoria

Sin embargo, gracias a Dios que en Cristo siempre nos lleva triunfantes (2 Corintios 2:14).

LA SANGRE DE CRISTO ES TAMBIÉN el medio por el cual podemos alcanzar la victoria en la vida cristiana, y también la victoria final en el gran conflicto. Dice el revelador: "Ellos lo han vencido por medio de la sangre del Cordero y por el mensaje del cual dieron testimonio" (Apoc. 12:11). La sangre derramada de Cristo nos hace victoriosos. Pero esto encierra una gran paradoja. Cristo murió en la cruz del monte Calvario, y allí derramó su sangre por nosotros. A los ojos humanos, su muerte fue un fracaso rotundo. Pero desde el ángulo de la fe, era una gran victoria. Tan grandiosa que lo llevó a la "glorificación". Jesús afirmó: "Ha llegado la hora de que el Hijo del hombre sea glorificado […]. Ciertamente les aseguro que si el grano de trigo no cae en tierra y muere, se queda solo. Pero si muere, produce mucho fruto" (Juan 12:23, 24). "Cuando Judas hubo salido, Jesús dijo: 'Ahora es glorificado el Hijo del hombre, y Dios es glorificado en el'" (13:31). Jesús triunfó cuando entregó su vida. El plan de la salvación contemplaba que muriera por los pecados del mundo. Cuando Cristo finalmente vertió su sangre, el cielo celebró su triunfo.

Pero la victoria de Cristo fue nuestra victoria. Su triunfo nos alcanzó a todos. Triunfamos en él. Obtuvo el derecho de capacitarnos para vencer el mal. Por eso, el apóstol exclamaba: "¡Pero gracias a Dios, que nos da la victoria por medio de nuestro Señor Jesucristo!" (1 Cor. 15:57). Con esta seguridad vamos por la vida no como personas derrotadas sino como personas victoriosas.

Meditemos: "La vida cristiana es una entrega diaria, sumisión y continuo triunfo que gana renovadas victorias cada día. Esto es el crecimiento en Cristo, que da forma a la vida de acuerdo con el modelo divino" (*A fin de conocerle*, p. 56).

La sangre es la vida

Él nos amó y envió a su Hijo para que fuera ofrecido como sacrificio por el perdón de nuestros pecados (1 Juan 4:10)

MUCHA GENTE SE PREGUNTA POR QUÉ este énfasis en la sangre de Cristo. Para la mentalidad moderna no tiene mucho significado. No es un concepto que apela mucho al hombre de nuestros días. La razón de su uso profuso en el Nuevo Testamento se explica por el hecho de que la Biblia les está hablando a personas familiarizadas con el sistema de sacrificios del santuario. Es, ciertamente, otra época y una mentalidad distinta. Pero ellos sabían que sin derramamiento de sangre no había remisión del pecado. Por lo tanto, el énfasis se da para recalcar el hecho de que Cristo fue la víctima que derramó su sangre para la expiación del pecado de la humanidad.

También debemos recordar que la palabra sangre, como se usa en la Biblia, es sinónimo de vida. Cuando se usa el concepto de sangre derramada, lo que se quiere recalcar es la muerte, la pérdida de la vida. En la antigüedad, cuando se hablaba de la sangre se hacía referencia a la vida. Llegó a ser un símbolo de la vida. Dios dijo a Noé: "Pero no deberán comer carne con su vida, es decir, con su sangre" (Gén. 9:4). "Pero asegúrate de no comer la sangre, porque la sangre es la vida" (Deut. 12:23).

La prohibición de beber o comer la sangre se debía no solo a razones higiénicas, sino también a razones culturales. Había ritos paganos que incluían beber la sangre de animales, e incluso de seres humanos. Por eso Dios ordenó: "No coman nada que tenga sangre. No practiquen la adivinación ni los sortilegios" (Lev. 19:26). De allí la declaración contundente: "Todo el que coma cualquier clase de sangre, será eliminado de su pueblo" (Lev. 7:27).

Todas las cosas que se atribuyen a la sangre de Cristo, se atribuyen en realidad a su muerte. Es la muerte de Cristo lo que se enfatiza. De allí la paradoja: Su muerte nos da vida.

La fuente de bronce

El Señor le dijo: "Ve y consagra al pueblo hoy y mañana.
Diles que laven sus ropas" (Éxodo 19:10).

EL SEGUNDO MUEBLE CON GRAN significado espiritual era la fuente de bronce que se encontraba entre el altar de los sacrificios y el santuario propiamente dicho. Se nos dice que "con el bronce de los espejos de las mujeres que servían a la entrada de la Tienda de reunión, hizo el lavamanos y su pedestal" (Éxo. 38:8).

Se han hallado muchos espejos en las excavaciones de Oriente Medio y en Egipto, que estaban hechos de una mezcla de cobre y estaño, que conocemos como bronce. Se pulía hasta convertirlo en un espejo. Con este metal se hacía una fuente, que tenía el propósito de servir de lavatorio para que los sacerdotes se asearan antes de entrar al santuario para ofrecer los sacrificios. La instrucción era que "deberán lavarse con agua las manos y los pies para que no mueran" (Éxo. 30:20, 21). Dios quería imprimir la verdad básica de que su tabernáculo debía estar limpio, porque era lugar santo. Así como la gente en el Antiguo Oriente se quitaba las sandalias y se lavaba los pies antes de entrar a sus casas, Dios quería que los sacerdotes hicieran lo mismo antes de entrar al santuario.

Cuando el templo de Salomón reemplazó al santuario del desierto, la fuente de bronce fue sustituida por una más grande, se la llamaba mar. Medía unos cuatro metros y medio de diámetro, con tres de profundidad, y contenía como sesenta y cinco mil litros de agua. Allí se bañaban literalmente los sacerdotes antes de oficiar en el santuario.

Pero no solo se les exigía limpieza a los sacerdotes. El israelita común tenía que tener cuidado de no contaminar el campamento. Los que de alguna manera llegaban a contaminarse con algo inmundo, debían lavarse antes de entrar en sus moradas, ya que en el centro estaba el tabernáculo. Todo esto enseñaba cuánta importancia daba Dios a la limpieza y la higiene.

La limpieza interna

Ciertamente, la palabra de Dios es viva y poderosa, y más cortante que cualquier espada de dos filos. Penetra hasta lo más profundo del alma y del espíritu (Hebreos 4:12).

L A FUENTE DE BRONCE a la entrada del santuario indicaba cuán importante para Dios era la limpieza. También hoy Dios desea que sus hijos sean limpios y vivan de manera higiénica. La limpieza física era un símbolo de la limpieza espiritual que Dios demanda de sus adoradores.

Por lo tanto, la limpieza física no era el único motivo de la existencia de la fuente de bronce. Debe haber tenido un profundo significado espiritual tanto para los sacerdotes como para el pueblo en general. El término "fuente" que se usa en el Antiguo Testamento es usado dos veces en el Nuevo Testamento. El apóstol Pablo nos dice lo siguiente, hablando de la relación de Cristo con su iglesia: "Él la purificó, lavándola con agua mediante la palabra, para presentársela a sí mismo como una iglesia radiante, sin mancha ni arruga ni ninguna otra imperfección, sino santa e intachable" (Efe. 5:26, 27). Esta es una alusión a las costumbres nupciales del Oriente antiguo. Se bañaba y arreglaba cuidadosamente a la novia antes de que fuera presentada a su novio. En este pasaje, Cristo es quien purifica a la iglesia con el lavamiento del agua por la Palabra salvadora.

La Palabra de Dios limpia la vida de las personas. Jesús lo dijo en otros términos: "Santifícalos en la verdad; tu palabra es la verdad" (Juan 17:17). La Palabra de Dios tiene poder para transformar la vida de las personas. El cuerpo físico se limpia con agua, pero lo que la Biblia llama corazón, o sea, la mente, se limpia con la Palabra de Dios. Se nos dice que "La Palabra del Señor es vida y es poderosa, más aguda que cualquier espada de dos filos. Es poder cuando se la practica. La gran transformación que obra es interna. Comienza en el corazón y actúa hacia afuera" (*Alza tus ojos*, p. 28).

Limpieza interior

Porque de adentro, del corazón humano, salen los malos pensamientos, la inmoralidad sexual, los robos, los homicidios, los adulterios, la avaricia, la maldad, el engaño, el libertinaje, la envidia, la calumnia, la arrogancia y la necedad. Todos estos males vienen de adentro y contaminan a la persona (Marcos 7:21-23).

LA LIMPIEZA REQUERIDA en el santuario llega a ser un símbolo de la limpieza de la vida íntima, que se puede lograr por la lectura, aceptación y aplicación de la Palabra de Dios. Pero el apóstol aplica este concepto de lavamiento a la acción del Espíritu: "Nos salvó mediante el lavamiento de la regeneración y de la renovación por el Espíritu Santo, el cual fue derramado abundantemente sobre nosotros por medio de Jesucristo nuestro Salvador" (Tito 3:5, 6). Este pasaje nos dice que la regeneración y la renovación del Espíritu Santo en la vida es un tipo de lavamiento espiritual. El Espíritu de Dios es el agente divino en la renovación y limpieza del corazón humano.

En realidad, el Espíritu es el que ha dado la Palabra de Dios e inspira al creyente a leerla, para que sus principios puedan producir una limpieza espiritual. El Espíritu primero limpia la vida interna, los pensamientos y las intenciones del corazón. Quita los malos principios adquiridos o heredados, y establece los nuevos. Porque es el interior el que contamina lo exterior. Jesús lo dijo con claridad meridiana en nuestro pasaje de hoy. Quitar esos elementos malos de la mente y del corazón humano solo es posible mediante el poder de Dios. La ciencia moderna nos promete que la ingeniería genética podrá algún día manipular los genes humanos para eliminar todo lo malo que haya en ellos, a fin de producir personas buenas. Sin embargo, solo Dios limpia el corazón cada día.

Permitamos hoy que el Espíritu Santo realice su obra en nuestra vida.

Un pueblo limpio

*Todo lo que resista el fuego, deberá ser pasado
por el fuego para purificarse (Números 31:23).*

L A FUENTE DE BRONCE era símbolo de limpieza, exigida para los
servicios del santuario. Apuntaba también a la limpieza espiritual que
el Señor requería de todos los adoradores. La limpieza se conseguía
en el santuario. Después de ofrecer su sacrificio, el pecador retornaba a su
casa con una conciencia limpia y en paz con Dios.

Pero Dios quiere que no solo seamos limpios por dentro, sino también
por fuera. Y viceversa. Quiere mente limpia en cuerpo limpio. Y cuerpo
limpio en mente limpia. Por eso dio mandamientos concretos, para que
los que habitaban en el campamento que rodeaba al santuario vivieran en un
ambiente limpio. Como vivían en comunidad, era imperioso que para evitar
enfermedades, que traen sufrimiento y dolor, los niños tuvieran un campamento ordenado y limpio. Tanto ayer como hoy nos persigue la mugre.
En el mundo antiguo, y a veces en el moderno, la gente vivía rodeada
de basura y excrementos; los animales vivían en las casas y tiendas; y
las aguas frecuentemente estaban contaminadas con animales muertos. En
Oriente Medio, la gente se bañaba poco por la escasez de agua. Todo esto
daba origen a enfermedades y, por lo tanto, al dolor y sufrimiento. Las
plagas diezmaban y devastaban a los habitantes de ciudades y pueblos.
Los israelitas habían vivido así en Egipto durante 215 años, y se habían
acostumbrado a la idolatría y a la suciedad.

Dios sacó a su pueblo de la esclavitud egipcia para hacerlo un pueblo
libre, pero no solo de la esclavitud, sino también de la miseria y la mugre.
Los Diez Mandamientos iban a transformar la vida espiritual, la intimidad
y las relaciones humanas de Israel. Las leyes complementarias transforma-
rían su vida física y su ambiente natural. Dios quería que sus elegidos estuvieran exentos de enfermedades. Por lo tanto, les dio leyes y reglamentos
que tenían el propósito último de que vivieran en un ambiente higiénico
y saludable.

La limpieza ritual

Volveré mi mano contra ti, limpiaré tus escorias con lejía
y quitaré todas tus impurezas (Isaías 1:25).

DIOS QUERÍA que su pueblo no solo fuera limpio por dentro sino también por fuera. Ser felices por dentro, pero sufrir por fuera, no es el ideal de Dios para sus hijos. Así que el Señor, que creó nuestro cuerpo, sabe qué necesitamos para ser felices. Por eso limpia el pecado en nuestro corazón, y nos ayuda a que evitemos las consecuencias físicas del mal en el medio ambiente en el que vivimos. De ahí su interés en que sus hijos vivan lo más limpiamente posible en este mundo contaminado.

Por eso Dios quería que los israelitas vivieran en un campamento limpio e higiénico. Pero, ¿cómo enseñar limpieza e higiene a quienes no entendían sus principios básicos? Después de todo, los israelitas eran un conglomerado de esclavos, sin educación y sin principios saludables. Además, el mundo antiguo desconocía muchas cosas que nosotros sabemos sobre la limpieza y la higiene. Por ejemplo, desconocían la existencia de bacterias, gérmenes y virus. Recién en el siglo XIX, con las investigaciones de Louis Pasteur, se supo que existen microorganismos que causan enfermedades. Antes de ese descubrimiento, el origen de las enfermedades estaba rodeado de misterio y superstición.

¿Cómo podía Dios comunicar a su pueblo principios de limpieza e higiene, si los israelitas no tenían las bases para entender su instrucción? No podía decirles: "Tengan cuidado con la basura y los desperdicios, porque tienen unos seres pequeñitos que no se pueden ver pero que causan las enfermedades". O, "Lávense las manos antes de comer, porque al tocar las cosas sucias se les pegan unos animalitos invisibles que los pueden enfermar".

Sin embargo, Dios, el gran comunicador, encontró la manera de instruir a su pueblo en relación con los principios de la higiene. Empleó símbolos que que sí podían entender: Los servicios del santuario. Lo hizo mediante los conceptos de contaminación ritual e impureza ceremonial.

Mensaje oculto

Al séptimo día, lavarán ustedes sus vestidos y quedarán purificados.
Entonces podrán reintegrarse al campamento (Números 31:24).

DIOS DIO LEYES y reglamentos a su pueblo para que se libraran de los riesgos de enfermedades graves y disfrutara de salud. Estas indicaciones tenían como fundamento los principios sobre contaminación ritual e impureza ceremonial. Aunque estos principios tenían un primer significado espiritual, también tenían el propósito de que los israelitas alcanzaran plena salud física. Mediante los servicios del santuario, Dios enseñaba lecciones espirituales y también de higiene. Aunque la esencia de los servicios del santuario apuntaba al deseo de Dios de salvar a su pueblo y morar con él por medio de su tabernáculo. Cuando recorremos el Pentateuco, no hallamos muchas recomendaciones concretas para evitar la enfermedad y tener buena salud. Lo que se encuentra es una gran cantidad de instrucciones de cómo evitar la contaminación y la impureza ritual. Eso sí podía entender el pueblo.

Dios era un Dios santo. Su morada estaba entre los israelitas. Ellos acampaban en derredor del tabernáculo, la morada divina. En su altar no debían ofrecerse cosas inmundas. Todo debía ser limpio, porque Dios es santo y puro. Para desempeñar sus funciones, los sacerdotes debían purificarse. Los animales que se fuesen a sacrificar no debían tener defectos. Como todos vivían alrededor del santuario, debían tener sumo cuidado de no introducir cosas que contaminaran el campamento, y por ende al santuario. El fuego y el agua se usaban para la limpieza. De este modo, se garantizaba que la presencia de Dios en el campamento fuese permanente. Quien no cumpliera con las estipulaciones, debía ser eliminado del campamento. Nada impuro debía entrar en él, porque Dios moraba con su pueblo.

La desobediencia trae enfermedad

El Señor enviará contra ti y contra tus descendintes plagas terribles y persistentes, y enfermedades malignas e incurables (Deuteronomio 28:59).

TODAS LAS INSTRUCCIONES DIVINAS VINCULADAS con el santuario y sus servicios tenían, por lo tanto, dos propósitos: Uno espiritual, la expiación del pecado, y otro físico, la salud e higiene del pueblo. Así, los israelitas gozaron de un mayor grado de salud personal y comunitaria en comparación con los pueblos vecinos. La salud era un fruto natural de una buena relación con Dios, reflejada en la obediencia a las leyes y reglamentos del santuario. El Señor condescendió con la ignorancia de su pueblo, y de la época, y dio instrucciones con la finalidad última de que los israelitas alcanzaran salud y felicidad.

Hay un pasaje en el Pentateuco que revela este deseo velado de Dios de que su pueblo fuera saludable. Reveló claramente su propósito adicional. Dice así: "Les dijo: 'Yo soy el Señor su Dios. Si escuchan mi voz y hacen lo que yo considero justo, y si cumplen mis leyes y mandamientos, no traeré sobre ustedes ninguna de las enfermedades que traje sobre los egipcios. Yo soy el Señor, que les devuelve la salud'" (Éxo. 15:26). "El Señor te mantendrá libre de toda enfermedad y alejará de ti las horribles enfermedades que conociste en Egipto; en cambio, las reservará para tus enemigos" (Deut. 7:15). Se aprecia que si los israelitas cumplían con las leyes y mandamientos que Dios les daba, tendrían salud y estarían libres de las enfermedades que habían conocido en Egipto; y que, sin duda, muchos de ellos habían sufrido. Estas enfermedades no son generadas por Dios, sino por un estilo de vida alejado del Creador.

Por otra parte, la Biblia deja claro que si no guardaban las instrucciones divinas sucedería lo inverso: "Si ustedes no me obedecen ni ponen por obra todos estos mandamientos, sino que desprecian mis estatutos y aborrecen mis preceptos, y dejan de poner por obra todos mis mandamientos, violando así mi pacto, entonces yo mismo los castigaré con un terror repentino, con enfermedades y con fiebre que los debilitarán, les harán perder la vista y acabarán con su vida" (Lev. 26:14-16). "Sus hijos y las generaciones futuras, y los extranjeros que vengan de países lejanos, verán las calamidades y enfermedades con que el Señor habrá azotado esta tierra" (Deut. 29:22).

Las consecuencias del mal

Ya no habrá muerte, ni llanto, ni lamento ni dolor, porque las primeras cosas han dejado de existir (Apocalipsis 21:4).

LA OBEDIENCIA a las instrucciones de Dios generaba salud y bienestar físico; mientras que la desobediencia, enfermedad y sufrimiento. No es que Dios traiga salud o enfermedad directamente, sino que sus principios operan mediante la ley de causa y efecto. Dios no hace normalmente milagros para evitar que cosechemos lo que hemos sembrado. En algunas ocasiones lo ha hecho, cuando lo ve conveniente y apropiado de acuerdo a su sabiduría superior. El Señor sanó una vez a un paralítico, y luego le dijo: "Mira, ya has quedado sano. No vuelvas a pecar, no sea que te ocurra algo peor" (Juan 5:14). Estas palabras indican que, para Jesús, la parálisis del hombre era consecuencia de su vida de pecado; y que, por lo tanto, la enfermedad podría venir por el pecado.

Es importante reconocer que la enfermedad y la muerte son causadas por la existencia del pecado. El dolor y la infelicidad son productos del mal. Donde no hay pecado, no hay enfermedad. En la tierra nueva no habrá nada de esto, porque no existirá el mal. Sin embargo, no debemos pensar que toda enfermedad procede necesariamente de la desobediencia directa a la voluntad de Dios, ni que todo aquel que goza de bienestar físico vive necesariamente en armonía con Dios. En una ocasión, los discípulos de Jesús vieron a un hombre que sabían que había nacido ciego. Luego le preguntaron al Señor: "Rabí, para que este hombre haya nacido ciego, ¿quién pecó, él o sus padres?" (Juan 9:2, 3). Evidentemente, los discípulos pertenecían a esa clase de personas que creen que toda enfermedad viene directamente de un pecado cometido. Jesús no era de esa opinión: "Ni él pecó, ni sus padres [...], sino que esto sucedió para que la obra de Dios se hiciera evidente en su vida". El Señor rehusó juzgar la condición espiritual de las personas sobre la base de si tenían o no salud física.

Muerte y limpieza

Porque todos los que han sido bautizados en Cristo se han revestido de Cristo (Gálatas 3:27).

L A FUENTE DE BRONCE enfatizaba la limpieza física y espiritual que Dios demanda de su pueblo y de sus dirigentes. Es símbolo apropiado de lo que desea para sus hijos.

En el Nuevo Testamento hay dos ceremonias que coinciden con el simbolismo de la fuente de bronce; es decir, con la idea de que Dios ama la pureza. La primera es el bautismo. En esta ceremonia hay dos conceptos. En primer lugar, analicemos estas palabras: "¿Acaso no saben ustedes que todos los que fuimos bautizados para unirnos con Cristo Jesús, en realidad fuimos bautizados para participar en su muerte? Por tanto, mediante el bautismo fuimos sepultados con él en su muerte, a fin de que, así como Cristo resucitó por el poder del Padre, también nosotros llevemos una vida nueva" (Rom. 6:3, 4). En este pasaje, el apóstol asocia dos conceptos con la ceremonia bautismal. El primero es la idea de la muerte. El bautismo cristiano es un tipo de muerte espiritual. Las personas que se bautizan indican con ese acto que han muerto a su vida anterior de pecado. Si la persona que se bautiza no ha muerto a su vida anterior, y tiene un estilo de vida en armonía con Cristo, en realidad miente y, por lo tanto, su bautismo no vale nada. El acto bautismal solo tiene valor como símbolo de algo que ya ha sucedido, y que se manifiesta públicamente, pues el bautismo es una confesión pública de fe.

En segundo lugar, el bautismo, como su nombre lo indica, es inmersión en agua. El agua limpia, purifica, lava. Esta idea se relaciona directamente con la fuente de bronce. En la antigüedad, el agua era símbolo de limpieza. Bautizar significa sumergir, y esto conlleva la idea de limpieza total. Como el apóstol bien lo indica, el que se bautiza debe llevar una vida nueva. La vida nueva es manifestación de que la persona ha sido limpiada con la sangre de Cristo.

El polvo del camino

*El que ya se ha bañado no necesita lavarse más que los pies
(Juan 13:10).*

E N EL NUEVO TESTAMENTO, el bautismo es símbolo de purificación. La limpieza espiritual caracteriza la vida del nuevo creyente.
La "fuente" del bautismo representa el lavamiento de nuestros
pecados por la fe en la sangre derramada de Cristo.

La segunda ceremonia en el Nuevo Testamento que se relaciona con el
significado de la fuente de bronce, es la del rito de humildad. Vamos a leer-
lo: "Cuando llegó a Simón Pedro, este le dijo: '¿Y tú, Señor, me vas a lavar
los pies a mí?' 'Ahora no entiendes lo que estoy haciendo —le respondió
Jesús—, pero lo entenderás más tarde'. '¡No! —protestó Pedro—. ¡Jamás
me lavarás los pies!' 'Si no te los lavo, no tendrás parte conmigo'. 'Entonces,
Señor, ¡no solo los pies sino también las manos y la cabeza!' 'El que ya se ha
bañado no necesita lavarse más que los pies —le contestó Jesús—; pues ya
todo su cuerpo está limpio. Y ustedes ya están limpios, aunque no todos'"
(Juan 13:6-10).

Por medio de esa ceremonia, Jesús enfatizó la necesidad de la pureza
para relacionarnos con él. No necesitamos ser puros para ir a él. Pero
eso, nos purifica. No podemos participar en su comunión a menos que
estemos limpios. Así como los adoradores del santuario debían estar limpios
para presentarse ante Dios, del mismo modo hoy no podemos tener comunión con Cristo a menos que estemos limpios del polvo del camino de la
vida. Aun cuando ya hemos dado el paso del bautismo y hemos limpiado
nuestra vida pasada, todavía se ensucia por el diario trato con la contaminación del mal que nos rodea. Es necesaria el agua del lebrillo para estar
nuevamente limpios. Jesús se lo dijo claro a Pedro: "Si no te los lavo, no
tendrás parte conmigo".

El servicio del lavamiento de los pies es una ceremonia que expresa
algo que ya sucedió en nosotros. Si esto no es una realidad, el lavamiento
de los pies es un acto engañoso que no tiene ningún valor.

El pan de la Presencia

"Sobre la mesa pondrás el pan de la Presencia, para que esté ante mí siempre" (Éxodo 25:30).

AL SANTUARIO se lo conoce también con el nombre de tabernáculo. Este término significa tienda o morada. Dios ordenó a Moisés que hiciera un santuario porque quería morar con su pueblo. Así que el santuario era la tienda de Dios, la morada del Altísimo en la tierra. La forma como estaba distribuido el santuario también señala en esta dirección. La primera parte, o lugar santo, era una especie de estancia. Allí estaban los muebles regulares de una habitación: Mesa para la comida, candelabro para la iluminación, y altar de incienso para perfumar el ambiente. Más allá se hallaba el lugar santísimo, donde estaba la alcoba, por decirlo así. Allí estaba el arca del pacto que contenía las dos tablas de piedra con las bases del pacto. Allí se manifestaba la *shekina*, o presencia de Dios. Por eso se la llama el tabernáculo, porque era la morada de Dios con su pueblo, un símbolo de su presencia.

Dios le dio instrucciones a Moisés: "Coloca la mesa fuera de la cortina, en el lado norte del santuario" (Éxo. 26:35). A la derecha de la entrada estaba la mesa de los panes. Dios no necesitaba esto, porque no come pan, pero era un símbolo apropiado de su presencia. El procedimiento era que: "Sobre esta mesa los sacerdotes debían poner cada sábado doce panes, arreglados en dos pilas y rociados con incienso. Por ser santos, los panes que se quitaban, debían ser comidos por los sacerdotes" (*Patriarcas y profetas*, p. 359). Cada uno era hecho con casi dos kilos y medio de harina. Eran, pues, de buen tamaño. Los sacerdotes que se retiraban del servicio en el santuario, quitaban el pan de la mesa; y los sacerdotes que comenzaban a servir, colocaban el pan fresco. Sobre la mesa también había otros utensilios, lo que llamaríamos cubiertos: "Los utensilios para la mesa, y sus platos, bandejas, tazones, y jarras para derramar las ofrendas de libación, los hizo de oro puro" (Éxo. 37:16).

El pan vivo

"Yo soy el pan de vida —declaró Jesús—.
El que a mí viene nunca pasará hambre" (Juan 6:35).

DIOS ORDENÓ que en el santuario hubiese una mesa, sobre la que se colocaban los panes de la presencia de Dios; un símbolo de su morada. Los panes venían acompañados de los utensilios, con los cuales se partía el pan que iba a ser comido. Dios no comía los panes, sino los sacerdotes cuando terminaba el ciclo semanal.

Obviamente, esto debía tener una significación espiritual, como sucede con los otros elementos y servicios del santuario. Del pan de la Presencia se nos dice: "Era un reconocimiento de que el hombre depende de Dios tanto para su alimento temporal como para el espiritual, y de que se lo recibe únicamente en virtud de la mediación de Cristo" (*Patriarcas y profetas*, p. 367). Era una especie de "señal de perpetua ofrenda de gratitud a Dios por las bendiciones recibidas diariamente de su mano" (*Comentario bíblico adventista*, t. 1, p. 649). Esta era otra de las ofrendas que formaban parte del servicio continuo del santuario. Se tenía, pues, cuidado de colocar una remesa de pan fresco, pues siempre debía haber pan sobre la mesa, así como debía haber siempre un holocausto sobre el altar (2 Crón. 2:4).

El pan de la proposición era ofrecido a Dios en señal del "pacto perpetuo" (Lev. 24:8). Era el testimonio perpetuo de que Israel dependía de Dios para recibir sustento y vida. De parte de Dios, era una promesa continua de que mantendría la provisión de alimento para su pueblo.

En el Nuevo Testamento, los cristianos también participan de una mesa: la del Señor (Luc. 22:30; 1 Cor. 10:21). En la antigüedad, los sacerdotes comían el pan que representaba a Aquel que moraba entre ellos; hoy, cuando partimos el pan, los cristianos comemos simbólicamente el cuerpo de Cristo. El pan es símbolo de que el Señor estará siempre entre nosotros (1 Cor. 11:24). El pan es el cuerpo de Cristo, quebrantado por nosotros. La copa es el nuevo pacto en su sangre (1 Cor. 11:24, 25).

¿Cómo comer este pan?

Yo soy el pan vivo que bajó del cielo. Si alguno come de este pan,
vivirá para siempre. Este pan es mi carne, que daré
para que el mundo viva (Juan 6:51).

ASÍ COMO DIOS se presentó en la antigüedad como el pan de la Presencia, que los sacerdotes debían comer, así se presenta Cristo en el Nuevo Testamento como nuestro pan, del que debemos alimentarnos si queremos vivir para siempre. La pregunta que surge es: ¿Cómo podemos alimentarnos de Cristo?

El profeta Jeremías escribió: "Al encontrarme con tus palabras, yo las devoraba; ellas eran mi gozo y la alegría de mi corazón" (Jer. 15:16). El profeta se alimentaba de las palabras de Dios. Nuestro Señor dijo: "Escrito está: 'No solo de pan vive el hombre, sino de toda palabra que sale de la boca de Dios'" (Mat. 4:4). Así como el cuerpo necesita el alimento material, el alma necesita el alimento celestial para su sostén. "Languideceremos si no participamos del alimento físico; del mismo modo, perderemos nuestra fuerza y vitalidad espirituales si no nos alimentamos del pan espiritual" (*Dios nos cuida*, p. 69). "Así como nuestra vida física es sostenida por el alimento, nuestra vida espiritual es sostenida por la palabra de Dios" (*El Deseado de todas las gentes*, p. 355).

La Palabra de Dios es el alimento por excelencia para el alma. Se nos dice: "El alma necesita alimento, y a fin de conseguirlo, debe estudiarse la Palabra de Dios" (*Alza tus ojos*, p. 172). "A todos los que estudian la Palabra se los representa como alimentándose de la Palabra, esto es, de Cristo" (*Consejos sobre la obra de la Escuela Sabática*, p. 47). "Así como las necesidades corporales deben ser suplidas todos los días, la Palabra de Dios debe ser estudiada cotidianamente: debe ser comida, digerida y practicada" (*ibíd.*)

"Cada alma ha de recibir vida de la Palabra de Dios para sí. Como debemos comer por nosotros mismos a fin de recibir alimento, así hemos de recibir la Palabra por nosotros mismos. No hemos de obtenerla simplemente por medio de otra mente. Debemos estudiar cuidadosamente la Biblia, pidiendo a Dios la ayuda del Espíritu Santo a fin de comprender su Palabra" (*El Deseado de todas las gentes*, pp. 354, 355).

El candelabro de oro

El Señor es mi luz y mi salvación; ¿a quién temeré? (Salmo 27:1).

A MANO IZQUIERDA DE LA ENTRADA al lugar santo del santuario, se hallaba un candelabro de oro para iluminar el interior. A Moisés se le dijo: "Haz un candelabro de oro puro labrado a martillo [...]. Hazle también sus siete lámparas, y colócalas de tal modo que alumbren hacia el frente [...]. Para hacer el candelabro y todos estos accesorios se usarán treinta y tres kilos de oro puro" (Éxo. 25:31, 37, 39). "El candelabro lo pondrás frente a la mesa, en el lado sur" (26:35). Como el santuario era una tienda cerrada a la vista exterior, se necesitaba iluminación interna, aun durante el día: "Estos sagrados compartimientos no tenían ventanas que permitieran entrar la luz. El candelabro hecho de puro oro se mantenía encendido de noche y de día, y proporcionaba luz para ambos compartimientos" (*La historia de la redención,* pp. 158, 159).

Además del fin práctico de iluminar, el candelabro, como los otros muebles, tenía un significado espiritual para el pueblo y los sacerdotes que oficiaban allí. Simbolizaba la luz de Dios que iluminaba al pueblo. Esa luz proviene del santuario. Afuera del tabernáculo se enseñaba esto con más fuerza aún, ya que durante la noche había una columna de fuego que se posaba sobre el santuario e iluminaba el campamento: "Jamás la columna de nube dejaba de guiar al pueblo durante el día, ni la columna de fuego durante la noche" (Éxo. 13:22). Esta columna de fuego sobre el santuario representaba el hecho de que Dios era su guía, conductor y protector.

Por lo tanto, el candelabro era una representación de que Dios es la luz de su pueblo. No debe haber sido muy difícil llegar a esa conclusión, ya que la luz es un símbolo claro de guía, orientación y enseñanza. De este modo, el proverbista decía: "El mandamiento es una lámpara, la enseñanza es una luz y la disciplina es el camino a la vida" (Prov. 6:23).

Nacidos para iluminar

¡Levántate y resplandece, que tu luz ha llegado! ¡La gloria del Señor brilla sobre ti! Mira, las tinieblas cubren la tierra, y una densa oscuridad se cierne sobre los pueblos. Pero la aurora del Señor brillará sobre ti; ¡sobre ti se manifestará su gloria! Las naciones serán guiadas por tu luz, y los reyes, por tu amanecer esplendoroso (Isaías 60:1-3).

NO ERA MUY DIFÍCIL que una mente perceptiva pudiera llegar a la conclusión de que el candelabro, con sus siete lámparas que iluminaban internamente el santuario, fuese un símbolo apropiado de Dios, quien es la luz de su pueblo.

Del mismo modo, no habrán faltado personas que pensaran que esa luz del candelabro también era un símbolo de lo que Dios quería que fuese su pueblo. Después de todo, Dios no nos da nada para que lo gocemos egoístamente. Lo que nos da es para compartirlo. Si nos ha iluminado con su Palabra y su presencia, es para que nosotros compartamos esa luz con otros. Por tanto, el candelabro representaba a Israel: Una nación que Dios levantó para ser la luz del mundo. El profeta Isaías recibió este mensaje del Señor: "Yo, el Señor, te he llamado en justicia; te he tomado de la mano. Yo te formé, yo te constituí como pacto para el pueblo, como luz para las naciones, para abrir los ojos de los ciegos, para librar de la cárcel a los presos, y del calabozo a los que habitan en tinieblas" (Isa. 42:6, 7). Estas fueron las palabras que Jesús creyó que se referían a su misión y ministerio. Mucha otra gente debe haber pensado lo mismo del destino de Israel como nación. Estas otras palabras tuvieron el mismo efecto: "No es gran cosa que seas mi siervo, ni que restaures a las tribus de Jacob, ni que hagas volver a los de Israel, a quienes he preservado. Yo te pongo ahora como luz para las naciones, a fin de que lleves mi salvación hasta los confines de la tierra" (Isa. 49:6).

La luz se apagó

Por eso el derecho está lejos de nosotros, y la justicia queda fuera de nuestro alcance. Esperábamos luz, pero todo es tinieblas; claridad, pero andamos en densa oscuridad. Vamos palpando la pared como los ciegos, andamos a tientas como los que no tienen ojos. En pleno mediodía tropezamos como si fuera de noche; teniendo fuerzas, estamos como muertos (Isaías 59:9, 10).

AÚN HOY, EL CANDELABRO ES UN SÍMBOLO de Israel como nación. Esta idea de ser la luz del mundo, los judíos la tomaron muy a pecho, pues cuando los turistas visitan Israel, ven candelabros en diferentes lugares del país. A lo largo de los siglos llegó a ser un símbolo frecuente en el arte judío grabado en sarcófagos, lápidas, dinteles de puertas, y, muy especialmente, en las sinagogas.

Sin embargo, escoger algo como nuestro símbolo, no necesariamente nos convierte a la idea que el símbolo conlleva, a menos que ejerzamos la voluntad de hacerlo. Esto le faltó a Israel. Como nación fracasó en ser la luz que Dios quería que fuese.

Lo que le pasó posteriormente al candelabro literal fue una representación de lo que sucedió a Israel como nación. Durante el reinado de David y Salomón, parecía que iba a cumplirse el ideal de Dios de que su pueblo fuese una nación próspera que llevase el conocimiento divino al mundo entero. Cuando Salomón construyó el templo, reemplazó el único candelabro del santuario del desierto por diez: cinco de cada lado del santuario (1 Rey. 7:49; 2 Crón. 4:7). Durante su reinado, el ideal de Dios para Israel empezó a cumplirse, pero duró muy poco. Salomón apostató y se extinguió su lámpara. La idolatría apagó el candelabro de Israel. El reino se dividió, y cayó en poder de naciones extranjeras.

El candelabro desapareció

Pues bien, la casa de ustedes va a quedar abandonada (Mateo 23:38).

E
L IDEAL DE DIOS para Israel de que fuese una luz en el mundo no se cumplió plenamente. A causa de la idolatría de Salomón y de los reyes posteriores, su candelero se apagó. Los asirios destruyeron el reino del norte, y los babilonios el reino del sur. Nabucodonosor se llevó los candelabros a Babilonia (Jer. 52:19); representación triste y dramática de lo que le pasó a Israel como nación.

Cuando Dios trajo del exilio babilónico a su pueblo y edificaron de nuevo el templo de Jerusalén, este santuario tenía un solo candelabro, como el del tabernáculo del desierto. No se sabe si lo trajeron de Babilonia o lo hicieron de nuevo. Pero al regreso, los ideales de reconstruir la nación para que fuese luz de las gentes, como Dios quería, pronto se eclipsó de nuevo. Los seléucidas invadieron el país, y su rey Antíoco IV Epífanes se llevó el candelabro a su tierra, después de profanar el templo (1 Macabeos 1:20, 21; versión católica). Pocos años después, los servicios del templo fueron restablecidos, y Judas Macabeo mandó hacer otro candelabro (1 Macabeos 4:49). Cuando Herodes el Grande remodeló el templo de Jerusalén, lo reemplazó por uno mucho más grande.

Pero los dirigentes del pueblo rechazaron a Jesús como el Mesías, y con ello la oportunidad de cumplir el ideal de Dios para la nación judía. Cuando en cumplimiento de la profecía de Jesús, los romanos destruyeron Jerusalén y el templo en el 70 d.C., se apoderaron del candelabro y se lo llevaron a Roma, donde lo exhibieron en la procesión triunfal de Tito, junto con miles de judíos prisioneros, como lo muestra el relieve del Arco del Triunfo que aún existe en la ciudad. El candelabro permaneció en Roma hasta que los vándalos lo transportaron a Cartago en 455 d.C. El general romano Belisario lo rescató y lo llevó a Constantinopla en 534 d.C. Más tarde, fue restituido a Jerusalén por el emperador Justiniano. Después, probablemente, fue llevado al oriente por los persas cuando saquearon Jerusalén (614 d.C.). Desde entonces no se supo nada más de él.

Luz en la oscuridad

El pueblo que habitaba en la oscuridad ha visto una gran luz; sobre los que vivían en densas tinieblas la luz ha resplandecido (Mateo 4:16).

LA TRISTE SUERTE DEL CANDELABRO DEL TEMPLO de ser llevado de aquí para allá representa muy bien las peregrinaciones de Israel, que permitió que se extinguiera la luz de Dios en sus vidas. Cuando se frustra por nuestra desobediencia el propósito divino de que seamos luz, lo que nos queda son tinieblas y oscuridad.

Sin embargo, este candelabro llegó a ser símbolo apropiado de la luz que Cristo trajo al mundo. De Cristo se dijo: "En él estaba la vida, y la vida era la luz de la humanidad. Esta luz resplandece en las tinieblas, y las tinieblas no han podido extinguirla" (Juan 1:4, 5). "Esa luz verdadera, la que alumbra a todo ser humano, venía a este mundo" (vers. 9). Varias veces Jesús se refirió a su persona y a sus enseñanzas como la luz: "Una vez más Jesús se dirigió a la gente, y les dijo: 'Yo soy la luz del mundo. El que me sigue no anda en tinieblas, sino que tendrá la luz de la vida'" (Juan 8:12). "Mientras esté yo en el mundo, luz soy del mundo" (Juan 9:5). "Yo soy la luz que ha venido al mundo, para que todo el que crea en mí no viva en tinieblas" (Juan 12:46). "Esta es la causa de la condenación: que la luz vino al mundo, pero la humanidad prefirió las tinieblas a la luz, porque sus hechos eran perversos" (Juan 3:19).

Cuando aceptamos esa luz, nuestra vida se vuelve luminosa; cuando la rechazamos, se vuelve tenebrosa. Puesto que Israel como nación fracasó en ser luz para otros cuando rechazó al Mesías, Dios usó a otras personas para que lleven su luz a todo el mundo. El candelabro del conocimiento de Dios iluminó de esta manera al mundo gentil. Así lo reconoció Simeón cuando tomó al niño Jesús en sus brazos, y dijo: "Luz que ilumina a las naciones y gloria de tu pueblo Israel" (Luc. 2:30-32).

La venida de Cristo trajo esperanza y luz a los que vivían en tinieblas.

Luces en el mundo

Asegúrate de que la luz que crees tener no sea oscuridad (Lucas 11:35).

PUESTO QUE CRISTO ES LA LUZ QUE ILUMINA a este mundo, no es extraño que haya encomendado a sus seguidores que difundan esa luz. Cuando aceptamos seguir a Cristo y nos convertimos en sus discípulos, adquirimos la obligación moral de reflejar esa luz que llena nuestra vida. Es imposible que un verdadero cristiano no se convierta en luz para otros. Vivimos en un mundo tenebroso, y cuando los principios cristianos llegan a ser parte de la vida de sus seguidores, brillan natural-mente. Por eso Jesús dijo: "Ustedes son la luz del mundo. Una ciudad en lo alto de una colina no puede esconderse. Ni se enciende una lámpara para cubrirla con un cajón. Por el contrario, se pone en la repisa para que alumbre a todos los que están en la casa. Hagan brillar su luz delante de todos, para que ellos puedan ver las buenas obras de ustedes y alaben al Padre que está en el cielo" (Mat. 5:14-16). Nuestro Señor vinculó el acto cristiano de brillar con el ejercicio de las buenas obras. Son el resultado de un carácter bueno. Cuando Cristo vive en el corazón, es imposible esconderlo. Por eso el apóstol nos dice: "Todos ustedes son hijos de la luz y del día" (1 Tes. 5:5).

Cuando no se vive cristianamente, entonces se vive en oscuridad. Las tinieblas son un símbolo de las obras malas y del carácter pecaminoso: "No somos de la noche ni de la oscuridad. No debemos, pues, dormirnos como los demás, sino mantenernos alerta y en nuestro sano juicio. Los que duermen, de noche duermen, y los que se emborrachan, de noche se embo-rrachan. Nosotros que somos del día, por el contrario, estemos siempre en nuestro sano juicio, protegidos por la coraza de la fe y del amor, y por el casco de la esperanza de salvación" (1 Tes. 5:5-8).

Cristo quiere que su iglesia sea una luz en el mundo: "Porque ustedes antes eran oscuridad, pero ahora son luz en el Señor. Vivan como hijos de luz" (Efe. 5:8).

El arca del pacto

Yo me reuniré allí contigo en medio de los dos querubines que están sobre el arca del pacto. Desde la parte superior del propiciatorio te daré todas las instrucciones que habrás de comunicarles a los israelitas (Éxodo 25:22).

EL ARCA DEL PACTO ERA EL CENTRO del sistema de sacrificios del santuario. Era un cofre de madera de acacia recubierta de oro por dentro y por fuera. Tenía encima una cornisa o cubierta de oro, llamada propiciatorio, con dos efigies de querubines a los lados que miraban en actitud reverente hacia dentro del arca. Estaba ubicada en el lugar santísimo, y era el símbolo por excelencia de la presencia de Dios y su morada con su pueblo. Era el mueble más importante del santuario.

Se la conoce como Arca del Testimonio, porque contenía las dos tablas de piedra escritas con el dedo de Dios, llamadas "el Testimonio": "En el Arca pondrás el Testimonio que yo te daré" (Éxo. 25:16; RV95). Deben haberse llamado así porque eran el testimonio escrito del pacto que Dios hizo con su pueblo. Por eso también se las conoce como el Pacto, de donde era el Arca del Pacto (Éxo. 25:22). Durante algún tiempo contuvo una muestra del maná con que Dios alimentó a los israelitas en el desierto, y la vara de Aarón que reverdeció como símbolo de la elección que Dios hizo de su familia para que fuesen los únicos sacerdotes que oficiaran en el santuario.

El Arca pasó del tabernáculo del desierto al templo que Salomón construyó, después de una estancia breve en una tienda especial que David hizo para ella en Jerusalén. Antes de que Nabucodonosor destruyera Jerusalén y el templo, de acuerdo a cierta tradición judía, unos sacerdotes escondieron el arca en una cueva cercana. Esto ha originado mucha especulación sobre su ubicación, y una ferviente búsqueda en tiempos modernos. La Biblia no dice nada al respecto, pero es posible que Dios permita que se descubra en el futuro para exaltar los principios de su ley.

Justicia y amor

El amor y la verdad se encontrarán; se besarán la paz y la justicia (Salmo 85:10).

EL ARCA DEL PACTO era el mueble más importante del santuario. Era símbolo de la presencia de Dios; y desde allí, el Señor declaraba su voluntad a Moisés y a Israel. Contenía los Diez Mandamientos, que eran las estipulaciones del pacto.

Para aplicar estos mandamientos a la vida diaria del pueblo, a Moisés se le ordenó que escribiera un libro que contenía leyes y reglamentos complementarios. Las leyes contenidas en este libro eran explicaciones prácticas de los principios de la ley de Dios. Se le instruyó que colocara el libro al lado del Arca: "Moisés terminó de escribir en un libro todas las palabras de esta ley. Luego dio esta orden a los levitas que transportaban el arca del pacto del Señor: 'Tomen este libro de la ley, y pónganlo junto al arca del pacto del Señor su Dios'" (Deut. 31:24-26). Se lo conoce como el libro del pacto: "Después tomó el libro del pacto y lo leyó ante el pueblo, y ellos respondieron: 'Haremos todo lo que el Señor ha dicho, y le obedeceremos'" (Éxo. 24:7). A este libro se lo conoció como la ley de Moisés. Estas leyes también eran llamadas derechos, porque iban a servir como código de leyes para juzgar las acciones del pueblo: "A diferencia de los Diez Mandamientos, estos "derechos" fueron dados en privado a Moisés, quien había de comunicarlos al pueblo" (*Patriarcas y profetas*, p. 319).

Durante los días en que reflexionamos sobre los Diez Mandamientos, leímos que la ley de Dios es un trasunto de su carácter. En el arca del pacto se revelaba el carácter de Dios. En primer lugar, su justicia. La ley de Dios es justa porque él lo es. Pero la ley condena al transgresor con la muerte. Por eso, encima del arca estaba el propiciatorio, donde se rociaba la sangre que expiaba el pecado. Allí se revelaba la misericordia divina. El arca nos dice que el Señor es justo, pero también que es un Dios de amor.

El sacerdocio del santuario

Ningún descendiente del sacerdote Aarón que tenga algún defecto podrá acercarse a presentar al Señor las ofrendas por fuego (Levítico 21:21).

TANTO EL SANTUARIO propiamente dicho, como los servicios que se realizaban en él, eran un medio educativo gracias al cual Dios quería enseñar a su pueblo las verdades fundamentales del plan de salvación. La figura central del santuario era el sacerdote. Era el intermediario entre el pueblo y Dios. De hecho, era el representante del pueblo ante Dios. En esto se distingue del profeta. Los sacerdotes llevaban las ofrendas y el pecado del pueblo ante Dios; los profetas llevaban los mensajes de Dios al pueblo. Sus oficios eran distintos y complementarios.

Pero ambos eran elegidos por Dios. Los hombres no intervenían para nada en su elección. Los sacerdotes fueron escogidos mediante la familia de Aarón. Él fue el primer sacerdote a quien Dios eligió para ser el representante del pueblo. De allí en adelante, todos los sacerdotes debían ser de la familia de Aarón. Dios los escogió para que intercedieran por el pueblo en el santuario y conservaran la pureza de los servicios religiosos, a fin de preservar las verdades solemnes para las generaciones venideras.

El sacerdote, entonces, en virtud de su elevado rango y las responsabilidades que se le confirieron, llegó a ser un símbolo importante del Mesías. El sumo sacerdote, con su papel preponderante en el Día de la Expiación y su función trascendental como juez de la nación, debía representar el carácter de Dios, y, en particular, ser un tipo del Mesías venidero.

Como tales debían mantenerse apartados de la contaminación: "Como jefes de su pueblo, no deben hacerse impuros ni contaminarse [...]. Considéralo santo, porque él ofrece el pan de tu Dios. Santo será para ti, porque santo soy yo, el Señor, que los santifico a ustedes" (Lev. 21:4, 8).

Cristo, sacerdote fiel I

Ya que en Jesús, el Hijo de Dios, tenemos un gran sumo sacerdote
que ha atravesado los cielos, aferrémonos a la fe que profesamos
(Hebreos 4:14).

EL SACERDOCIO DEL SANTUARIO llegó a ser un símbolo del Mesías venidero. Especialmente el sumo sacerdote encarnaba con más dignidad ese papel mesiánico.

Para varios escritores del Nuevo Testamento, Cristo vino a cumplir las funciones del sumo sacerdote del santuario. Él llegó a ser nuestro sumo sacerdote por excelencia. Especialmente el autor de la Epístola a los Hebreos se concentró en desarrollar la función sacerdotal de Cristo a la luz del sacerdocio terrenal. El sumo sacerdote aarónico proveyó a Pablo las ideas básicas para hablar del ministerio de Cristo.

El primer asunto que Hebreos trata en relación con este simbolismo, es el carácter fiel y misericordioso de Cristo como sumo sacerdote ante Dios: "Por eso era preciso que en todo se asemejara a sus hermanos, para ser un sumo sacerdote fiel y misericordioso al servicio de Dios, a fin de expiar los pecados del pueblo. Por haber sufrido él mismo la tentación, puede socorrer a los que son tentados" (Heb. 2:17, 18). Dos aspectos se mencionan en relación con este simbolismo sacerdotal. Primero, que Cristo fue hecho semejante a sus hermanos. Así como el sumo sacerdote era tomado de entre los hombres, así Jesús adoptó la naturaleza humana para ser semejante a sus representados. Se suponía que el sumo sacerdote, por ser israelita y ser humano, debía compadecerse de sus congéneres. De ese modo, podía ser fiel y misericordioso con el pueblo a quien servía en el santuario, donde se expiaban los pecados de todos los israelitas.

En segundo lugar, el sumo sacerdote, por participar de la humanidad, estaba sujeto a la tentación y al pecado. Como tal, podía entender a sus hermanos cuando luchaban contra la tentación y caían víctimas del mal. Él los podía entender para socorrerlos en sus problemas espirituales.

De igual modo, Cristo adoptó plenamente la naturaleza humana, incluso con la posibilidad de caer en la tentación. Como bien lo sabemos, Jesús fue sometido a fieras tentaciones por el enemigo del hombre. Pero, gracias a Dios, salió victorioso.

Cristo, sacerdote fiel II

Por lo tanto, hermanos, ustedes que han sido santificados y que tienen parte en el mismo llamamiento celestial, consideren a Jesús, apóstol y sumo sacerdote de la fe que profesamos. Él fue fiel al que lo nombró (Hebreos 3:1, 2).

EL AUTOR DE LA CARTA a los Hebreos habló del ministerio de Cristo en términos del ministerio sacerdotal del santuario. Pero para Pablo, las diferencias entre ambos sacerdocios son tan notables como los parecidos. La primera gran diferencia la repasamos ayer: Cristo fue tentado en todo, pero sin pecado. Este concepto de la inocencia de Jesús es realmente extraordinario. Es verdad, como ya vimos, Jesús no tenía inclinación al mal. No nació con tendencia al pecado, como nosotros, porque no vino a ocupar nuestro lugar, sino el lugar de Adán, que tampoco fue creado con tendencia al mal. Tenía, como Adán, la posibilidad de ser tentado y de ceder a la tentación, porque no fue creado impecable. Pero, a diferencia de Adán, escogió ser fiel.

Esto hace que su sacerdocio sea mejor y más excelso que el sacerdocio aarónico. Aarón no fue siempre fiel al que lo nombró. Para comenzar, al mismo pie del monte Sinaí, bajo la presión del pueblo, hizo un becerro de oro, y dijo: "Israel, ¡aquí tienes a tu dios que te sacó de Egipto!" (Éxo. 32:4). De allí en adelante cometió muchos pecados, y a menudo fue infiel. Por esta razón tenía que ofrecer un becerro para su perdón y el de su familia en el Día de la Expiación (Lev. 16).

Pero Jesús no tuvo que hacer esto, porque fue intachable y fiel sumo sacerdote. Notemos: "Nos convenía tener un sumo sacerdote así: santo, irreprochable, puro, apartado de los pecadores y exaltado sobre los cielos. A diferencia de los otros sumo sacerdotes, él no tiene que ofrecer sacrificios día tras día, primero por sus propios pecados y luego por los del pueblo; porque él ofreció el sacrificio una sola vez y para siempre cuando se ofreció a sí mismo" (Heb. 7:26, 27).

Sacerdote elegido por Dios

Se rebajó voluntariamente, tomando la naturaleza de siervo y haciéndose semejante a los seres humanos. Y al manifestarse como hombre, se humilló a sí mismo y se hizo obediente hasta la muerte, ¡y muerte de cruz! (Filipenses 2:7, 8).

DIOS ELIGIÓ A AARÓN para ser sumo sacerdote y representante del pueblo delante de él. Aarón no se eligió a sí mismo, sino que Dios le confirió el cargo. La Escritura dice: "Nadie ocupa ese cargo por iniciativa propia; más bien, lo ocupa el que es llamado por Dios, como sucedió con Aarón" (Heb. 5:4). Hubo muchos que pensaron que era injusto que Dios eligiera solo a Aarón y su familia para desempeñar esa función. La rebelión de Coré, Datán y Abiram sirve para ilustrar el asunto. Coré y otros levitas, así como otros líderes del pueblo, pensaron que había injusticia en el nombramiento exclusivo de Aarón y su familia para el cargo sacerdotal. Pero Dios, por medio de una intervención dramática, donde la tierra se abrió y tragó a los líderes rebeldes, y con el milagro del reverdecimiento de la vara de Aarón, dejó claro, de una vez y para siempre, cuál era su voluntad. Dios es soberano y elige al que quiere.

El principio fundamental de la democracia moderna, en la que el pueblo elige a sus representantes, no funciona aquí. La razón es doble: En primer lugar, Israel no tenía una democracia, sino una teocracia; en segundo lugar, no se podía nombrar a cualquiera para un cargo tan importante donde había tanto en juego. Por eso Dios ejerció su derecho de escoger al representante del pueblo.

Del mismo modo, Jesús no se eligió a sí mismo como sacerdote. Dios lo eligió: "Tampoco Cristo se glorificó a sí mismo haciéndose sumo sacerdote, sino que Dios le dijo: 'Tú eres mi hijo; hoy mismo te he engendrado'" (Heb. 5:5). Y en el siguiente pasaje dice: "Tú eres sacerdote para siempre, según el orden de Melquisedec" (vers. 6).

Cristo, como Hijo, aceptó la comisión de su Padre de venir al mundo a representar a los seres humanos ante Dios, con todo lo que esto implicaba.

Cambio de orden sacerdotal

Dios lo nombró sumo sacerdote según el orden de Melquisedec
(Hebreos 5:10)

AUNQUE EL SACERDOCIO AARÓNICO, y especialmente el sumo sacerdocio del santuario, era un símbolo del Mesías venidero, de acuerdo al autor de Hebreos hay una gran diferencia entre aquel sacerdocio y el de Cristo. En cierto sentido, el sacerdocio espiritual de Cristo no es modelado por el sacerdocio aarónico, sino por el de Melquisedec. Veamos: "Y en otro pasaje dice: 'Tú eres sacerdote para siempre, según el orden de Melquisedec'" (Heb. 5:6).

La razón de este cambio se debió a que, de acuerdo a la Escritura, el Mesías sería descendiente de David, y David pertenecía a la tribu de Judá, no a la de Leví, que era la tribu a la que pertenecía Aarón. Si el Mesías iba a venir del linaje de David, entonces no podría ser sacerdote, ya que solo los descendientes de Aarón podían serlo, de acuerdo a la estipulación divina. El argumento del autor de Hebreos de que Cristo era el sacerdote tipificado por el sacerdocio levítico, quedaba sin efecto, ya que se podría argumentar que Cristo no era descendiente de Aarón. Pero nuestro autor dice, citando el Salmo 110, que Cristo fue sumo sacerdote de acuerdo a otro orden sacerdotal, el de Melquisedec. Este fue un giro de interpretación muy importante, que Pablo hizo para mantener de manera consistente el sacerdocio de Cristo, ya que las funciones de sumo sacerdote y de rey se consideraban distintas y separadas por decreto divino. Los descendientes de Aarón no debían ser reyes, ni los reyes debían ejercer el sacerdocio. Esto lo reconoce el autor de Hebreos: "En efecto, Jesús, de quien se dicen estas cosas, era de otra tribu, de la cual nadie se ha dedicado al servicio del altar. Es evidente que nuestro Señor procedía de la tribu de Judá, respecto a la cual nada dijo Moisés con relación al sacerdocio" (Heb. 7:13, 14). El sacerdocio de Cristo es, entonces, un sacerdocio diferente, un sacerdocio espiritual.

Sacerdote para siempre

Tú eres sacerdote para siempre (Salmo 110:4).

DE ACUERDO A LA LEY del sacerdocio aarónico, los sacerdotes no podían ser reyes, ni los reyes podían ser sacerdotes. Dios lo estableció así. Durante la época hasmonea, los macabeos, que eran sacerdotes, se declararon también reyes, y hubo un gran conflicto entre los judíos, ya que muchos creían que eso estaba en contra de la voluntad de Dios. Sin duda, había personas que recordaban que el rey Uzías, que fue un rey muy poderoso, trató también de ejercer las funciones sacerdotales, y fue castigado severamente por Dios.

Pero el orden sacerdotal al que pertenecía Melquisedec era diferente. Para comenzar, él, además de sacerdote, era rey de Salén. Es decir, juntaba en su persona el reinado y el sacerdocio. Justamente como sucede con la persona de Cristo. Él, como Mesías y descendiente de David, es el rey de Israel, pero por decreto divino es sacerdote espiritual de su pueblo, tal como era Melquisedec. Por eso, Cristo fue declarado sacerdote según un orden distinto, porque el orden terreno no alcanzaba para explicar su sacerdocio espiritual.

El orden sacerdotal de Melquisedec se presta mejor para hablar del sacerdocio de Cristo. Los sacerdotes aarónicos morían y tenían que ser sustituidos por sus hijos, a fin de que su servicio tuviera continuidad. Pero el sacerdocio de Melquisedec es distinto: "No tiene padre ni madre ni genealogía; no tiene comienzo ni fin, pero a semejanza del Hijo de Dios, permanece como sacerdote para siempre" (Heb. 7:3). Como en el registro bíblico, la figura de Melquisedec surge de repente, sin algún antecedente ni información posterior, quedando, por así decirlo, suspendido en el tiempo. Esto lo asemeja al Hijo de Dios, quien tiene un sacerdocio eterno, porque vive para siempre.

Esta es otra característica que hace que el orden sacerdotal de Melquisedec sea superior al sacerdocio levítico: "Y lo que hemos dicho resulta aún más evidente si, a semejanza de Melquisedec, surge otro sacerdote que ha llegado a serlo, no conforme a un requisito legal respecto a linaje humano, sino conforme al poder de una vida indestructible" (Heb. 7:15, 16).

Sacerdote celestial

En cambio se presentó Cristo como sumo sacerdote
de los bienes futuros, a través de una tienda mayor y más perfecta,
no fabricada por mano de hombre, es decir, no de este mundo.
Y penetró en el santuario una vez para siempre (Hebreos 9:11, 12, BJ).

OTRA CARACTERÍSTICA QUE DISTINGUE el sacerdocio de Cristo del sacerdocio levítico es la siguiente: el Señor ejerce su ministerio en el cielo, no en la tierra. Se nos dice: "Por lo tanto, ya que en Jesús, el Hijo de Dios, tenemos un gran sumo sacerdote que ha atravesado los cielos, aferrémonos a la fe que profesamos" (Heb. 4:14). "Tenemos como firme y segura ancla del alma una esperanza que penetra hasta detrás de la cortina del santuario, hasta donde Jesús, el precursor, entró por nosotros, llegando a ser sumo sacerdote para siempre, según el orden de Melquisedec" (Heb. 6:19, 20). El sacerdocio espiritual de Cristo es superior porque ejerce su ministerio en el cielo, en la presencia de Dios; ministra en el santuario celestial: "Ahora bien, el punto principal de lo que venimos diciendo es que tenemos tal sumo sacerdote, aquel que se sentó a la derecha del trono de la Majestad en el cielo, el que sirve en el santuario, es decir, en el verdadero tabernáculo levantado por el Señor y no por ningún ser humano" (Heb. 8:1, 2).

El sumo sacerdote humano despempeñaba su función solo una vez al año, entre las cortinas y el humo del incienso. Llevaba a cabo sus tareas en un santuario, portátil o permanente, pero hecho por la mano del hombre. Cristo, por el contrario, está en la presencia de Dios, desde donde ejerce sus funciones sacerdotales a favor de su pueblo, en un santuario levantado por Dios. Por eso la fe cristiana, comparada con la fe levítica, es una esperanza más firme y segura. Se nos dice: "Cristo es el Ministro del verdadero tabernáculo, el Sumo Sacerdote de todos los que creen en él como un Salvador personal; y ningún otro puede tomar su oficio" (*A fin de conocerle*, p. 75).

Expiación definitiva

¿Quién condenará? Cristo Jesús es el que murió, e incluso resucitó, y está a la derecha de Dios e intercede por nosotros (Romanos 8:34).

EL SUMO SACERDOTE entraba una vez al año al lugar santísimo, en el Día de la Expiación, para hacer la expiación definitiva y total de los pecados del pueblo. Pero tenía que hacerlo todos los años. Su servicio de expiación no terminaba nunca. Esto ya nos dice que el sistema implicaba imperfección; propia de la humanidad. En cambio, el sacerdocio de Cristo en el santuario celestial carece de este límite. Se nos dice que "Cristo, por el contrario, al presentarse como sumo sacerdote de los bienes definitivos en el tabernáculo más excelente y perfecto, no hecho por manos humanas (es decir, que no es de esta creación), entró una sola vez y para siempre en el lugar santísimo" (Heb. 9:11, 12). Su ministerio es perfecto. Él lo hizo una sola vez y para siempre.

Los sacerdotes terrenales tenían que presentar las ofrendas continuamente, para que se prometiera expiación del pecado. Cristo, en cambio, "no lo hizo con sangre de machos cabríos y becerros, sino con su propia sangre, logrando así un rescate eterno" (Heb. 9:12). "Al contrario, ahora, al final de los tiempos, se ha presentado una sola vez y para siempre a fin de acabar con el pecado mediante el sacrificio de sí mismo" (Heb. 9:26). El sacerdocio de Cristo no es un ministerio limitado y transitorio. Mediante el sacrificio de sí mismo logró una expiación eficiente y efectiva.

Los servicios sacerdotales del santuario terrenal eran sombra y figura del ministerio de Cristo en el cielo. Meditemos en estas palabras: "La fe en la expiación e intercesión de Cristo nos mantendrá firmes e inconmovibles en medio de las tentaciones que oprimen a la iglesia militante. Contemplemos la gloriosa esperanza que es puesta ante nosotros, y aferrémonos de ella por fe [...]. Ganamos el cielo no por nuestros méritos, sino por los méritos de Cristo [...]. No se centralice vuestra esperanza en vosotros mismos, sino en Aquel que ha entrado dentro del velo" (*A fin de conocerle*, p. 80).

El Elías venidero

Estoy por enviarles al profeta Elías antes que llegue el día del Señor, día grande y terrible. Él hará que los padres se reconcilien con sus hijos y los hijos con sus padres, y así no vendré a herir la tierra con destrucción total (Malaquías 4:5, 6).

LOS SERVICIOS y el ritual del santuario eran una ilustración del plan de la salvación. Tenía sus imperfecciones propias de la naturaleza humana, pero era la manera que Dios escogió para comunicar sus verdades salvadoras al ser humano, en las circunstancias en las que se vivía en esa época. Obviamente, no pretendían ser permanentes, sino ilustraciones transitorias que llevaran a la gente en el futuro a un conocimiento mayor. Como dice el apóstol: "Esto nos ilustra hoy día que las ofrendas y los sacrificios que allí se ofrecen no tienen poder alguno para perfeccionar la conciencia de los que celebran ese culto. No se trata más que de reglas externas relacionadas con alimentos, bebidas y diversas ceremonias de purificación, válidas solo hasta el tiempo señalado para reformarlo todo" (Heb. 9:9, 10). Cuando el Mesías viniera, entonces se revelaría el propósito de estas ceremonias, y se revelaría la realidad de la salvación.

Antes de que el Mesías apareciera, el profeta Malaquías había profetizado que Dios enviaría a Elías, para hacer una reforma y preparar el camino para la venida del prometido Libertador. Basados en esta promesa, los rabinos habían elaborado una teología particular sobre Elías. Algunos pensaban que antes de la venida del Mesías, aparecería Elías en persona. El Nuevo Testamento menciona esa creencia en varias circunstancias. Reflejando esta idea, los discípulos le preguntaron en una ocasión a Jesús: "¿Por qué dicen los maestros de la ley que Elías tiene que venir primero?" (Mat. 17:10). Evidentemente, los escribas aludidos en este pasaje confrontaron a los discípulos con el argumento de que Jesús no podía ser el Mesías, porque, según ellos, Elías todavía no había venido. Jesús les dijo que "Elías ya vino, y no lo reconocieron sino que hicieron con él todo lo que quisieron [...]. Entonces entendieron los discípulos que les estaba hablando de Juan el Bautista" (Mat. 17:12, 13).

Tiempos de agitación

Él irá primero, delante del Señor, con el espíritu y el poder de Elías (Lucas 1:17).

CUANDO JUAN EL BAUTISTA PREDICABA por la ribera del Jordán, en territorio de Judea, la gente pensaba que era un profeta de Dios. Desde los tiempos de Malaquías, habían pasado ya como cuatro siglos, y la gente nunca había visto a un profeta de Dios en acción. Algunos pensaban que Dios se había olvidado de su pueblo. Otros, que el don de profecía había sido cancelado, porque la ley y los escritos proféticos eran suficientes. Las condiciones políticas, sociales y económicas anunciaban tiempos de revolución. Había una efervescencia y agitación social que presagiaba que algo grande estaba por suceder. Los que hacían cálculos cronológicos, según las 70 semanas de Daniel, creían que el Mesías estaba a punto de aparecer.

De hecho, ya habían aparecido varios pretendidos mesías. Gamaliel mencionó a dos: "Hace algún tiempo surgió Teudas, jactándose de ser alguien, y se le unieron unos cuatrocientos hombres. Pero lo mataron y todos sus seguidores se dispersaron y allí se acabó todo. Después de él surgió Judas el galileo, en los días del censo, y logró que la gente lo siguiera. A él también lo mataron, y todos sus secuaces se dispersaron" (Hech. 5:36, 37). El tribuno romano que rescató a Pablo sugirió otro nombre cuando le preguntó a Pablo: "¿No eres el egipcio que hace algún tiempo provocó una rebelión y llevó al desierto a cuatro mil guerrilleros?" (Hech. 21:38). El Talmud identifica a este pretendido mesías con el nombre de Ben Stada. Flavio Josefo, el historiador judío, dice que este falso mesías engañó a una turba con la promesa de que las murallas de Jerusalén caerían a su palabra, y expulsarían a los odiados romanos de su tierra.

Cuspio Fado, el procurador romano, envió una caballería que mató a muchos, pero el líder escapó, y nadie supo más de él. Entonces apareció Juan, diciendo que tenía un mensaje de la Divinidad para el pueblo. Llamaba a la gente al arrepentimiento y a la conversión a Dios, y decía que después de él vendría el Mesías prometido.

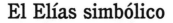

El Elías simbólico

Y si quieren aceptar mi palabra, Juan es el Elías que había de venir (Mateo 11:14).

LA PREDICACIÓN DE JUAN EL BAUTISTA era poderosa, y señalaba que Dios estaba a punto de hacer algo extraordinario. Juan hizo algo inusual en aquellos tiempos: Bautizar a la gente que se arrepentía de sus pecados, y se preparaba de ese modo para la venida del Mesías. Este bautismo fue un choque para las autoridades religiosas de la nación, porque hasta ese momento solo a los gentiles se les exigía el bautismo por agua, como símbolo de limpieza y conversión a la fe judía. El hecho de que Juan exigiera un bautismo a los judíos era, para algunos, una humillación, porque eso se requería de los prosélitos. Era como decir que los judíos estaban en la misma condición espiritual de un pagano gentil. Pero este era justamente el mensaje de Juan. La nación estaba apartada de Dios, y se requería una gran reforma espiritual en vista de la venida del Mesías prometido.

La predicación de Juan fue impactante, y sacudió los fundamentos religiosos de la nación. Muchos, incluso, creyeron que él era el Mesías. Pero Juan lo negó. Cuando las autoridades religiosas enviaron a delegados para aclarar su misión, él contestó sin vacilación: "Yo no soy el Cristo" (Juan 1:20). También le hicieron otras peguntas: "'¿Acaso eres Elías?' 'No lo soy'. '¿Eres el profeta?' 'No lo soy'" (Juan 1:21). Es interesante que Jesús dijo que Juan era el Elías que habría de venir, pero Juan dijo que no lo era. La razón de esta negativa es que la gente pensaba que antes de la venida del Mesías vendría Elías en persona. Por eso Juan lo negó. Él no era la persona de Elías. Lo que Jesús quiso decir fue que Juan era Elías simbólicamente. Como lo dijo Zacarías, su padre, en su canto de gratitud: vendría "con el Espíritu y el poder de Elías" (Luc. 1:17). Por eso, en este sentido, fue el Elías que habría de venir. Cumplió fielmente la misión que Dios le encomendó.

Juan, el precursor

Porque Juan fue enviado a ustedes a señalarles el camino de la justicia, y no le creyeron (Mateo 21:32).

L OS DELEGADOS DE LAS AUTORIDADES RELIGIOSAS le preguntaron a Juan si él era el profeta. Los rabinos habían especulado que la declaración divina de Deuteronomio 18:15, donde Dios estableció el profetismo, era una referencia a un profeta que vendría en el futuro y que sería tan grande como Moisés.

Es interesante que cuando Jesús predicaba, la gente pensaba que también podía ser el Elías que habría de venir, o por lo menos alguno de los profetas antiguos (Mat. 16:14; Mar. 6:15). Después de la muerte de Juan, algunos creyeron incluso que era Juan resucitado (Luc. 9:9).

Cuando Jesús se encontraba clavado en la cruz, antes de morir exclamó: "Eloi, Eloi, ¿lama sabactani?", expresión que algunos entendieron que se refería a Elías: "Cuando lo oyeron, algunos de los que estaban cerca dijeron: 'Escuchen, está llamando a Elías'. Alguien dijo: 'Déjenlo, a ver si viene Elías a bajarlo'" (Mar. 15:34-36). Todo esto revela la importancia que tenía la figura de Elías en tiempos de Juan y Jesús. Hasta el día de hoy, los judíos, especialmente los ortodoxos, pronuncian una oración antes de la llegada del sábado, en la que piden a Dios que venga Elías. Es posible que sea una oración velada por la venida del Mesías, porque cuando eran perseguidos por los cristianos durante la Edad Media, un pedido explícito hubiera revelado que no creían que Jesús lo fuese, lo cual les habría acarreado más escarnio. Por eso oraban por el Mesías en forma velada, pero mencionaban a Elías, quien, de acuerdo a su tradición, vendría antes que el Mesías. De este modo, cuando oraban por la venida de Elías, lo hacían en realidad por la venida del Mesías. Por supuesto, ellos no creían, ni creen ahora, que Jesús de Nazaret sea el Mesías, como tampoco creyeron que Juan había sido enviado por Dios. Si hubiesen creído en Juan, habrían aceptado a Jesús como el Mesías enviado por Dios.

Lo espiritual es primero

Me regocijaré por Jerusalén y me alegraré en mi pueblo; no volverán a oírse en ella voces de llanto ni gritos de clamor (Isaías 65:19).

CUANDO JESÚS PREDICABA LAS BUENAS nuevas del reino de Dios, ofrecía a los judíos las bendiciones del reino mesiánico. Pero también vino a ofrecerles mucho más. Vino a ofrecerles las bendiciones del reino de Dios, que eran la base del reino mesiánico. Los judíos, sin embargo, pensaban en un Mesías que les trajera las bendiciones prometidas en los escritos proféticos. Incluían paz, abundancia e independencia política. No era errado ambicionar esas bendiciones. Después de todo, fue Dios quien dio esas promesas. El Señor prometió que el reino del Mesías sería grande: "Su dominio se extenderá de mar a mar, ¡desde el río Éufrates hasta los confines de la tierra!" (Zac. 9:10). "Jerusalén volverá a ser habitada, tendrá tranquilidad, y nunca más será destruida" (Zac. 14:11). "Nunca más habrá en ella niños que vivan pocos días, ni ancianos que no completen sus años. El que muera a los cien años será considerado joven; pero el que no llegue a esa edad será considerado maldito. Construirán casas y las habitarán; plantarán viñas y comerán de su fruto. Ya no construirán casas para que otros las habiten, ni plantarán viñas para que otros coman. Porque los días de mi pueblo serán como los de un árbol; mis escogidos disfrutarán de las obras de sus manos. No trabajarán en vano, ni tendrán hijos para la desgracia; tanto ellos como su descendencia serán simiente bendecida del Señor" (Isa. 65:20-23). Jesús vino a ofrecer esto y más. Pero todas estas bendiciones eran pasajeras, sin las espirituales. Porque toda bendición material que no tiene una base espiritual, tarde o temprano desaparecerá.

Los judíos en tiempos de Jesús querían paz, abundancia e independencia política, pero no estaban dispuestos a hacer las reformas espirituales que garantizarían aquellas bendiciones. Por eso rechazaron el mensaje de Juan, y, posteriormente, el de Jesús. Querían en primer lugar la bendición material, cuando Dios quería que entendieran que primero es lo espiritual.

El reino material no se descarta

Entonces dirá el Rey a los que estén a su derecha: "[...]
Reciban su herencia, el reino preparado para ustedes
desde la creación del mundo" (Mateo 25:34).

EL MENSAJE PRINCIPAL DE JESÚS era el reino de Dios. Sin embargo, nunca explicó los detalles relacionados con el establecimiento de ese reino. El énfasis de su mensaje era espiritual. Sin embargo, habló del reino de Dios como una gran cena, donde la gente se alegraría (Luc. 22:30). Se refirió al reino como un banquete, donde todos los invitados hallarían regocijo (Mat. 8:11). Les dijo a sus discípulos que no bebería ni comería más con ellos hasta que lo hicieran juntos en el reino de Dios (Mat. 26:29). Junto con la predicación de las buenas nuevas del reino, Jesús sanaba las enfermedades de la gente: "Recorría toda Galilea, enseñando en las sinagogas, anunciando las buenas nuevas del reino, y sanando toda enfermedad y dolencia entre la gente" (Mat. 4:23). Con esto indicó que el reino de Dios no es concebible sin sanidad física. También dijo: "Más bien, busquen primeramente el reino de Dios y su justicia, y todas estas cosas les serán añadidas" (Mat. 6:33). Cuando Pedro le preguntó qué les daría por seguirlo, Jesús no reprochó su interés en las cosas materiales, sino que dijo: "Todo el que por mi causa haya dejado casas, hermanos, hermanas, padre, madre, hijos o terrenos, recibirá cien veces más y heredará la vida eterna" (Mat. 19:29). Evidentemente, el aspecto material del reino no fue descartado ni eliminado por el Señor. Pero el aspecto que subrayó fue el espiritual. La gente pensaba solo en las cosas materiales cuando se hablaba del reino de Dios. Jesús quería dirigir sus mentes a un plano superior, donde las cosas del espíritu tienen prioridad sobre las cosas materiales.

El reino espiritual

Porque el reino de Dios no es cuestión de comidas o bebidas sino de justicia, paz y alegría en el Espíritu Santo (Romanos 14:17).

LO MÁS IMPORTANTE DEL MENSAJE de Jesús era el aspecto espiritual del reino de Dios. Para Jesús, los que gozarían del reino de Dios eran los pobres en espíritu (Mat. 5:3): Estos son los que reconocen sus pecados y se humillan delante de Dios. Los que pertenecen a su reino son los perseguidos por causa de su justicia (Mat. 5:10). Los que entran en el reino de Dios son los que hacen su voluntad (Mat. 7:21). Los justos son los que brillarán en el reino de su Padre (Mat. 13:43). Para entrar en el reino de Dios hay que ser como niños (Mat. 18:3). El reino se les dará a los que produzcan frutos (Mat. 21:43). Los que se arrepienten van delante (Mat. 21:31). El arrepentimiento es un requisito para tener parte en él. Para entrar en el reino de Dios es necesario tener una justicia mayor que la de los escribas y fariseos (Mat. 5:20). Para entrar en el reino de Dios es necesario nacer de nuevo, esto es, nacer del agua y del Espíritu (Juan 3:3, 5). El reino de Jesús no es de este mundo (Juan 18:36). Los reinos del mundo se establecen por la lucha y la guerra; el de Cristo se establece por la paz y la concordia.

Por otro lado, el que infrinja los mandamientos será muy pequeño en el reino de Dios (Mat. 5:19). Ser muy pequeño significa no entrar en él. Los que pecan y hacen pecar serán arrancados del reino (Mat. 13:41; Mar. 9:47). El principio del pecado es antagónico al carácter de Dios. Es muy difícil que los ricos entren en el reino de Dios (Mat. 19:23, 24). La riqueza material crea egoísmo, y este no entra en el reino de Dios. El que mire hacia atrás, después de poner la mano en el arado, no es apto para el reino de Dios (Luc. 9:62). Implica que tiene otros intereses más importantes.

El reino cercano

Cuando oren, digan: "Padre, santificado sea tu nombre.
Venga tu reino" (Lucas 11:2).

EL REINO QUE JESÚS VINO A OFRECER a los judíos, que era tanto material como espiritual, involucraba un gran sentido de urgencia. Para Jesús, la promesa del reino de Dios no era una promesa distante. Hablaba de algo cercano. Este sentido de prontitud comenzó con la predicación de Juan el Bautista: "En aquellos días se presentó Juan el Bautista predicando en el desierto de Judea. Decía: 'Arrepiéntanse, porque el reino de los cielos está cerca'" (Mat. 3:1, 2). Después del encarcelamiento de Juan, Jesús comenzó a predicar en Galilea: "Desde entonces comenzó Jesús a predicar: 'Arrepiéntanse, porque el reino de los cielos está cerca'" (Mat. 4:17). El evangelista Marcos lo registra de esta manera: "Se ha cumplido el tiempo —decía—. El reino de Dios está cerca. ¡Arrepiéntanse y crean las buenas nuevas!" (Mar. 1:15).

Cuando Jesús envió a sus discípulos a predicar, les dio esta instrucción: "Cuando entren en un pueblo y los reciban, coman lo que les sirvan. Sanen a los enfermos que encuentren allí y díganles: 'El reino de Dios ya está cerca de ustedes'. Pero cuando entren en un pueblo donde no los reciban, salgan a las plazas y digan: 'Aun el polvo de este pueblo, que se nos ha pegado a los pies, nos lo sacudimos en protesta contra ustedes. Pero tengan por seguro que ya está cerca el reino de Dios'" (Luc. 10:8-11). Jesús les dijo que: 'Dondequiera que vayan, prediquen este mensaje: 'El reino de los cielos está cerca'" (Mat. 10:7).

El ministerio de Jesús se caracterizó por este sentido de cercanía de la venida del reino. Es evidente que el propósito de Dios es establecer pronto su reino. Es decir, pronto después del ministerio de Jesús. Pero para nosotros, que vivimos dos mil años después, que tenemos una perspectiva histórica diferente de la que tenían los oyentes de Jesús, se nos dificulta mucho el entendimiento de esta cercanía del reino del Señor.

¿Cómo podemos entender hoy en día este sentido de urgencia que caracterizó la predicación de Jesús en relación con el reino de Dios? Lo consideraremos mañana.

La esperanza de Israel

> *Por este motivo he pedido verlos y hablar con ustedes. Precisamente*
> *por la esperanza de Israel estoy encadenado (Hechos 28:20).*

LA PREDICACIÓN DE JESÚS y sus discípulos se centraba en la proclamación de la cercanía del reino de Dios. Pero lo que resulta más interesante es que para Jesús, el reino ya se estaba manifestando. En una ocasión dijo a sus opositores: "Pero si expulso a los demonios con el poder de Dios, eso significa que ha llegado a ustedes el reino de Dios" (Luc. 11:20). En otro pasaje se vierte la misma idea: "Los fariseos le preguntaron a Jesús cuándo iba a venir el reino de Dios, y él les respondió: 'La venida del reino de Dios no se puede someter a cálculos. No van a decir: ¡Mírenlo acá! ¡Mírenlo allá! Dense cuenta de que el reino de Dios está entre ustedes'" (Luc. 17:20, 21). Debe haber sido una experiencia emocionante para cualquier judío de la época llegar al convencimiento de que el reino de Dios, prometido largamente por los profetas, estaba ya en operación.

La presencia de Cristo ya era una manifestación del reino. Con él, ya estaba en este mundo. Él era el rey prometido; y cuando el rey viene, el reino viene con él. El reino escatológico prometido por profetas y videntes del pasado estaba presente en la persona del Mesías. No es sorprendente que Jesús proclamara que el reino estaba cerca, o que ya había llegado, porque estaba convencido de que era el enviado de Dios.

Todo judío, desde pequeño, era educado en la idea de que el Mesías establecería su reino en su venida. Es lo que se llamaba la esperanza de Israel. "Cuando el Mesías venga —decían—, Israel llegará a ser libre y próspero, y su reino se extenderá por todo el mundo". En los tiempos más críticos y en las condiciones más difíciles para la nación, se volvía más intensa esa esperanza. En tiempos del nacimiento y ministerio de Jesús, la expectativa de la venida del Mesías penetraba la sociedad judía por todas partes.

Un reino presente y futuro

Les digo que no volveré a comerla hasta que tenga su pleno cumplimiento en el reino de Dios (Lucas 22:16).

EL REINO DE DIOS ya estaba presente en la persona de Jesús, quien era el rey de Israel y el Mesías prometido. Con su presencia, se hacían realidad las promesas del establecimiento del reino de Dios. El mismo Cristo y sus discípulos estaban convencidos de esto.

Pero, por una parte, el reino de Dios había llegado; y por otra, se aguardaba su venida. En la oración del Padrenuestro, Jesús dijo a sus discípulos que pidieran la venida del reino. Dijo: "Venga tu reino" (Luc. 11:2). Habló de entrar en el reino en términos futuros: "Muchos vendrán del oriente y del occidente, y participarán en el banquete con Abraham, Isaac y Jacob en el reino de los cielos" (Mat. 8:11).

¿Cómo puede ser esto? La única forma de entenderlo es que el reino de Dios tuviera dos manifestaciones: una presente y otra futura. La presente es la inauguración del reino; la futura es su consumación final. Cuando Cristo vino como el Mesías, trajo consigo la manifestación del reino. Pero esto aguarda una consumación final, que en la teología del Nuevo Testamento se reserva para la segunda venida.

Estos dos aspectos del reino de Dios se los puede llamar también reino de la gracia y reino de la gloria. Veamos: "La expresión "reino de Dios", tal cual la emplea la Biblia, significa tanto el reino de la gracia como el de la gloria [...]. El trono de la gracia representa el reino de la gracia; pues la existencia de un trono presupone la existencia de un reino. En muchas de sus parábolas Cristo emplea la expresión "el reino de los cielos", para designar la obra de la gracia divina en los corazones de los hombres".

"Asimismo el trono de la gloria representa el reino de la gloria, y a ese reino se refería el Salvador en las palabras: "Cuando el Hijo del hombre venga en su gloria" (Mat. 25:31, 32). Este reino está aún por venir. Se establecerá en ocasión del segundo advenimiento de Cristo" (*Cristo en su santuario*, p. 81).

Llamado a una reforma

¿Eres tú el que ha de venir, o debemos esperar a otro? (Mateo 11:3).

ESTOS DOS ASPECTOS, PRESENTE Y FUTURO del reino de Dios, resultaban muy problemáticos para los judíos que habían sido educados en la idea de que el reino de Dios se establecería en ocasión de la venida del Mesías.

Ellos dividían la historia en dos partes: La era "actual" y la era "venidera". El centro de ambas eras lo constituía la venida del Mesías. Desde la creación hasta sus días, corría la era "actual"; luego vendría el Mesías que establecería una nueva era, que constituía la era "venidera"

Cuando Jesús vino y dio a entender que era el Mesías prometido, la gente esperaba lógicamente que estableciera el reino de Dios. Las declaraciones de Jesús de que el reino ya había llegado, levantó las expectativas de la gente, que deseaba el establecimiento material y visible del reino de Dios. Muchos pensaron que Cristo lo llevaría a cabo. Eran como Juan el Bautista, que mientras estaba en la cárcel, tuvo dudas y mandó preguntar a Jesús si él establecería rápidamente el reino de Dios. Su predicación sobre que el reino estaba cerca, también implicaba una condición: el reino de Dios se establecería de acuerdo a las expectativas derivadas de las promesas proféticas del Antiguo Testamento, "si antes había una reforma espiritual". Antes de que el reino final fuera establecido, eran necesarios un arrepentimiento, una conversión y una reforma espiritual, que involucraba la aceptación del mensaje de Juan, primero, y de Jesús, después.

"Los judíos esperaban al Mesías; pero él no vino como ellos habían predicho que vendría, y si se le aceptaba como el que había sido prometido, sus sabios maestros se verían obligados a reconocer que habían errado. Estos dirigentes se habían separado de Dios; y Satanás obró en su mente para inducirles a rechazar al Salvador" (*Joyas de los testimonios*, t. 2, p. 316, 317).

Rechazo

Mi reino no es de este mundo (Juan 18:36).

POR LAS IDEAS PRECONCEBIDAS QUE LOS RABINOS tenían, y que habían inculcado en la mente de la gente sobre el origen y la persona del Mesías, los dirigentes y el pueblo en general rechazaron a Jesús como tal. Esto complicó las cosas, ya que a causa del rechazo del Mesías, el reino de Dios no pudo consumarse. Había venido y se había inaugurado con su presencia, pero no hubo consumación.

Después, los escribas usaron el argumento de que, puesto que Jesús no había establecido el reino de Dios, era un impostor más que debía ser despreciado, y sus seguidores aniquilados. Hasta el día de hoy, los judíos argumentan que Jesús no pudo ser el Mesías porque no estableció el reino de Dios. Si hubiera sido, dicen, hubiese cumplido las profecías del establecimiento de una nueva era.

Cuando yo estudiaba en la Universidad Andrews, en Estados Unidos, en una ocasión invitaron a un rabino judío a dar una conferencia sobre el judaísmo contemporáneo. En las asambleas generales del seminario se invitaban a conferenciantes de otras confesiones religiosas a compartir temas diversos. Después de las exposiciones, se abría un espacio para que los asistentes hicieran preguntas sobre el tema tratado. Se suponía que, en tales ocasiones, como acto de cortesía, no se hicieran preguntas que colocaran a los expositores en situaciones embarazosas. Cuando el rabino terminó su conferencia, un estudiante ingenuo le lanzó la pregunta directa: "¿Por qué los judíos no aceptan a Jesús como el Mesías?" El rabino tragó en seco, se acarició su abundante barba, y, en forma titubeante, dijo: "Sin la intención de ofender a nadie, voy a decir lo que los judíos creemos. Jesús no pudo ser el Mesías porque no estableció la nueva era esperada".

La verdad es que la consumación del reino de Dios no se realizó porque Jesús no fuese el Mesías, sino porque rehusaron creer en él a pesar de las evidencias que Dios dio mediante de su vida y obras milagrosas.

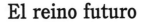

El reino futuro

Y este evangelio del reino se predicará en todo el mundo como testimonio a todas las naciones, y entonces vendrá el fin (Mateo 24:14).

LOS PRIMEROS PREDICADORES DEL EVANGELIO tuvieron que confrontar el argumento judío de que Jesús no podía ser el Mesías porque no había establecido el reino de Dios. El asunto del reino era el tema más importante y más controvertido entre los primeros discípulos. No fue inútil el tiempo que Jesús pasó con sus discípulos, después de su resurrección, para instruirlos sobre este asunto crucial. Les enseñó cómo debían entenderse ahora las profecías mesiánicas. Se nos dice que: "Durante cuarenta días se les apareció y les habló acerca del reino de Dios" (Hech. 1:3).

Decíamos que el esquema judío para entender la historia del mundo estaba dividido en dos grandes eras: La era "actual", que empezó en la creación y duraría hasta la venida del Mesías; y la era "venidera", que sería la del establecimiento final del reino, y duraría para siempre.

Según la predicación cristiana, el Mesías había venido; pero de acuerdo a las expectativas judías, si era cierto, debió haberse establecido su reino. Sin embargo, en vez de eso, Jesús comisionó a sus discípulos a que predicaran el evangelio en todo el mundo, partiendo de Jerusalén; y cuando este evangelio se terminara de predicar, entonces regresaría a establecer el reino pendiente. Esto no era lo que los judíos esperaban.

Pero la predicación cristiana informa que por no haber aceptado a Jesús como el Mesías, ni haber cumplido su misión de preparar al mundo para su venida, Dios ahora ha escogido un nuevo pueblo y ha hecho un nuevo pacto, a fin de lograr lo que los judíos no habían conseguido. Esto implica cierta demora de los planes originales de Dios, pero dichos planes se cumplirán finalmente.

Predicación apostólica del reino

Durante dos años completos permaneció Pablo en la casa que tenía alquilada, y recibía a todos los que iban a verlo. Y predicaba el reino de Dios y enseñaba acerca del Señor Jesucristo sin impedimento y sin temor alguno (Hechos 28:30, 31).

L A PREDICACIÓN CRISTIANA ORIGINAL ponía un gran énfasis en el reino de Dios. Era necesario que la gente entendiera correctamente cómo las profecías del Antiguo Testamento, en relación con la venida del Mesías, se habían cumplido en la persona de Jesús de Nazaret. Que era el Mesías enviado de Dios, y que, por lo tanto, el reino de Dios había venido al mundo, había sido introducido e inaugurado, y que pronto volvería para llevarlo a su consumación final.

Esta era la pasión de los primeros predicadores del evangelio. De Felipe, el evangelista, se dice: "Pero cuando creyeron a Felipe, que les anunciaba las buenas nuevas del reino de Dios y el nombre de Jesucristo, tanto hombres como mujeres se bautizaron" (Hech. 8:12). Era el tema favorito de Pablo, pues se dice: "Pablo entró en la sinagoga y habló allí con toda valentía durante tres meses. Discutía acerca del reino de Dios, tratando de convencerlos" (Hech. 19:8). Cuando se despidió de los hermanos de Éfeso, les recordó cuál había sido el tema de su predicación: "Escuchen, yo sé que ninguno de ustedes, entre quienes he andado predicando el reino de Dios, volverá a verme" (Hech. 20:25). Cuando Pablo fue como prisionero a Roma, allí se reunió con los judíos para hablarles de este tema: "Señalaron un día para reunirse con Pablo, y acudieron en mayor número a la casa donde estaba alojado. Desde la mañana hasta la tarde estuvo explicándoles y testificándoles acerca del reino de Dios y tratando de convencerlos respecto a Jesús, partiendo de la ley de Moisés y de los profetas" (Hech. 28:23).

Para meditar: "Su reino no vendrá hasta que las buenas nuevas de su gracia se hayan proclamado a toda la tierra. De ahí que, al entregarnos a Dios y ganar a otras almas para él, apresuramos la venida de su reino" (*El discurso maestro de Jesucristo,* p. 93).

El reino está aquí

En cambio, nosotros somos ciudadanos del cielo, de donde anhelamos recibir al Salvador, el Señor Jesucristo (Filipenses 3:20).

LOS APÓSTOLES ENSEÑABAN QUE POR EL HECHO de haber venido el Mesías, el reino de Dios había sido inaugurado. La nueva era había comenzado. En la persona de Cristo, la hegemonía divina había invadido este mundo. Cristo reina ahora espiritualmente: "Porque es necesario que Cristo reine hasta poner a todos sus enemigos debajo de sus pies. El último enemigo que será destruido es la muerte, pues Dios 'ha sometido todo a su dominio'" (1 Cor. 15:25-27).

Ahora podemos pertenecer a este reino. Dice el apóstol: "Él nos libró del dominio de la oscuridad y nos trasladó al reino de su amado Hijo, en quien tenemos redención, el perdón de pecados" (Col. 1:13, 14). Hoy en día, mientras caminamos en este mundo, pertenecemos al reino de Cristo. En virtud de lo que Cristo hizo, Dios nos ha trasladado del reino de las tinieblas al reino de su Hijo, que es el reino de la luz. Antes nos debatíamos en el pecado y la miseria de este mundo, pero Jesús nos redimió y nos hizo ciudadanos de su reino glorioso.

El apóstol Pablo era ciudadano judío y ciudadano romano. Pero lo que más lo enorgullecía era ser ciudadano del reino de Dios. Es maravilloso que por medio de Cristo podemos serlo desde ahora.

Sin embargo, solo llegamos a ser ciudadanos del reino de Cristo si él reina en nuestras vidas. Él debe ser el Señor de nuestra voluntad y nuestros intereses. Meditemos en esto: "No por las decisiones de los tribunales o los consejos o asambleas legislativas, ni por el patrocinio de los grandes del mundo, ha de establecerse el reino de Cristo, sino por la implantación de la naturaleza de Cristo en la humanidad por medio de la obra del Espíritu Santo" (*El Deseado de todas las gentes*, p. 471).

Bendiciones espirituales

Alabado sea Dios, Padre de nuestro Señor Jesucristo, que nos ha bendecido en las regiones celestiales con toda bendición espiritual en Cristo (Efesios 1:3).

PUESTO QUE LA VENIDA DE CRISTO INAUGURÓ el reino de Dios entre nosotros, ya podemos gozar las bendiciones que trae en su estela. Las promesas del Antiguo Testamento a los judíos en relación con el reino, eran de paz, abundancia y larga vida. Había promesas materiales y promesas espirituales. Cuando Cristo vino, prometió a sus seguidores que, en este mundo, tendrían bendiciones mayormente espirituales. Las bendiciones materiales vendrían después, con la consumación del reino. Esto encierra una gran verdad: Para que podamos gozar verdaderamente lo material, tenemos que aprender a gozar primero lo espiritual. En el orden divino, lo espiritual es primero. Es la única manera de garantizar que lo material no nos corrompa. Fue allí donde los judíos tropezaron. Querían primero lo material, y luego lo espiritual. Por eso rechazaron a Jesús. No estaban interesados en las cosas del espíritu. No se dieron cuenta de que después de las bendiciones espirituales vienen las materiales.

La hegemonía divina que Cristo representaba, traía muchas bendiciones espirituales en su estela, para que los que lo aceptaran empezaran a gozarlas de inmediato. Son realmente bendiciones de la vida futura, son goces escatológicos que pertenecen intrínsecamente al futuro, a la consumación, pero que empezamos a gozarlos desde ahora en virtud de nuestra relación con Cristo. El reino de Dios, por decirlo así, ha invadido este mundo en la persona de Jesús, y trae consigo bendiciones que se pueden empezar a disfrutar en el presente. Mientras caminamos por este mundo, podemos estar conscientes de que, como ciudadanos del reino de Dios, podemos gozar estas bendiciones aquí y ahora.

Meditemos: "Cristo anhelaba llenar al mundo con una paz y una alegría semejantes a las que se encuentran en el mundo celestial [...]. Él trajo al mundo todas las bendiciones indispensables para la felicidad y la alegría de cada alma" (*Hijos e hijas de Dios*, p. 303).

La vida

Para que todo el que crea en él tenga vida eterna (Juan 3:15).

UNA DE LAS BENDICIONES QUE PERTENECEN a la consumación del reino, pero que el Señor dijo que podemos gozarla desde ahora, es la vida eterna. La promesa de la vida eterna se realizará plenamente en el reino futuro y consumado de Dios. Los ciudadanos de ese reino nunca morirán. Su vida se medirá con la vida de Dios. La promesa de Cristo es clara: "Les aseguro —respondió Jesús— que todo el que por causa del reino de Dios haya dejado casa, esposa, hermanos, padres o hijos, recibirá mucho más en este tiempo; y en la edad venidera, la vida eterna" (Luc. 18:29, 30). Una de las realidades más amargas que experimentan los seres humanos, es la muerte. Es a lo que más tememos. Significa separación y extinción. El apóstol dice que es un cruel enemigo del hombre (1 Cor. 15:26). La vida eterna es la recompensa por excelencia de la era venidera. Se la compara con una corona de victoria que se da al vencedor: "Dichoso el que resiste la tentación porque, al salir aprobado, recibirá la corona de la vida que Dios ha prometido a quienes lo aman" (Sant. 1:12).

Pero aunque será consumada en el futuro, la vida eterna, dijo Jesús, ya la posee el creyente aquí y ahora. En cierto sentido espiritual, esa vida se empieza a vivir en el presente. Dijo el Señor: "El que cree en el Hijo tiene vida eterna" (Juan 3:36). Tan segura es la promesa para el creyente, que se la expresa en el tiempo presente: "Ciertamente les aseguro que el que cree tiene vida eterna" (Juan 6:47). "Yo les doy vida eterna, y nunca perecerán, ni nadie podrá arrebatármelas de la mano" (Juan 10:28). "El que tiene al Hijo, tiene la vida; el que no tiene al Hijo de Dios, no tiene la vida" (1 Juan 5:12).

El juicio final

Porque es necesario que todos comparezcamos ante el tribunal de Cristo, para que cada uno reciba lo que le corresponda, según lo bueno o malo que haya hecho mientras vivió en el cuerpo (2 Corintios 5:10).

OTRA DE LAS BENDICIONES DE LA ERA VENIDERA que el creyente goza desde ahora, es conocer el veredicto del juicio final por adelantado. El juicio final es un acontecimiento del futuro. Por eso se lo llama así. Se realizará cuando termine la historia del mundo. Es un acto por medio del cual Dios va a determinar quiénes se van a salvar y quiénes no. Pertenece a la era venidera: "Al disertar Pablo sobre la justicia, el dominio propio y el juicio venidero" (Hech. 24:25). Ese juicio juzgará las palabras: "Pero yo les digo que en el día del juicio todos tendrán que dar cuenta de toda palabra ociosa que hayan pronunciado" (Mat. 12:36). Se juzgarán las oportunidades y el carácter: "Pero en el juicio será más tolerable el castigo para Tiro y Sidón que para ustedes" (Luc. 10:14). El juicio revelará todo: "Su obra se mostrará tal cual es, pues el día del juicio la dejará al descubierto" (1 Cor. 3:13). Es un juicio universal. Hasta los ángeles malos serán condenados en esa ocasión (Judas 6).

Sin embargo, Jesús dijo que los que creen en él, ya han sido juzgados. Ya saben cuál es el veredicto del juicio con respecto a ellos: "Ciertamente les aseguro que el que oye mi palabra y cree al que me envió, tiene vida eterna y no será juzgado, sino que ha pasado de la muerte a la vida" (Juan 5:24). Como el creyente tiene vida eterna, quiere decir que el veredicto del juicio final ya se dio, y salió vindicado en lugar de ser condenado. El juicio de Dios tiene dos funciones: Una es la condenación; la otra es la vindicación. Los que rechazaron a Cristo comparecen para ser condenados; los que lo aceptaron, para ser vindicados. El creyente ya conoce el veredicto de antemano, por lo tanto, no tiene temor al juicio de Dios.

La venida del Espíritu

De aquel que cree en mí, como dice la Escritura, brotarán ríos de agua viva. Con esto se refería al Espíritu que habrían de recibir más tarde los que creyeran en él (Juan 7:38, 39).

EN EL ANTIGUO TESTAMENTO, el derramamiento del Espíritu Santo se consideraba una de las bendiciones de los últimos días. El profeta Joel escribió: "Después de esto, derramaré mi Espíritu sobre todo el género humano. Los hijos y las hijas de ustedes profetizarán, tendrán sueños los ancianos y visiones los jóvenes. En esos días derramaré mi Espíritu aun sobre los siervos y las siervas. En el cielo y en la tierra mostraré prodigios: sangre, fuego y columnas de humo. El sol se convertirá en tinieblas y la luna en sangre antes que llegue el día del Señor, día grande y terrible" (Joel 2:28-31). En el judaísmo, estas palabras se entendían como una promesa: Dios derramaría su Espíritu sobre la humanidad en los últimos días de la historia. Se decía que en la era mesiánica, el Espíritu sería derramado sobre el pueblo de Dios. El apóstol Pedro citó estas palabras de Joel y las aplicó a lo que sucedió en el día del Pentecostés (Hech. 2:17-21). Dio a entender que esta bendición de los últimos días ya había llegado.

Con la venida de Cristo, la promesa del Espíritu llegó a ser una realidad. Él fue engendrado por el Espíritu, y Juan dijo: "Yo los he bautizado a ustedes con agua, pero él los bautizará con el Espíritu Santo" (Mar. 1:8). Jesús prometió derramar el Espíritu Santo sobre sus seguidores, y cuando ascendió al cielo les impartió este poder para cumplir su misión: "Pero cuando venga el Espíritu Santo sobre ustedes, recibirán poder y serán mis testigos tanto en Jerusalén como en toda Judea y Samaria, y hasta los confines de la tierra" (Hech. 1:8).

El Espíritu Santo sería el otro consolador prometido a sus seguidores. Esa promesa futura se hace realidad en el presente para el cristiano: "El Espíritu mismo le asegura a nuestro espíritu que somos hijos de Dios" (Rom. 8:16).

La resurrección

*Ya que han resucitado con Cristo, busquen las cosas de arriba
(Colosenses 3:1).*

L A ESPERANZA DE LA RESURRECCIÓN no aparece muy frecuentemente en el Antiguo Testamento. A Daniel, sin embargo, se le dijo: "Pero tú, persevera hasta el fin y descansa, que al final de los tiempos te levantarás para recibir tu recompensa" (Dan. 12:13). En la tradición farisaica, la resurrección de los muertos estaba asociada con el fin de esta era. La venidera sería de la resurrección. Nuestro Señor también enseñó que la resurrección pertenecía a la era venidera: "Y esta es la voluntad del que me envió: que yo no pierda nada de lo que él me ha dado, sino que lo resucite en el día final. Porque la voluntad de mi Padre es que todo el que reconozca al Hijo y crea en él, tenga vida eterna, y yo lo resucitaré en el día final" (Juan 6:39, 40). "Nadie puede venir a mí si no lo atrae el Padre que me envió, y yo lo resucitaré en el día final" (vers. 44). "No se asombren de esto, porque viene la hora en que todos los que están en los sepulcros oirán su voz, y saldrán de allí" (Juan 5:28, 29).

Pero como Jesús es la resurrección y la vida (Juan 11:25), y la vida ha invadido este mundo con la presencia de Cristo, resulta que la resurrección es una experiencia actual y presente. Por eso Jesús declaró: "Ciertamente les aseguro que ya viene la hora, y ha llegado ya, en que los muertos oirán la voz del Hijo de Dios, y los que la oigan vivirán" (Juan 5:25). La hora de resucitar a los muertos espirituales ya está aquí. Los que responden a la voz del Hijo de Dios, pueden tener vida. La resurrección, reservada solo para el día final, por la presencia de Cristo es una realidad actual. El que cree en Cristo resucita a una vida nueva: "Y en unión con Cristo Jesús, Dios nos resucitó y nos hizo sentar con él en las regiones celestiales" (Efe. 2:6).

El conocimiento de Dios

*La ley fue dada por medio de Moisés, mientras que la gracia
y la verdad nos han llegado por medio de Jesucristo (Juan 1:17).*

PORQUE CRISTO HA VENIDO A ESTE MUNDO, y él es la vida, la vida está a la disposición de quienes lo aceptan. Él dijo: "Yo soy el pan de vida", y el que come de ese pan vivirá para siempre. Pero esta vida eterna que Cristo trae, se obtiene por medio del conocimiento de Dios. Jesús dijo: "Y esta es la vida eterna: que te conozcan a ti, el único Dios verdadero" (Juan 17:3).

En el Antiguo Testamento, el conocimiento de Dios era una bendición de la era venidera. Pertenecía al tiempo del fin de esta era. En la presente no se conoce a Dios. Desde el punto de vista de la mentalidad hebrea, el conocimiento implica una relación personal e íntima, por lo que el conocimiento de Dios no es posible para el ser humano a causa de la existencia del mal. Los seres humanos pueden intimar entre ellos, como es el caso de nuestros primeros padres, de quienes se dice: "Conoció Adán a su mujer Eva, la cual concibió y dio a luz a Caín" (Gén. 4:1; RV95). Puesto que los seres humanos no pueden tener comunión personal con Dios, esa relación debía ser mediada. Por eso estableció el sistema ritual del santuario. Primeramente, Moisés fue el intercesor; luego, Dios se relacionó con sus hijos mediante el servicio sacerdotal. También medió su relación con su pueblo mediante los profetas, que eran sus representantes (Deut. 18:15).

Pero por Cristo podemos tener intimidad con Dios. Antes, esto no era posible. En primer lugar, porque él y la humanidad están estrechamente unidos en Cristo. En segundo lugar, porque él tiene un conocimiento tan íntimo del Padre, que puede transmitir ese conocimiento a sus discípulos. En Jesús, el conocimiento de Dios es posible (Juan 14:7).

Meditemos en esto: "En Cristo llegamos a estar más íntimamente unidos a Dios que si nunca hubiésemos pecado" (*El Deseado de todas las gentes,* p. 17).

La visión de Dios

"El que cree en mí —clamó Jesús con voz fuerte—, cree no solo en mí sino en el que me envió. Y el que me ve a mí, ve al que me envió"
(Juan 12:44, 45).

OTRA DE LAS BENDICIONES QUE CRISTO TRAJO, y que se pueden gozar en esta nueva era inaugurada por su presencia, es la visión de Dios.

El conocimiento inmediato de Dios era imposible para la mentalidad del Antiguo Testamento. También la visión. Era una experiencia reservada para la era venidera, o para el momento de la muerte. De hecho, el concepto de conocer y el de ver están íntimamente relacionados. Desde el punto de vista práctico, solo por medio la vista se puede tener un conocimiento verdadero. Pero Dios no podía ser visto, por la misma razón por la que no podía ser conocido: el pecado separa al hombre de Dios. Cuando Dios se reveló a los seres humanos, lo hizo mediante representaciones, apareciendo en forma humana, como en el caso de Abraham (Gén. 18:1, 2), o representado por su ángel, que también asumía la personalidad humana (Gén. 19). A pesar de que Dios habló con Moisés cara a cara, lo hizo en medio de la oscuridad de una nube (Éxo. 19:9). Para la fe judía era una profunda verdad que "a Dios nadie lo ha visto nunca" (Juan 1:18; 1 Juan 4:12).

Pero en esta nueva era que Cristo ha inaugurado, la visión de Dios es posible. El Señor dijo: "'Yo soy el camino, la verdad y la vida —le contestó Jesús—. Nadie llega al Padre sino por mí. Si ustedes realmente me conocieran, conocerían también a mi Padre. Y ya desde este momento lo conocen y lo han visto'" (Juan 14:6, 7). Felipe no entendió bien lo que Jesús quiso decirles, y dijo: "'Señor —dijo Felipe—, muéstranos al Padre y con eso nos basta'. '¡Pero, Felipe! ¿Tanto tiempo llevo ya entre ustedes, y todavía no me conoces? El que me ha visto a mí, ha visto al Padre'" (vers. 8, 9).

Así como Cristo trajo el conocimiento inmediato de Dios, también inauguró la posibilidad de su visión.

Hijos de Dios

Todos ustedes son hijos de Dios mediante la fe en Cristo Jesús
(Gálatas 3:26).

ADEMÁS DE ESAS BENDICIONES ESPIRITUALES que llegaron con Cristo, hay muchas otras bendiciones que el cristiano goza por el hecho de ser creyente. No son bendiciones que todo el mundo goza nada más por vivir en este mundo, sino que son las que se derivan de una relación de fe con Cristo. Son bendiciones que solo se gozan cuando uno acepta a Cristo como Señor y Salvador. Se disfrutan por el hecho de ser un hijo de Dios.

Ahora, teológicamente hablando, no todos somos hijos de Dios. Aunque en un sentido genérico todos seamos parte de la familia de Dios. Todos descendemos de Adán, que fue hijo de Dios, y en este sentido, todos somos hijos de Dios. Como tales, gozamos muchas cosas que nos da. Para eso, no necesitamos ni siquiera reconocer que Dios nos las da. El Señor dijo: "Su Padre que está en el cielo. Él hace que salga el sol sobre malos y buenos, y que llueva sobre justos e injustos" (Mat. 5:45). Todos comemos los frutos de la tierra y respiramos el aire que Dios proveyó. Todos bebemos el agua refrescante y gozamos de un sinfín de cosas en la naturaleza creada. Son las bendiciones generales que Dios imparte por igual.

Pero hay algunas personas en este mundo que son hijos de Dios de una manera más particular. Escribió el apóstol Juan: "Mas a cuantos lo recibieron, a los que creen en su nombre, les dio el derecho de ser hijos de Dios" (Juan 1:12). Esta es una declaración teológica. Quiere decir que únicamente quienes creen y aceptan a Jesús de Nazaret como el enviado de Dios, son hijos suyos. Si una persona no acepta a Cristo, no es hijo de Dios, y no puede gozar las bendiciones particulares que él da a sus hijos.

Más bendiciones del espíritu

Dios nos escogió en él antes de la creación del mundo, para que seamos santos y sin mancha delante de él (Efesios 1:4).

COMO SERES HUMANOS, gozamos muchas bendiciones que Dios, el Creador, ha esparcido en el mundo. Pero como hijos particulares de Dios, gozamos una serie de bendiciones que solo se disfrutan por medio de Cristo, es decir, de nuestra fe en él. ¿Cuáles son?

No nos referimos a las bendiciones materiales que todo el mundo puede tener. Como hijos de Dios en Cristo, Dios nos da muchas bendiciones materiales. Pero estas también las disfrutan otros que no son hijos especiales de Dios. Frecuentemente, hablamos de las bendiciones que nos da, y nos referimos a bendiciones materiales. Le damos gracias por esas bendiciones, y está bien, porque Dios es generoso y bueno con sus hijos. Le damos gracias por darnos un techo para guarecernos del sol y la lluvia, paredes que nos protegen del viento y el frío, ropa para cubrirnos, el alimento que nos sostiene, el trabajo con el que nos ganamos la vida, la salud que disfrutamos, la vida que nos da y del aire que respiramos. Todas son bendiciones preciosas que Dios nos da. Pero también las gozan los que no son hijos particulares de Dios, quienes a menudo las tienen en forma más abundante.

Pero hay ciertas bendiciones que son de naturaleza espiritual, que pasan frecuentemente desapercibidas para los hijos de Dios y que, sin embargo, solamente ellos pueden gozar. Nadie más puede tener la dicha de gozarlas, porque, como hemos dicho, se derivan de nuestra relación de fe con Cristo. Esta relación trae bendiciones particulares en su estela. Es paradójico que sean las menos reconocidas, y por las que menos agradecen, los hijos de Dios. No porque seamos ingratos o malagradecidos, sino porque las damos por sentadas.

¿Cuáles son? Empezaremos a reflexionar sobre ellas a partir de mañana.

Elegidos desde siempre

Desde el principio Dios los escogió para ser salvos, mediante la obra santificadora del Espíritu y la fe (2 Tesalonicenses 2:13).

EN EL CAPÍTULO 1 DE EFESIOS, el apóstol Pablo hace un resumen de las bendiciones espirituales que los hijos de Dios gozan por el hecho de tener una relación de fe con Cristo.

La primera es que Dios nos ha elegido. Pocas veces pensamos que esta sea una de las bendiciones que se gozan en Cristo. De hecho, tenemos cierta aversión a la doctrina de la elección. Pero es una doctrina cristiana, como Pablo lo enfatiza claramente. El apóstol se gozaba en el hecho que Dios lo había separado desde el vientre de su madre: "Sin embargo, Dios me había apartado desde el vientre de mi madre y me llamó por su gracia" (Gál. 1:15). También Pablo dice a los tesalonicenses: "Debemos dar gracias a Dios por ustedes, hermanos amados por el Señor, porque desde el principio Dios los escogió para ser salvos" (2 Tes. 2:13). Nuestro Señor dijo a sus discípulos: "No me escogieron ustedes a mí, sino que yo los escogí a ustedes" (Juan 15:16).

Uno de los primeros pensadores cristianos que tuvo problemas con esta doctrina de la elección fue Agustín. Su mente estaba tan absorta con el concepto de la soberanía absoluta de Dios, que concluyó que el Señor elige a las personas individualmente y en forma arbitraria. Él razonaba que Dios es soberano, y tiene el derecho de elegir al que quiere. De este modo, creía que el Señor ha elegido a una cantidad determinada de personas para ser salvas, y a las demás las ha rechazado. Cuando algunos de sus discípulos objetaron esta idea basados en que desfigura el carácter de Dios, Agustín respondía: Todos estamos corrompidos y vamos a la perdición; si Dios en su sabiduría y amor quiere salvar a algunos, él tiene derecho de hacerlo. Otros añadían: ¿Y por qué no salva a todos? ¿No dice la Biblia que Dios es amor?

Todos elegidos

*Pues él quiere que todos sean salvos
y lleguen a conocer la verdad (1 Timoteo 2:4).*

ES UN ERROR PENSAR QUE DIOS haya escogido a todo el mundo para salvación, pues la Biblia enseña claramente que no todos lo serán cuando Cristo vuelva. Pero para Agustín no era así: Dios no puede elegir a todos, solo a cierto número. Aunque algunos de sus estudiantes insistían: ¿Por qué Dios no puede elegir a todos? ¿No dice la Biblia que Dios quiere que todos se salven? Agustín respondía: Dios quiere repoblar el cielo de la apostasía angelical con seres humanos, y esto tiene un límite.

Agustín, como otros que lo siguieron, tenía razón en varias cosas. Estaba acertado en que Dios es soberano, y que tiene el derecho de elegir a quien quiera. También estaba en lo correcto cuando creía que Dios va a elegir a unos y rechazar a otros. Lo que Agustín pasó por alto en la doctrina de la elección es que Pablo dijo que somos elegidos en Cristo: "Dios nos escogió en él" (Efe. 1:4). No somos elegidos individualmente, sino en forma corporativa. Es decir, Dios, usando su derecho de soberanía, determinó que elegiría a los que escogieran a Cristo como su Señor y Salvador. Antes de la fundación del mundo, antes que el mal existiera, Dios se anticipó con un plan, que conocemos como el plan de la salvación, que establece que solo serían elegidos para la salvación los que tuvieran fe en Cristo. Los demás, serían rechazados. Este concepto mantiene la soberanía de Dios, pero no elimina la elección humana. Todavía los seres humanos son responsables de lo que elijan.

El apóstol Pablo no enfatiza la elección del hombre, sino la elección de Dios. Cuando se enfatiza lo primero, el hombre recibe el honor; cuando se subraya lo segundo, es Dios quien recibe la honra. Por eso el énfasis de Pablo. Es maravilloso el pensamiento de que Dios nos elige. ¡Qué bendición ser un elegido suyo!

Elegidos en Cristo

Así también hay en la actualidad un remanente escogido por gracia (Romanos 11:5).

EL PROPÓSITO DE LA ELECCIÓN ES DETERMINAR quiénes van a ser salvos y sobre cuál base. Por eso, Dios elige a los que son de Cristo. El requisito para ser elegido es pertenecer a él. La persona tiene que elegirlo a Cristo. Pero no se salva uno solamente por eso, sino por lo que Cristo hizo a fin de que, al elegirlo, pudiéramos ser salvos. Recordemos, la honra es de Jesús en última instancia. Por eso, es una bendición ser elegidos por Dios.

El ser de Cristo, es decir, pertenecer a él, conlleva varias cosas y tiene importantes consecuencias para la vida. Una de ellas es que seamos santos. Esto significa ser apartados para Dios. Nos elige en Cristo para que seamos de él. Es santo y los que sean elegidos por él, serán santos. La santidad es la característica de Dios. Por eso dice la Biblia: "El Señor le ordenó a Moisés que hablara con toda la asamblea de los israelitas y les dijera: 'Sean santos, porque yo, el Señor su Dios, soy santo'" (Lev. 19:1, 2). Por eso, el apóstol decía: "Busquen la paz con todos, y la santidad, sin la cual nadie verá al Señor" (Heb. 12:14). Cuando pertenecemos a Dios, él nos imparte su santidad.

Otra consecuencia de pertenecer a Cristo, es que seremos sin mancha, otra manera de hablar de la santidad. Como los sacrificios del santuario eran sin mancha, así quiere Cristo que sean todos los que le pertenecen. Así como somos santos en él, también somos sin mancha por causa suya. Él ha lavado nuestros pecados con su sangre y envía su Espíritu para limpiarnos día a día. Por eso se nos promete que algún día "seremos semejantes a él, porque lo veremos tal como él es" (1 Juan 3:2).

Reflexionemos: "El blanco a alcanzarse es la piedad, la semejanza a Dios" (*La educación*, p. 16).

Predestinados para la salvación

*Nos predestinó para ser adoptados como hijos suyos
por medio de Jesucristo, según el buen propósito
de su voluntad (Efesios 1:5).*

OTRA DE LAS BENDICIONES QUE RECIBEN quienes pertenecen a Cristo, es la predestinación. Esta doctrina es compañera de la elección, y así como se ha entendido mal, también se ha tergiversado el concepto de la predestinación. Predestinar significa establecer el destino de antemano. Básicamente, esta doctrina dice que Dios ha establecido el destino de los que ha elegido. Así como la elección bíblica no es arbitraria, tampoco lo es la predestinación. Pero muchas personas creen que hay un destino individual escrito. Son muchos los que creen que está hasta en los astros. Es un concepto implícito en las palabras que se dicen cuando alguien muere: "Le llegó la hora".

Pero la predestinación bíblica, de la que habla Pablo en nuestro pasaje, dice que somos predestinados en Cristo, no individualmente. Quiere decir que todos los que pertenezcan a Cristo, tienen un destino establecido de antemano: la salvación y el reino de Dios. Implica que antes de los tiempos de los siglos, antes que el mundo existiera, Dios estableció el plan de la salvación. Este plan prescribía que los que aceptaran a Cristo como su Señor, tendrían como destino la vida eterna con Dios. También establecía que los que rechazaran a Cristo, estarían destinados a la perdición eterna.

Por lo tanto, el apóstol nos dice que una de las bendiciones maravillosas que tiene el cristiano es que un destino cierto y seguro que Dios ha provisto para él. No tenemos que debatirnos en la duda de si seremos salvos o no. No tenemos que vivir en este mundo con la incertidumbre de cuál será el fin nuestra vida, ni qué nos pasará al fin de nuestra carrera. Con Cristo estamos seguros. No debemos olvidar nunca que esta certidumbre solo la tienen quienes están en él. Es una gran bendición ser predestinados por Dios.

Predestinados en Cristo

Dios envió a su Hijo [...] a fin de que fuéramos adoptados como hijos (Gálatas 4:4, 5).

NO SOMOS predestinados individualmente, sino en forma corporativa por medio de Cristo. Si estamos en él, tenemos un destino seguro.

Sin embargo, el apóstol Pablo se enfoca en algo específico cuando habla de la predestinación. Él dice que Dios "nos predestinó para ser adoptados como hijos suyos" (Efe. 1:5). Nos predestinó para ser sus hijos adoptivos. La razón por la que el apóstol habla de adopción, es porque por causa del pecado dejamos de ser hijos de Dios. En realidad llegamos a ser hijos de otro, del Maligno. Pablo es el único autor de la Biblia que habla de adopción. Los hebreos no usaban esa idea. En realidad usaban otro concepto parecido, conocido como la ley del levirato. Esta decía que si un niño se quedaba huérfano, el pariente más cercano debía hacerse cargo de él. De este modo no tenían necesidad del concepto de la adopción. La adopción que conocemos en el mundo moderno nos viene de los romanos. Ellos la legislaron y le dieron la forma que tiene hoy en día.

Pablo dice que fuimos predestinados para ser adoptados en la familia de Dios mediante Cristo. Esto quiere decir que, desde antes de los tiempos de los siglos, Dios determinó que toda persona que no perteneciera a su familia, podía llegar a ser parte de ella si aceptaba a Cristo como Señor y Salvador. Nosotros, por causa del pecado, no pertenecíamos a su familia. Éramos miembros de la familia de Adán, quien entregó el dominio y poder a Satanás. De este modo dejamos de ser familia de Dios, para ser miembros de la familia de su enemigo. Pero la Divinidad en su misericordia y amor, estableció, mucho antes de que el pecado existiera, que podíamos cambiarnos de familia. Legisló que todos los que fueran de Cristo serían parte de su familia.

¡Qué bendición es el ser miembro de la familia de Cristo!

Somos herederos

En Cristo también fuimos hechos herederos, pues fuimos predestinados según el plan de aquel que hace todas las cosas conforme al designio de su voluntad (Efesios 1:11).

SOMOS MIEMBROS de la familia de Dios mediante la adopción. El concepto romano de adopción brindó a Pablo la posibilidad de explicar cómo podemos volver a ser miembros de la familia de Dios cuando éramos miembros de la familia de Satanás.

Cuando un juez romano pronunciaba el veredicto de adopción, la persona adoptada llegaba a ser parte de la nueva familia con todos los privilegios y responsabilidades de la ley. La persona recibía el nombre de la nueva familia, y tenía el privilegio de recibir su herencia. El nuevo miembro de la familia era diferente de los demás solo desde el punto de vista genético, pero en la ley romana eso no contaba. El miembro adoptivo era miembro de la familia con todos los derechos, privilegios y obligaciones. Del mismo modo, cuando somos adoptados en la familia de Dios, llegamos a ser plenamente de su familia. Tan ciertamente Dios nos recibe en su familia, que recibimos herencia en ella. Dice el apóstol que "si somos hijos, somos herederos; herederos de Dios y coherederos con Cristo, pues si ahora sufrimos con él, también tendremos parte con él en su gloria" (Rom. 8:17). "Y si ustedes pertenecen a Cristo, son [...] herederos según la promesa" (Gál. 3:29). "Así lo hizo para que, justificados por su gracia, llegáramos a ser herederos que abrigan la esperanza de recibir la vida eterna" (Tito 3:7).

Es sencillamente maravilloso que cuando éramos nada, cuando vivíamos sin Dios y sin esperanza en el mundo, cuando éramos por naturaleza hijos de ira, y nos revolcábamos en el fango del pecado y la miseria de este mundo, llegamos a ser herederos en la familia de Dios y coherederos con Cristo, a quien Dios hizo heredero de todo lo que existe.

¡Qué bendición ser adoptado en la familia de Dios y recibir una herencia imperecedera!

Somos redimidos

En él tenemos la redención mediante su sangre, el perdón de nuestros pecados, conforme a las riquezas de la gracia que Dios nos dio (Efesios 1:7, 8).

OTRA DE LAS BENDICIONES MARAVILLOSAS que se disfrutan en Cristo es la redención. El término redención, o su correspondiente verbo redimir, es casi exclusivamente usado en la vida moderna en un sentido teológico. La palabra redención no la oímos en la televisión, ni la escuchamos en la radio, ni la leemos en los periódicos. Preferimos las palabras rescate y rescatar.

Sin embargo, en tiempos del apóstol Pablo era una palabra bastante común. Se usaba cuando alguien quería rescatar algo empeñado, redimir a un esclavo, rescatar a un prisionero de guerra o a un secuestrado. El sentido de la palabra recaía en un tercero, es decir, que siempre era el otro el que podía redimir. Nunca uno podía redimirse a sí mismo. Tenía que ser por alguien. Alguien tenía que pagar el rescate. Esta es la idea que el apóstol quiere transmitir cuando usa este término.

Estábamos en una condición tan deplorable, que no podíamos ayudarnos a nosotros mismos. Pero gracias a Dios que Cristo vino a redimirnos de nuestra triste condición. En él tenemos redención. La Escritura dice: "Pero por su gracia son justificados gratuitamente mediante la redención que Cristo Jesús efectuó" (Rom. 3:24). "Él nos libró del dominio de la oscuridad y nos trasladó al reino de su amado Hijo, en quien tenemos redención, el perdón de pecados" (Col. 1:13, 14). En esto se centraba la esperanza de Israel en relación con la venida del Mesías, como lo dice el cántico de Zacarías: "Bendito sea el Señor, Dios de Israel, porque ha venido a redimir a su pueblo" (Luc. 1:68).

Qué bendición tan grande es la de sentirse redimido. Pero para poder sentir esto como una bendición que produzca felicidad y dicha, primero tenemos que sentirnos perdidos. Quizá sea produzca la razón por la que este término no sea común en nuestros días.

Perdón obtenido por sangre

La ley exige que casi todo sea purificado con sangre,
pues sin derramamiento de sangre no hay perdón (Hebreos 9:22).

L A REDENCIÓN ES EL PERDÓN DE NUESTROS pecados: "En él tenemos la redención mediante su sangre, el perdón de nuestros pecados" (Efe. 1:7). Nuestra deuda era tan grande, que no había manera que pudiéramos pagarla. Dios, entonces, nos perdonó. Pero no parecía a simple vista que fuera la manera justa de redimir al ser humano. Cuando el Señor prometió el perdón de los pecados al hombre caído, Satanás estuvo listo para atacar al gobierno divino como injusto. Luego, Dios reveló su plan más ampliamente: el perdón se concedería en base a la muerte de su Hijo.

Pablo dice que "tenemos la redención mediante su sangre" (Efe. 1:7). La redención de prisioneros, esclavos y secuestrados costaba dinero. Se lograba mediante el pago de plata y oro. La redención del género humano de las garras del mal se logró mediante el derramamiento de la sangre de Cristo. La sangre es sinónimo de vida. Jesús entregó su vida para redimirnos del mal. Dios es el dueño de todo el universo, pero el rescate del ser humano costó la vida de su Hijo, lo que quiere decir que le costó su propia vida. Sangre derramada es vida entregada. Esta proveyó nuestra expiación: "Dios lo ofreció como un sacrificio de expiación que se recibe por la fe en su sangre" (Rom. 3:25). Nos dio justificación: "Y ahora que hemos sido justificados por su sangre, ¡con cuánta más razón, por medio de él, seremos salvados del castigo de Dios!" (Rom. 5:9). Nos acercó a Dios: "Pero ahora en Cristo Jesús, a ustedes que antes estaban lejos, Dios los ha acercado mediante la sangre de Cristo" (Efe. 2:13). Nos reconcilió y trajo la paz con Dios: "Y, por medio de él, reconciliar consigo todas las cosas, tanto las que están en la tierra como las que están en el cielo, haciendo la paz mediante la sangre que derramó en la cruz" (Col. 1:20).

Somos sellados

En él también ustedes, cuando [...] creyeron, fueron marcados con el sello que es el Espíritu Santo prometido (Efesios 1:13).

EL APÓSTOL EXPONE las bendiciones espirituales que se gozan en Cristo. En esta ocasión nos dice que fuimos sellados. En la antigüedad, la gente usaba sellos para colocarlos en lugar de sus nombres. Era una señal de propiedad y pertenencia. Se usaba como hoy ponemos nuestra firma o escribimos nuestro nombre para indicar que algo es nuestro.

Cuando el apóstol nos dice que fuimos sellados, lo que quiere decir es que pertenecemos a Dios, porque llevamos su sello de propiedad (2 Cor. 1:22). Esto es lo más maravilloso que hace el evangelio por las personas que creen en Cristo: Les asegura que no tienen de qué preocuparse, porque son propiedad de Dios. Imagínese lo que implica pertenecer al Ser más poderoso del universo, el Creador de todo y dueño de todo lo que existe. Ciertamente esto nos imparte seguridad y confianza. Pero no somos propiedad de Dios como un objeto, sino porque somos miembros de su familia. Por eso, el Señor dijo: "Mis ovejas oyen mi voz; yo las conozco y ellas me siguen [...]. Nunca perecerán, ni nadie podrá arrebatármelas de la mano. Mi Padre, que me las ha dado, es más grande que todos; y de la mano del Padre nadie las puede arrebatar" (Juan 10:27-29).

Él cuida de sus hijos como cuidó de su pueblo: "Lo protegió y lo cuidó; lo guardó como a la niña de sus ojos" (Deut. 32:10). En medio de los peligros de los últimos días, Dios pondrá su sello sobre su pueblo: "¡No hagan daño ni a la tierra, ni al mar ni a los árboles, hasta que hayamos puesto un sello en la frente de los siervos de nuestro Dios!" (Apoc. 7:3).

Su pueblo estará seguro en la crisis final porque pertenece a Dios.

El sello del Espíritu

*Él nos ungió, nos selló como propiedad suya y puso su Espíritu
en nuestro corazón, como garantía (2 Corintios 1:21, 22).*

EL APÓSTOL AÑADE QUE EL SELLO DE PROPIEDAD que Dios coloca sobre sus hijos es el Espíritu Santo, que ha prometido dar a sus hijos. Hay algunas personas que pretenden que el Espíritu Santo es propiedad de ellos nada más. No nos dejemos engañar. El Espíritu no pertenece a nadie, a ningún ser humano. Dios lo ha dado a sus hijos como señal de que son su propiedad. Y lo ha dado a todos, no a unos pocos.

El Espíritu es la señal que se da al que cree en Cristo. El apóstol Juan declaró: "Con esto se refería al Espíritu que habrían de recibir más tarde los que creyeran en él" (Juan 7:39). El apóstol Pedro afirmó: "Nosotros somos testigos de estos acontecimientos, y también lo es el Espíritu Santo que Dios ha dado a quienes le obedecen" (Hech. 5:32). Tanto, que quienes no tienen el Espíritu no son cristianos: "Y si alguno no tiene el Espíritu de Cristo, no es de Cristo" (Rom. 8:9). "Porque todos los que son guiados por el Espíritu de Dios son hijos de Dios" (Rom. 8:14). "El Espíritu mismo le asegura a nuestro espíritu que somos hijos de Dios" (Rom. 8:16). Los miembros de la iglesia son receptores del Espíritu: "¿No saben que ustedes son templo de Dios y que el Espíritu de Dios habita en ustedes?" (1 Cor. 3:16). Dios mora en el creyente por su Espíritu: "En él también ustedes son edificados juntamente para ser morada de Dios por su Espíritu" (Efe. 2:22). El creyente individual permite que su cuerpo sea templo del Espíritu: "¿Acaso no saben que su cuerpo es templo del Espíritu Santo, quien está en ustedes y al que han recibido de parte de Dios?" (1 Cor. 6:19). Todos los que confiesan a Cristo como su Señor, lo hacen por el Espíritu: "Nadie puede decir: 'Jesús es el Señor' sino por el Espíritu Santo" (1 Cor. 12:3).

Garantía y esperanza

Este garantiza nuestra herencia hasta que llegue la redención final del pueblo adquirido por Dios, para alabanza de su gloria (Efesios 1:14).

EL APÓSTOL DICE QUE EL ESPÍRITU SANTO, que es señal o sello de propiedad, garantiza al creyente que recibirá la herencia prometida. Es decir, el derramamiento del Espíritu en el cristiano es la garantía de algo que viene después en plenitud. La palabra usada por Pablo para referirse al Espíritu como garantía, es un término que en sus días pertenecía al mundo de los negocios y el comercio. Es lo que llamaríamos hoy un enganche o anticipo. Lo que se adelanta para garantizar algo. El apóstol Pablo lo afirma: "Nos selló como propiedad suya y puso su Espíritu en nuestro corazón, como garantía de sus promesas" (2 Cor. 1:22). "Es Dios quien nos ha hecho para este fin y nos ha dado su Espíritu como garantía de sus promesas" (2 Cor. 5:5).

El Espíritu Santo en la vida del creyente es el sello de propiedad de Dios y es la garantía de que sus promesas se cumplirán fielmente. Es decir, es señal de posesión e indicador de que lo mejor está por venir. Por eso, el apóstol vincula el término primicia con la posesión del Espíritu: "Y no solo ella, sino también nosotros mismos, que tenemos las primicias del Espíritu, gemimos interiormente, mientras aguardamos nuestra adopción como hijos, es decir, la redención de nuestro cuerpo" (Rom. 8:23). Las primicias eran los primeros frutos de la cosecha. Eran la señal inequívoca de que la cosecha completa estaba por venir.

Así que en la concesión de su Espíritu al creyente, Dios ha dado garantía y anticipo. La garantía nos da seguridad; el anticipo nos da esperanza. Todavía los griegos modernos usan el término que usó Pablo para referirse al anillo de compromiso. Con ello, los novios tienen garantía y aguardan con esperanza el día de la boda. De este modo, Dios nos ha dado su Espíritu como una bendición espiritual muy grande, a fin de que tengamos seguridad y esperanza.

Divisionismo

*Entonces Dios el Señor expulsó al ser humano del jardín del Edén [...].
Luego de expulsarlo, puso al oriente del jardín del Edén a los querubines,
y una espada ardiente que se movía por todos lados, para custodiar
el camino que lleva al árbol de la vida (Génesis 3:23, 24).*

N**UESTRO MUNDO ESTÁ DIVIDIDO.** La historia nos recuerda que a los seres humanos nos gusta crear divisiones. Somos especialistas en erigir barreras y construir muros de separación. Esto se debe a nuestra condición pecaminosa. El mal tiende a la división y al segregacionismo. Por causa del mal, los seres humanos nos separamos de Dios y luego de los demás.

Por eso, hasta hace poco, en medio de la Guerra Fría producto del mal y la desconfianza, el mundo se dividía en Oriente y Occidente. Teníamos dos Vietnam, dos Chinas, dos Alemanias, dos Yemen. Todavía tenemos dos Coreas. La humanidad se divide, muchas veces, y por causa del mal, en ricos y pobres, blancos y negros, nobles y plebeyos, letrados e ignorantes, los del norte y los del sur, los de este lado y los de aquel lado, ciudadanos y extranjeros, etc. En la antigüedad no era diferente. Los griegos dividían al mundo en dos: los helenos, que hablaban griego, y los bárbaros que no lo hablaban. Los romanos lo dividían entre libres y esclavos. Los judíos entre circuncisos e incircuncisos.

Por esta misma razón edificamos muros y construimos murallas. Algunas veces para impedir que otros entren, y otras para impedir que algunos salgan. La Muralla China, una de las maravillas del mundo antiguo, se construyó como defensa contra los invasores; el muro de Berlín, para impedir la salida de quienes querían moverse con libertad.

Cuando el mal se introdujo en nuestro planeta, nuestros primeros padres fueron enajenados de la presencia de Dios. Ellos eran uno con Dios, pero a causa del pecado se convirtieron en sus enemigos. Por esa causa, el Señor tuvo que expulsarlos, para que no comieran del árbol de la vida y fueran pecadores inmortales.

Una nueva humanidad

Dios no envió a su Hijo al mundo para condenar al mundo
sino para salvarlo (Juan 3:17).

POR CAUSA DEL PECADO, LA HUMANIDAD quedó dividida en dos: Los que querían servir a Dios y los que continuarían en su rebelión contra él. Los primeros fueron los descendientes de Set; los segundos, los descendientes de Caín. Unos eran los hijos de Dios; los otros, los hijos de los hombres.

Se formaron, entonces, dos familias: la familia de Dios y la familia de su enemigo. Puesto que Adán permitió que el pecado entrara en este mundo, se conoció a los que abrazaron el pecado como la familia de Adán, en contraste con la familia de Dios. El mundo se degeneró tanto que en ocasiones pareció que la familia de Dios iba a desaparecer del planeta. Uno de estos momentos oscuros se dio antes del Diluvio, donde solo ocho personas fueron dignas de salvarse en el arca.

Llegó un momento en el que parecía como si toda la humanidad estuviera rodeaba de tinieblas morales. Las inteligencias del universo esperaban que Dios se levantara y rayera a toda la humanidad para siempre. En lugar de eso, él envió a su Hijo a rescatarla. El propósito era comenzar de nuevo. Darle la oportunidad a los seres humanos para alinearse al lado de Dios. Su Hijo nacería como el segundo Adán, con el fin de resarcir el daño hecho por el pecado del primer Adán. De este modo, Cristo nació en este mundo, y con él la esperanza de una nueva humanidad.

Con la venida de Jesús se formó una nueva división en el género humano. Las fuerzas del bien entraron una vez más en conflicto con las fuerzas del mal prevaleciente. El mensaje del evangelio, o sea las buenas nuevas, iban a ganar adeptos para formar una nueva familia. Esta sería la de Cristo, en contraste con la de Adán. De este modo, el conflicto entre el bien y el mal arreció y alcanzó alturas insospechadas.

Reflexionemos: "Cristo vino al mundo para entablar un combate contra el enemigo del hombre, y así libertar a la humanidad de las garras de Satanás" (*A fin de conocerle*, p. 239).

La antigua familia

Desde los días de Juan el Bautista hasta ahora, el reino de los cielos ha venido avanzando contra viento y marea, y los que se esfuerzan logran aferrarse a él (Mateo 11:12).

COMO RESULTADO DE LA VENIDA DE CRISTO al mundo, se estableció una nueva humanidad unida por la adhesión a Cristo. Surgió una nueva familia, la suya. La cabeza de esta nueva familia es el Hijo de Dios, mientras que la cabeza de la antigua humanidad sigue siendo Adán. Por lo tanto, el mundo está realmente dividido en dos: La familia de Adán y la familia de Cristo. El primer Adán es la cabeza de la primera familia; el segundo Adán, de la segunda familia. Como la familia del primero estaba totalmente sumida en el mal, Cristo vino a establecer un puente a través del cual todos los que quisieran pertenecer a la nueva familia, pudieran tener el privilegio de cambiarse de familia.

Es así como, por la fe y confianza en el Hijo de Dios, los seres humanos pueden abandonar su antigua familia y adherirse a la nueva. Esto es lo que se llama adopción en el Nuevo Testamento. El apóstol Pablo usa este concepto para enseñar que podemos pertenecer a la nueva familia de Cristo, con solo abandonar la familia de Adán y decidir pertenecer a la de Jesús.

Pero esto no se hace sin lucha. Hay una guerra despiadada de las fuerzas del mal contra el reino de Dios. No es con poco esfuerzo que se puede abandonar la familia de Adán para pertenecer a la familia de Cristo. Involucra no solo escuchar el evangelio, sino creerlo. Requiere aceptar que Cristo es nuestra nueva Cabeza y nuestro nuevo Progenitor. Implica entregarnos a su voluntad y aceptar las nuevas responsabilidades que conlleva pertenecer a la familia de Cristo. Requiere aceptar el constante reto de confrontación con la antigua familia a la que pertenecíamos.

Pensemos en esto: "El mundo es un campo de batalla sobre el cual los poderes del bien y del mal están en guerra incesante" (*Alza tus ojos*, p.108).

Herencia de pecado

Todos han pecado y están privados de la gloria de Dios (Romanos 3:23).

P UESTO QUE SE REQUIERE ESFUERZO PERSONAL para decidir pertenecer a la familia de Cristo, y frecuentemente esto no se puede hacer sin dolor y quebranto, vale la pena reflexionar sobre las implicaciones que tiene ser miembro de la familia de Cristo, o quedarnos en la familia de Adán.

En días anteriores reflexionábamos que al pertenecer a Cristo, recibimos una herencia invaluable e infinita: Llegamos a ser herederos y coherederos con Cristo. Para saber realmente lo valioso que es cambiarnos de familia, veamos brevemente cuál es la herencia que recibiremos de cada una.

De parte de la familia de Adán, ya hemos recibido parte de su herencia. El apóstol Pablo lo describe así: "Por medio de un solo hombre el pecado entró en el mundo" (Rom. 5:12). "Porque así como por la desobediencia de uno solo muchos fueron constituidos pecadores" (vers. 19). El apóstol nos dice que el pecado de Adán no se quedó con él. Fue como un virus terrible que lo infectó todo. El pecado se propagó por todo el mundo y afectó a todos. La desobediencia de Adán pasó a todos sus descendientes. Como resultado de su transgresión, todos fuimos constituidos pecadores. La realidad espiritual es que "no hay un solo justo, ni siquiera uno" (3:10). Así que, la primera herencia triste que Adán nos pasó fue convertirnos en pecadores.

Cuando el apóstol habla de este hecho, no nos explica cómo es que el pecado, algo intangible y abstracto, puede pasarse por descendencia. No dice que fue por las leyes de la herencia, que de paso eran desconocidas en su tiempo. Tampoco explica que fue por imitación, o sea que Adán nos dio un mal ejemplo que todos luego seguimos. El apóstol se concentra solo en el hecho de que Adán fue el primer hombre; los que nacimos de él, somos iguales que él. Como padre y representante de la raza humana, pecó, y por lo tanto todos en él.

Herencia de condenación

El juicio que lleva a la condenación fue resultado de un solo pecado (Romanos 5:16).

SER CONSIDERADOS PECADORES, y que nada pasara, no sería una herencia tan mala, tal vez. El problema fue que el pecado de Adán no fue inocente. Hay cinco palabras que el apóstol usa para describir lo que hizo Adán. La primera es la palabra "pecado", que significa yerro, falta, o error. Adán cometió una falta muy seria. La segunda palabra que el apóstol usa para hablar del pecado de Adán es "desobediencia". Quiere decir que sabía lo que estaba haciendo, y era consciente de ir contra la voluntad de Dios. La tercera palabra con la que Pablo describe el pecado de Adán significa "transgresión". Esto implica que a Adán, como sabemos, se le dio un mandamiento específico, y claro, él lo violó, lo pisoteó. No fue un error cometido solo por ignorancia, sino con desdén. Fue una falta intencional.

El cuarto término describe aún más la gravedad de su pecado, ya que se traduce como "rebelión", iniquidad. Esto quiere decir que no solo fue intencionado sino que lo hizo como un acto de rebeldía y oposición. Finalmente, la quinta palabra nos dice que su pecado involucró una "caída". Como resultado de su yerro, desobediencia, transgresión y rebelión, Adán cayó del favor de Dios. Cayó de la condición de pureza a una condición de pecado. La herencia que nos transmitió no fue una caída ligera, sino estrepitosa.

Podríamos decir que Adán cayó en un foso grande, ancho y profundo. Es el pozo del pecado, y que ahí nacimos todos los seres humanos. Nos revolcamos en ese fango sin esperanza de algo mejor, porque nos acostumbramos a vivir en la podredumbre del mal. Esta es la herencia triste de nuestro padre Adán. Y esta es la razón por la que fue condenado; y junto con él, todos nosotros.

Herencia de muerte

En Adán todos mueren (1 Corintios 15:22).

EL PECADO DE ADÁN se transmitió a su descendencia como una herencia desdichada. Primero, porque llegamos a ser pecadores; segundo, porque el pecado fue tan grave que mereció la condenación de Dios. Esa lleva al tercer elemento de la triste herencia de Adán: La muerte. La condena del pecado fue la muerte.

Notemos lo que dice Pablo: "Por medio de un solo hombre el pecado entró en el mundo, y por medio del pecado entró la muerte; fue así como la muerte pasó a toda la humanidad, porque todos pecaron" (Rom. 5:12). "La muerte vino por medio de un hombre" (1 Cor. 15:21). "Sin embargo, desde Adán hasta Moisés la muerte reinó" (Rom. 5:14). "Por la transgresión de un solo hombre reinó la muerte" (vers. 17). "Reinó el pecado en la muerte" (vers. 21). "Porque la paga del pecado es muerte" Rom. 6:23). Nosotros que éramos miembros de la familia de Adán, recibimos la condena que él recibió.

No hay nada que el ser humano tema más que la muerte. Evidentemente, es porque implica separación, enajenación, extinción. La muerte que sufrió Adán, y la que nosotros sufrimos como sus descendientes, es solo un anticipo de la otra, la eterna, la aniquilación total. El pecado no puede subsistir en la presencia de un Dios santo, porque el pecado es enemistad contra Dios. El pecado representa caos y desorden en el universo de Dios. Para restaurar la paz y concordia universales, el pecado necesita ser eliminado. Pero no es una cosa u objeto, energía o influencia que pueda ser eliminado sin alterar lo demás. No existe el pecado sin que alguien lo cometa. Para que deje de existir, y sea eliminado para siempre, tiene que destruirse a los pecadores.

Pero el pecado trae consigo su propia condena. Como es desorden, caos y confusión, tiende eventualmente a la muerte y la extinción. Por eso el pecado tiene que ser destruido. Su condena es la muerte eterna. Extinción total.

Una nueva oportunidad

*Así que ya no eres esclavo sino hijo; y como eres hijo,
Dios te ha hecho también heredero (Gálatas 4:7).*

L O QUE HEMOS DESCRITO HASTA AHORA es la herencia de Adán. Nosotros, como parte de su familia, heredamos en Adán. Si permanecemos así, esta es la herencia que tendremos. Evidentemente no es buena, pero es la que indefectiblemente tendremos si nos quedamos en su familia.

Sin embargo, Dios tuvo compasión de sus criaturas. Nos vio desamparados, revolcándonos en el cieno del mal, sin ninguna posibilidad humana de emanciparnos del pecado y evitar su ruina. Entonces, elaboró un plan para darnos una nueva oportunidad. Entre las muchas opciones que Dios debe haber tenido, eligió un plan que era muy costoso para él. Lo hizo porque amaba a sus criaturas y deseaba la felicidad de ellas.

Este plan consistía en que uno de los miembros de la Deidad viniera a vivir entre los hombres, como un segundo Adán, a fin de brindar a los seres humanos la oportunidad de tener un destino diferente. Este segundo Adán formaría una nueva familia, una nueva raza, por decirlo así, que dependería ya no de la herencia del primer Adán, sino de la del segundo. De este modo, la herencia del segundo Adán se pasaría a sus descendientes, y habría la posibilidad de evitar las consecuencias de la herencia del primer hombre.

Para ser miembros de la familia del segundo Adán, se requeriría fe en la persona del segundo Adán, confianza en lo que él hiciera a favor de sus seguidores, obediencia a sus indicaciones y lealtad indivisa. Cualquier miembro de la familia del primer Adán puede pasarse a la del segundo. De hecho, es la única manera de evitar la herencia del primer Adán. Si deseamos heredar en el segundo, necesitamos cambiarnos de familia. Necesitamos renunciar a la familia de Adán y unirnos a la familia de Cristo. Esto es lo que el apóstol Pablo llama "adopción".

Libres del pecado

Dios nos dio vida en unión con Cristo, al perdonarnos todos los pecados (Colosenses 2:13).

ADÁN, ENTONCES, LLEGÓ A SER UN TIPO, una ilustración, del otro Adán que habría de venir en el futuro. Notemos: "Como lo hizo Adán, quien es figura de aquel que había de venir" (Rom. 5:14). "El primer hombre, Adán, se convirtió en un ser viviente; el último Adán, en el Espíritu que da vida" (1 Cor. 15:45).

La herencia que recibimos por medio de Cristo es muy diferente de la de Adán. Lo primero que Adán nos legó fue el pecado y la muerte. ¿Qué recibimos en su lugar como herencia en Cristo? Veamos: "¡Cuánto más el don que vino por la gracia de un solo hombre, Jesucristo, abundó para todos!" (Rom. 5:15). En lugar de que fuésemos considerados pecadores, se nos extendió gracia, es decir, misericordia, de modo que el pecado de Adán no nos afecta, pues recibimos el perdón de Dios. Porque "allí donde abundó el pecado, sobreabundó la gracia" (vers. 20). "En él tenemos la redención mediante su sangre, el perdón de nuestros pecados, conforme a las riquezas de la gracia" (Efe. 1:7). El perdón de nuestros pecados fue un despliegue de la gracia y misericordia infinitas de Dios. El pecado produjo infelicidad y desdicha. Pero son "¡dichosos aquellos a quienes se les perdonan las transgresiones y se les cubren los pecados!" (Rom. 4:7).

Mediante la gracia de Cristo, ya no somos considerados pecadores. Nuestros pecados han sido limpiados; nuestra deuda borrada. Dios se compadeció de nuestra miseria, y nos sacó del lodo vil. Cristo nos extendió su mano cuando estábamos en el foso más hondo del pecado y la muerte, y nos sacó para vivir una vida nueva. Nos dice que estamos perdonados.

Reflexionemos: "¡Cuán maravilloso es el plan de la redención en su sencillez y plenitud! No solo proporciona el perdón pleno al pecador, sino también la restauración del transgresor, preparando un camino por el cual puede ser aceptado como hijo de Dios" (*A fin de conocerle*, p. 96).

Libres de condenación

A fin de que, así como reinó el pecado en la muerte, reine también la gracia que nos trae justificación y vida eterna por medio de Jesucristo nuestro Señor (Romanos 5:21).

L A HERENCIA QUE RECIBIMOS por medio de Cristo es diametralmente opuesta a la que recibimos de Adán. Para empezar, en Cristo ya no somos pecadores. Él ha borrado la mancha de nuestro pecado. Canceló la deuda que teníamos con Dios. Dice Pablo que Cristo vino a "anular la deuda que teníamos pendiente por los requisitos de la ley. Él anuló esa deuda que nos era adversa, clavándola en la cruz" (Col. 2:14). Ya no tenemos que andar por la vida con el fardo del pecado a cuestas. En Cristo hay descanso: "Vengan a mí todos ustedes que están cansados y agobiados, y yo les daré descanso. Carguen con mi yugo y aprendan de mí, pues yo soy apacible y humilde de corazón, y encontrarán descanso para su alma" (Mat. 11:28, 29).

Puesto que ya no tenemos la culpabilidad del pecado de Adán, entonces, la condenación que pesaba sobre él, ya no pesa sobre nosotros. Dice el apóstol: "Por lo tanto, ya no hay ninguna condenación para los que están unidos a Cristo Jesús" (Rom. 8:1). Ya no somos condenados como pecadores, sino que nos ha sucedido lo contrario: Hemos recibido la justificación. Fuimos indultados por la gracia de Dios. Dice Pablo: "Por tanto, así como una sola transgresión causó la condenación de todos, también un solo acto de justicia produjo la justificación que da vida a todos. Porque así como por la desobediencia de uno solo muchos fueron constituidos pecadores, también por la obediencia de uno solo muchos serán constituidos justos" (vs. 18, 19).

Por causa del pecado de Adán, nosotros, su familia, fuimos también condenados. Pero al cambiarnos de familia, por causa de la justicia de Cristo, no solo no somos condenados, sino declarados justos, es decir, somos justificados. El perdón nos libra de la condenación y entonces, somos justos por lo que Cristo hizo, no porque lo seamos.

Libres de la muerte

Dios nos ha dado vida eterna, y esa vida está en su Hijo (1 Juan 5:11).

LA HERENCIA DE MUERTE de Adán revierte en vida eterna para los que se cambian a la familia de Cristo. Por esta causa, somos libres del dominio del pecado y de la condenación. Esto quiere decir que somos justos ante Dios, no por lo que nosotros hicimos sino por lo que Cristo hizo.

Pero en Adán también hemos heredado la muerte; transitoria, primero; eterna, después. Pero los que se cambian a la familia de Cristo no reciben la muerte sino la vida. Leamos: "Pues si por la transgresión de un solo hombre reinó la muerte, con mayor razón los que reciben en abundancia la gracia y el don de la justicia reinarán en vida por medio de un solo hombre, Jesucristo. Por tanto, así como una sola transgresión causó la condenación de todos, también un solo acto de justicia produjo la justificación que da vida a todos" (Rom. 5:17, 18). "A fin de que, así como reinó el pecado en la muerte, reine también la gracia que nos trae justificación y vida eterna por medio de Jesucristo nuestro Señor" (vers. 21). En el caso de Adán, el pecado trajo condenación y muerte. En el caso de Cristo, el perdón trajo justificación y vida eterna.

La herencia de Adán es maldita; la de Cristo, bendita. Lo que era un futuro de muerte se ha transformado en esperanza de vida: "La dádiva de Dios es vida eterna en Cristo Jesús, nuestro Señor" (Rom. 6:23). "Sin embargo, Dios nos dio vida en unión con Cristo, al perdonarnos todos los pecados" (Col. 2:13). "Y ahora lo ha revelado con la venida de nuestro Salvador Cristo Jesús, quien destruyó la muerte y sacó a la luz la vida incorruptible mediante el evangelio" (2 Tim. 1:10). "Así lo hizo para que, justificados por su gracia, llegáramos a ser herederos que abrigan la esperanza de recibir la vida eterna" (Tito 3:7).

Hijos de dos mundos

Nuestra vieja naturaleza fue crucificada con él para que nuestro cuerpo pecaminoso perdiera su poder (Romanos 6:6).

CUANDO ACEPTAMOS A CRISTO como nuestro Señor, llegamos a ser parte de su familia. Renunciamos a la familia de Adán para pertenecer a la nueva de Cristo.

Pero cambiar de familia tiene serias implicaciones. El apóstol Pablo lo dice con mucha claridad: "De la misma manera, también ustedes considérense muertos al pecado, pero vivos para Dios en Cristo Jesús. Por lo tanto, no permitan ustedes que el pecado reine en su cuerpo mortal, ni obedezcan a sus malos deseos. No ofrezcan los miembros de su cuerpo al pecado como instrumentos de injusticia; al contrario, ofrézcanse más bien a Dios como quienes han vuelto de la muerte a la vida, presentando los miembros de su cuerpo como instrumentos de justicia" (Rom. 6:11-13). Las personas que se cambian a la familia de Cristo deben vivir en armonía con las normas que la gobiernan. No es posible que sigamos viviendo como cuando pertenecíamos a la familia de Adán. El apóstol dice que necesitamos morir al pecado; que no debemos permitir que el pecado reine en nuestro cuerpo; no ofrecer nuestros miembros para hacer el mal; y no debemos permitir que el pecado nos domine. La razón es muy sencilla: cuando Cristo murió, morimos con él al pecado, y resucitamos con él a una vida nueva (Rom. 6:6).

Sin embargo, debemos aceptar una sobria realidad: Tenemos que luchar con los reclamos de nuestra antigua familia. Todavía estamos vinculados físicamente con ella. Heredamos de Adán una naturaleza corrupta. Nuestras inclinaciones todavía son influidas por la herencia de Adán (Rom.7:21-24). Este es el viejo hombre con el que tenemos que luchar. Mientras vivamos en este mundo, nunca estaremos exentos de inclinaciones malas y tentaciones. Pero debemos recordar que pertenecemos a una nueva familia, y que en Cristo hay poder para resistir y vencer el mal. En él somos más que vencedores.

La representación de la gracia

"Mi Padre me ha entregado todas las cosas. Nadie conoce al Hijo sino el Padre, y nadie conoce al Padre sino el Hijo y aquel a quien el Hijo quiera revelarlo" (Mateo 11:27).

DE ACUERDO AL EVANGELIO DE JUAN, la venida de Cristo al mundo cumplió un propósito fundamental: Mostrar en su persona la gracia y la verdad de Dios. Al cumplir este objetivo, Cristo reveló el carácter de Dios a la humanidad. Él escogió a Moisés para revelar leyes y estatutos, que su pueblo y el mundo necesitarían. Por medio de tales se reveló el carácter de Dios: su justicia y santidad. Pero estas leyes y estatutos estaban, en su mayor parte, adaptados a las condiciones y circunstancias en las que su pueblo vivió, y tenían el propósito de llevarlo a mayores alturas. Por lo tanto, no representaban el ideal más elevado que Dios tenía para su pueblo.

Era necesaria, entonces, una revelación más completa y universal del carácter de Dios. Por eso envió a su Hijo al mundo. Quería que los seres humanos comprendiéramos más ampliamente su carácter. La encarnación del Hijo de Dios cumplió ese propósito. Contemplando el carácter y la vida de Cristo tenemos una revelación más clara del carácter de Dios. Nadie lo pudo hacer mejor que aquel que vivió en unión íntima con el Padre.

Por lo tanto, Jesús vino a este mundo a representar en su vida y con sus obras cómo era Dios. Los que lo vieron y escucharon, recibieron el impacto de esta revelación.

En los próximos días vamos a detenernos a contemplar la revelación de su gracia mediante sus palabras. Lamentablemente no conocemos el tono de su voz ni los gestos de su rostro ni las expresiones de su cuerpo, que son parte de la revelación. Pero tenemos las palabras que usó para ilustrar el carácter de Dios. Esto es suficiente.

Gracia encarnada

*Pero la transgresión de Adán no puede compararse
con la gracia de Dios" (Romanos 5:15).*

POR MEDIO DE JESÚS se revelaron la gracia y la verdad. Haríamos bien en preguntarnos qué es la gracia. En el Nuevo Testamento aparece muchas veces esta palabra. ¿Qué significa realmente?

Para entenderla debidamente tenemos que regresar al pasaje del capítulo 5 de Romanos, donde hemos visto el contraste entre la familia de Adán y la de Cristo. Notemos lo que dice el apóstol: "Pues si por la transgresión de un solo hombre murieron todos, ¡cuánto más el don que vino por la gracia de un solo hombre, Jesucristo, abundó para todos!" (vers.15). Pablo resalta el gran contraste que hay entre la transgresión de Adán y el don del otro Hombre, Jesucristo. Este don, dice Pablo, vino por la gracia de un hombre y abundó para todos. Luego añade: "Pues si por la transgresión de un solo hombre reinó la muerte, con mayor razón los que reciben en abundancia la gracia y el don de la justicia reinarán en vida por medio de un solo hombre, Jesucristo" (vers. 17). Este don se expresa en términos de gracia abundante y justicia.

Cuando estábamos hundidos en el pecado de Adán, Cristo nos concedió la justicia de Dios; pero esto se hizo por gracia. Luego concluye el apóstol: "Pero allí donde abundó el pecado, sobreabundó la gracia, a fin de que, así como reinó el pecado en la muerte, reine también la gracia que nos trae justificación y vida eterna por medio de Jesucristo nuestro Señor" (vers. 20, 21). Allí donde se esperaba condenación total por la magnitud del pecado de Adán, Dios dio justificación y vida eterna. Y lo hizo porque sobreabundó y reinó su gracia.

Por lo tanto, la gracia es el atributo del carácter de Dios mediante la cual él nos expresa su amor. Nosotros lo llamaríamos misericordia y compasión. La Biblia lo llama gracia. Esta es la gracia que Cristo vino a revelar.

Gracia y verdad

Cuando el vino se acabó, la madre de Jesús le dijo:
"Ya no tienen vino" (Juan 2:3).

D E ACUERDO AL EVANGELIO DE JUAN, Jesús hizo siete señales, que tenían evidentemente el propósito de revelar su misión al mundo. Recordemos que Jesús había venido para revelar la gracia y la verdad de Dios.

El milagro realizado en las bodas de Caná fue la primera de estas señales. En ella se revela tanto la gracia como la verdad de Dios. Jesús y sus primeros discípulos regresaron de Judea a Galilea. Al pasar por Caná, se enteraron que había una boda y fueron invitados a quedarse. María, la madre de Jesús, estaba involucrada en esta fiesta, pues probablemente alguno de los contrayentes era su familiar. Aún hoy, en tales ocasiones, la comida y la bebida son parte integral. En esta instancia, el vino se terminó antes de que concluyera la fiesta. Esto, evidentemente, colocaba a la familia en una situación embarazosa. La madre de Jesús se acercó a él y le sugirió que hiciera algo al respecto. Entonces, el Padre le reveló al instante que debía hacer una señal para beneficio de la familia, y particularmente para sus primeros seguidores. Así que convirtió el agua en vino.

Vemos aquí la gracia de Dios que se preocupa por sacar a una familia del aprieto en el que estaba. Él es bondadoso y se preocupa de la aflicción de los otros. Está dispuesto a satisfacer nuestras necesidades físicas y espirituales. Es un ser bueno que convierte nuestra agua en vino. "Mediante este milagro Cristo también dio evidencias de su misericordia y compasión. Manifestó que se preocupaba por las necesidades de los que lo seguían para escuchar sus palabras llenas de conocimiento y sabiduría" (*Cada día con Dios,* p. 366).

Pero también reveló la verdad de Dios. Con este milagro, sus primeros discípulos discernieron la verdad suprema de que Jesús era el enviado de Dios, el Mesías de Israel. No solo satisfizo una necesidad física, sino también una espiritual.

Gracia y justicia

¿No está escrito: "Mi casa será llamada casa de oración para todas las naciones"? (Marcos 11:17).

DESPUÉS DE UN MINISTERIO CORTO en Galilea, Jesús regresó a Jerusalén para la celebración de la Pascua. Al llegar al templo, contempló con asombro cuánto se había deteriorado el respeto en la casa de Dios. Había un gran mercado que se realizaba en uno de los atrios.

El templo tenía tres atrios principales, además del santuario propiamente dicho. En frente del santuario estaba el atrio de Israel. Era el lugar donde todos los israelitas mayores de doce años se reunían para orar, mientras se realizaban las ceremonias y los sacrificios. Luego estaba el de las mujeres, donde se reunían con el mismo propósito. Más allá, estaba el de los gentiles, donde los visitantes que no eran judíos podían reunirse para adorar a Dios. Había una barda a media altura que lo separaba del atrio de las mujeres. En estas paredes, y en lugares estratégicos, había letreros escritos en griego y latín, que prohibían a los visitantes, so pena de muerte, atravesar esta barda y penetrar a los recintos interiores. Así que, ese era el único lugar donde los gentiles y visitantes no judíos podían llegar cuando se aproximaran al santuario.

Pero ese lugar había sido convertido en un mercado. Se vendían desde palomas y tórtolas, hasta ganado vacuno y ovejuno. Había mesas de cambistas por todas partes, porque las ofrendas para el templo solo se podían dar en una moneda estipulada. En ocasión de la Pascua, miles de personas se arremolinaban en los alrededores del templo. El ruido y la algarabía eran intensos. Nadie podía adorar y orar a Dios en tales circunstancias. Ese era el único lugar donde los gentiles podían. Jesús vio aquel cuadro triste de desorden y griterío, y expulsó a los mercaderes del atrio. Cumplía su función de Mesías, celoso por la casa de Dios. Se compadeció de los gentiles que no podían adorar a Dios como debían.

Gracia sin prejuicios

Ahora lo hemos oído nosotros mismos, y sabemos que verdaderamente este es el Salvador del mundo (Juan 4:42).

POCO DESPUÉS, JESÚS DEJÓ LA PROVINCIA de Judea para regresar a Galilea. Había por lo menos tres maneras de ir. Una, por la ribera del Jordán, vía Jericó; otra, por la costa del Mediterráneo, vía Cesarea; y la tercera, por las llanuras centrales de Palestina, que atravesaban la provincia de Samaria. Pocos judíos escogían este camino, aunque era más corto, a causa de su enemistad con los samaritanos, quienes frecuentemente les negaban agua, comida y hospedaje. Jesús, guiado por su Padre, escogió este camino.

Tenía el anhelo de compartir el evangelio con los discriminados samaritanos. Jesús y sus acompañantes llegaron, cansados del camino, al pozo de Jacob, cerca del pueblo de Sicar. Fue allí donde Jesús tuvo la conversación con la mujer samaritana. Dios lo guió para compartir su carácter con esa pobre mujer, y con todos los habitantes del pueblo.

Tan grande era el amor de Cristo por esa mujer, que hizo varias cosas que salieron de las convenciones sociales de aquellos días. En primer lugar, se puso a conversar con una mujer. Ningún hombre decente debía dirigirse a una mujer en la vía pública. En segundo lugar, ningún hombre decente debía hablar con una mujer extraña a solas. En tercer lugar, ningún hombre decente debía hablar con una mujer de baja reputación moral. Además, existía el prejuicio de hablar con samaritanos, menos aun con una mujer samaritana.

Pero a Jesús le importaron muy poco esos prejuicios. Él había venido a revelar el carácter de Dios, y no podía ceder a discriminaciones y escrúpulos que separaban a las personas. Habló de la salvación a una pobre mujer que estaba agobiada por una vida de pecado. Para él, cumplir esta misión de mostrar la gracia de Dios era lo más importante. Era tan importante que, aparentemente, hasta se olvidó de comer y beber. De hecho, hablando del incidente, dijo: "Mi alimento es hacer la voluntad del que me envió y terminar su obra" (Juan 4:34).

Gracia sanadora

Porque así como el Padre resucita a los muertos y les da vida,
así también el Hijo da vida a quienes a él le place (Juan 5:21).

DESPUÉS DE MINISTRAR UN TIEMPO en Galilea, Jesús fue a Judea, probablemente en ocasión de la siguiente fiesta de la Pascua. Entró a Jerusalén por la Puerta de las Ovejas. Cerca de allí había un estanque conocido como el estanque de Betesda. Tenía cinco portales, donde la gente pernoctaba. Era curioso, porque en ciertos momentos el agua se agitaba por la turbulencia de una corriente interna e intermitente. Los supersticiosos creían que un ángel descendía del cielo y agitaba el agua. Se creía que esto le daba poder curativo, de modo que el primero que entrara en el agua sanaría de su enfermedad. Por eso se reunían allí muchos enfermos con la esperanza de sanar.

Jesús caminaba por allí, y vio aquel cuadro triste de gente que ponía su confianza en una superstición, solo para frustrarse. Un caso desesperado llamó su atención. Era un hombre inválido que hacía treinta y ocho años que estaba enfermo. Reflejaba en su rostro la frustración y la desesperanza. Jesús tuvo compasión de él, se inclinó y le dijo: "¿Quieres quedar sano?" (Juan 5:6). El inválido detectó el deseo de Jesús de ayudarlo; y para despertar su sensibilidad, le dijo: "No tengo a nadie que me meta en el estanque mientras se agita el agua" (vers. 7). Entonces Jesús le respondió: "Levántate, recoge tu camilla y anda" (vers. 8). El hombre obedeció la voz de Jesús, y al intentarlo, halló que sus miembros inválidos le respondían. Al instante fue sanado.

Jesús escogió este caso especial para mostrar la gracia sanadora de Dios. Lo hizo para enseñar que la Deidad puede vivificar la vida de cualquiera que se sienta paralizado por el mal. Aquel pobre hombre se había enfermado por años de pecado, pero el sufrimiento le enseñó a depender de la gracia de Dios, y Cristo se la mostró. Así lo hará hoy contigo.

¡Un salvador ha nacido!

Él estaba con Dios en el principio (Juan 1:2).

EL HECHO MÁS TRASCENDENTAL EN LA HISTORIA de la humanidad fue el nacimiento de Jesús de Nazaret, acontecimiento que el mundo cristiano celebra a partir de esta noche. Pero fue más que un gran hombre y un maestro extraordinario. Fue el enviado de Dios a un mundo que perecía en las tinieblas del mal. De acuerdo al Evangelio de Juan, él fue la luz verdadera que vino al mundo.

Hay seis postulados importantes que Juan hace al comienzo de su Evangelio acerca de Jesús de Nazaret. A este personaje que nació en la humilde aldea de Belén, en un sitio donde guardaban el ganado, el apóstol lo llama *Logos*, es decir, el Verbo de Dios, el pensamiento de Dios hecho audible. Por eso, la primera declaración contundente que el escritor hace es que este Verbo era preexistente: "En el principio ya existía el Verbo" (Juan 1:1). El autor usa la palabra "principio" para referirse al momento anterior a la creación del mundo. Lo que quiere decir es que el Verbo no pertenece al orden de las cosas creadas. Antes de que todas las cosas existieran, estaba el Verbo. En este mundo estamos acostumbrados a ver que todas las cosas creadas tienen un principio y un fin. Pero el Verbo no tuvo principio. No hubo un tiempo cuando el Verbo no existiera. El profeta Isaías lo llamaba: "Padre eterno" (Isa. 9:6), es decir, sin principio ni fin.

La segunda declaración con respecto al Verbo es también impresionante: "El Verbo estaba con Dios" (vers. 1). Esta afirmación indica que era compañero de Dios. Él es eterno, y el Verbo fue su compañero. Pero esa declaración también nos dice que el Verbo no debe confundirse con Dios. Por ser el Hijo no era Dios el Padre. Es decir, no era idéntico. En esta declaración magnificente del Verbo, la intención es separar, no fusionar, las personalidades de Dios y del Verbo. El Verbo era distinto, porque estaba con Dios.

Verbo divino

Él es la imagen del Dios invisible (Colosenses 1:15).

A LAS DOS DECLARACIONES DE AYER, el apóstol agrega otra igualmente contundente: "Y el Verbo era Dios" (Juan 1:1). No están fusionados el Verbo y Dios. Hace una distinción entre sus personalidades: El Verbo estaba con Dios. Pero ahora nos previene con la misma fuerza a que no vayamos a pensar que el Verbo era inferior a Dios. La expresión "el Verbo era Dios", quiere decir que el Verbo era divino. Esta conclusión es la más lógica, porque ya nos ha informado que el estaba con Dios, y ahora no dice que era Dios. Esto quiere decir, entonces, que el Verbo tenía una naturaleza divina.

Esta declaración era increíble para la gente de la época de Jesús. No era una creencia común en el judaísmo de sus días de que el Mesías fuera un ser divino. Los judíos pensaban que sería un líder humano, descendiente del rey David, y que llegaría a ser rey de Israel y del mundo. Los planes de Dios para la humanidad escapaban a la comprensión más excelsa de los hombres. Por eso, Mateo dijo, citando al profeta Isaías: "Todo esto sucedió para que se cumpliera lo que el Señor había dicho por medio del profeta: "La virgen concebirá y dará a luz un hijo, y lo llamarán Emanuel" (que significa "Dios con nosotros")" (Mat. 1:22, 23).

La cuarta declaración sorprendente de Juan acerca del Verbo es: "Por medio de él todas las cosas fueron creadas; sin él, nada de lo creado llegó a existir" (vers. 3). Esta afirmación nos dice que el Verbo fue el creador de todo lo que existe. De nuevo, el apóstol Pablo afirma lo mismo cuando dice: "Porque por medio de él fueron creadas todas las cosas en el cielo y en la tierra, visibles e invisibles, sean tronos, poderes, principados o autoridades: todo ha sido creado por medio de él y para él" (Col. 1:16).

La Luz del mundo

Lo que hemos oído, lo que hemos visto con nuestros propios ojos,
lo que hemos contemplado, lo que hemos tocado con las manos,
esto les anunciamos respecto al Verbo que es vida (1 Juan 1:1).

L A QUINTA DECLARACIÓN IMPRESIONANTE que Juan hace del Verbo es: "Esa luz verdadera, la que alumbra a todo ser humano, venía a este mundo" (Juan 1:9). "En él estaba la vida, y la vida era la luz de la humanidad" (vers. 4). Juan llama al Verbo "la luz". Con esta metáfora quiere decir que él era el gran revelador de la verdad. Pretende que todo verdadero conocimiento proviene de aquel que es la luz. Jesús mismo lo declaró: "Yo soy la luz del mundo. El que me sigue no andará en tinieblas, sino que tendrá la luz de la vida" (Juan 8:12). "Yo soy la luz que ha venido al mundo, para que todo el que crea en mí no viva en tinieblas" (Juan 12:46). Se nos dice: "Siempre que el hombre ha podido elucubrar grandes ideas, han venido mediante Cristo. Cada preciosa gema de pensamiento, cada destello intelectual, es una revelación de la Luz del mundo" (*A fin de conocerle*, pp. 97, 98). Es el gran revelador, especialmente porque vino a revelar a Dios a la humanidad. Vino a enseñarnos cómo es Dios. Esta fue la revelación más grande de todas.

La sexta declaración que el evangelista hace con respecto al Verbo es: "Y el Verbo se hizo hombre y habitó entre nosotros. Y hemos contemplado su gloria, la gloria que corresponde al Hijo unigénito del Padre, lleno de gracia y de verdad" (Juan 1:14). Todas estas declaraciones son sorprendentes. Pero para el tiempo en que Juan vivió, esta es la más impresionante de todas. Que Dios se hubiese encarnado, que el Creador del universo se hubiera convertido en un ser humano, era una afirmación increíblemente chocante para la mentalidad de sus días. La filosofía reinante enseñaba que Dios es puro espíritu, y que no tiene ni puede tener ninguna relación con la materia. Al contrario, Juan nos dice que Dios se hizo un hombre y vivió como ser humano en este mundo. ¡Qué maravilla de su amor!

Humano y divino

Dos ciegos que estaban sentados junto al camino, al oír que pasaba Jesús, gritaron: "¡Señor, Hijo de David, ten compasión de nosotros!" (Mateo 20:30).

ESTE VERBO QUE ERA DIVINO, eterno, compañero de Dios, creador de todo, revelador de la verdad y que se encarnó como ser humano, escogió nacer en este mundo como un niño indefenso, así como nacen todos los seres humanos. Nació en armonía con la promesa de un salvador, dada a los patriarcas de la antigüedad; y sería de la descendencia de Abraham, el padre de la fe, y de David, el rey según el corazón de Dios.

El evangelista Mateo traza las generaciones de los antepasados de Jesús en una lista larga de 42 generaciones, comenzando con Abraham (Mat. 1). Como el libro fue escrito para la mentalidad judía y con el propósito de demostrar que Jesús de Nazaret era el Cristo prometido, comienza de este modo. La descendencia era muy importante para los hebreos. En tiempos de Jesús, todo judío debía demostrar que era descendiente de Abraham. Se mantenían registros públicos genealógicos en el Sanedrín. Especialmente los sacerdotes debían demostrar que eran descendientes de Aarón. Se dice que Herodes el Grande, rey de Judea, como no era judío, mandó borrar los registros de su descendencia.

A través de esta genealogía, Mateo enfatiza dos cosas importantes acerca de Jesús. Primero, que era descendiente de David. Esto le daba el derecho al trono de Israel. También indicaba que podría ser el Mesías venidero, ya que se creía que vendría de David. Por eso, los primeros cristianos enfatizaban mucho esto, y la gente se refirió a Jesús muchas veces en esos términos. En una ocasión, después de hacer un milagro, "toda la gente se quedó asombrada y decía: '¿No será este el Hijo de David?'" (Mat. 12:23). Hasta personas de otras nacionalidades se referían a él de esta manera: "Una mujer cananea de las inmediaciones salió a su encuentro, gritando: '¡Señor, Hijo de David, ten compasión de mí!'" (Mat. 15:22).

Mesías anunciado

"Tanto amó Dios al mundo, que dio a su Hijo unigénito" (Juan 3:16).

LA GENEALOGÍA DE JESÚS registrada en Mateo tiene dos propósitos. Primero, señalar que era descendiente de David. Esto lo calificaba para ser rey de Israel.

En segundo lugar, mediante esta genealogía, Mateo quiere enfatizar que Jesús de Nazaret era el cumplimiento de las promesas hechas a los padres. Esto indicaba que Dios tenía el control de los acontecimientos. Que los propósitos de Dios se cumplían en la persona de Jesús. De ahí la repetida frase de Mateo: "Esto sucedió para que se cumpliera" (Mat. 1:22). "Pero, como las estrellas en la vasta órbita de su derrotero señalado, los propósitos de Dios no conocen premura ni demora [...]. Así también fue determinada en el concilio celestial la hora en que Cristo había de venir; y cuando el gran reloj del tiempo marcó aquella hora, Jesús nació en Belén" ((*El Deseado de todas las gentes*, p. 24).

La profecía de la venida del Mesías no señalaba una fecha específica, pero sí la ocasión y las circunstancias en las que nacería. Sería al final de las setenta semanas de Daniel. Por eso, Jesús predicó: "Se ha cumplido el tiempo" (Mar.1:15).

Dios escogió un tiempo adecuado para el nacimiento de Jesús. "En aquel entonces los sistemas paganos estaban perdiendo su poder sobre la gente. Los hombres se hallaban cansados de ceremonias y fábulas. Deseaban con vehemencia una religión que dejase satisfecho el corazón [...]. Con ansia en los ojos, esperaban la llegada del Libertador, cuando se disiparían las tinieblas, y se aclararía el misterio de lo futuro [...]. El mundo estaba maduro para la llegada del Libertador. Las naciones estaban unidas bajo un mismo gobierno. Un idioma se hablaba extensamente y era reconocido por doquiera como la lengua literaria. De todos los países, los judíos dispersos acudían a Jerusalén para asistir a las fiestas anuales, y al volver adonde residían, podían difundir por el mundo las nuevas de la llegada del Mesías" (*ibíd.*).

El Salvador y la mujer

Dará a luz un hijo, y le pondrás por nombre Jesús,
porque él salvará a su pueblo de sus pecados (Mateo 1:21).

UNO DE LOS ASUNTOS SOBRESALIENTES de la genealogía de Mateo es que, extrañamente, se mencionan a varias mujeres. Por el papel que las mujeres desempeñaban en la sociedad judía, no era común que aparecieran en registros públicos como las genealogías. Pero cuando nos fijamos en qué clase de mujeres eran las mencionadas, entonces el asunto cobra más interés. Difícilmente habría encontrado Mateo a mujeres menos aptas para aparecer en su lista genealógica. La primera que se menciona es Rahab, una ramera de Jericó (Mat. 1:5; Jos. 2:1-7). Fue la mujer que hospedó a los espías hebreos, y, en recompensa, se le perdonó la vida a ella y a sus parientes, además se les dio un lugar dónde vivir en Israel.

La segunda mujer que aparece en el registro es Rut, una moabita que se casó con uno de los hijos de Noemí, a quien acompañó de regresó a Israel. Ella pertenecía a un pueblo extranjero y odiado por los israelitas, y a quienes se les prohibió en la ley mosaica que pertenecieran a la congregación de Israel durante diez generaciones (Deut. 23:23).

La tercera es Tamar, una adúltera deliberada que engañó a su suegro para procrear un hijo con él (Gén. 38). Aunque tenía justas razones, era de moral dudosa.

La cuarta es Betsabé, mujer de Urías, el hitita, uno de los valientes de David. Este la sedujo vilmente con una crueldad imperdonable. Llegó a ser la madre de Salomón. Mateo ni siquiera menciona su nombre, y solo dice que fue esposa de Urías.

¿Por qué Mateo incluyó a estas mujeres en la lista de ascendientes de Jesús? Tal vez para darnos un mensaje especial. Quizá nos quiere decir que esta es la esencia del evangelio: Que Jesús vino a redimir al caído, al odiado, al pecador corrupto, al degenerado, al que vive sin esperanza, pero que se aferra de Aquél que tiene el poder de redimir.

Destructor de barreras

Porque no he venido a llamar a justos sino a pecadores (Mateo 9:13).

EL MENSAJE DEL EVANGELIO ES QUE JESÚS vino a destruir barreras. Los seres humanos somos aficionados a erigir obstáculos y muros de separación. Cristo vino a derribarlos. Desde su mismo nacimiento, Jesús comenzó a destruir las murallas de separación. Con su presencia, aunque humilde, empezó a derribarlas una tras otra. Ante él, las barreras comenzaron a caer.

La mención de mujeres en su genealogía nos indica que en Cristo, ya no existen barreras entre hombres y mujeres. En las culturas antiguas, las mujeres eran oprimidas y discriminadas. Como el apóstol lo dijera: "Ya no hay [...] hombre ni mujer, sino que todos ustedes son uno solo en Cristo Jesús" (Gál. 3:28). La barrera del desprecio se cae; la de los sexos se derriba. Cristo vino a señalar que hombres y mujeres son iguales delante de Dios.

Los ejemplos de Rahab y Rut revelan que la barrera entre judíos y gentiles desaparece en Cristo. La barrera entre razas y castas ya fue derribada. En Jesús, no hay más judío ni gentil: "Porque Cristo es nuestra paz: de los dos pueblos ha hecho uno solo, derribando mediante su sacrificio el muro de enemistad que nos separaba, pues anuló la ley con sus mandamientos y requisitos. Esto lo hizo para crear en sí mismo de los dos pueblos una nueva humanidad al hacer la paz, para reconciliar con Dios a ambos en un solo cuerpo mediante la cruz, por la que dio muerte a la enemistad. Él vino y proclamó paz a ustedes que estaban lejos y paz a los que estaban cerca. Pues por medio de él tenemos acceso al Padre por un mismo Espíritu" (Efe. 2:14-18).

La barrera entre el santo y el pecador también se cae en Cristo, pues vino a buscar a los pecadores. En Jesús no hay más prejuicios ni barreras de ninguna clase. Todos somos uno en Cristo. "Ya no hay judío ni griego; no hay esclavo ni libre; [...] sino que todos ustedes son uno solo en Cristo Jesús" (Gál. 3:28).

El cántico más revolucionario

Dichosos los humildes, porque recibirán la tierra como herencia (Mateo 5:5).

EN EL PRIMER CAPÍTULO DEL EVANGELIO de Lucas se registra el canto de María (vers. 46-56). Fue el canto que entonó en gratitud a Dios por escogerla como la madre del Mesías. Es uno de los himnos más grandes de la fe cristiana. Hoy se lo conoce con el nombre de *Magníficat*, por ser esta la primera palabra del canto en la versión latina. Está saturado de ideas tomadas del Antiguo Testamento, especialmente del canto de Ana, cuando nació Samuel (1 Sam. 2).

Es el cántico más revolucionario de los documentos del cristianismo. Habla de tres revoluciones de Dios. La primera nos presenta una revolución moral: "Hizo proezas con su brazo; desbarató las intrigas de los soberbios" (vers. 51). El cristianismo se rebela contra el orgullo. El mensaje cristiano es una protesta contra la soberbia. Para Cristo lo que valía era la humildad: "Dichosos los pobres en espíritu, porque el reino de los cielos les pertenece" (Mat. 5:3).

La segunda es una revolución social: "De sus tronos derrocó a los poderosos, mientras que ha exaltado a los humildes" (vers. 52). Los humildes aquí son los que sufren la opresión de los poderosos. Son los que no tienen influencias, los avasallados por la prepotencia de los que se creen ser algo, los marginados de la sociedad. Cristo vino a ser su defensa. Cuando Cristo reina, ellos son exaltados.

La tercera es una revolución económica: "A los hambrientos los colmó de bienes, y a los ricos los despidió con las manos vacías" (vers. 53). Donde prevalecen los principios cristianos, no hay escasez, porque un cristiano es alguien que comparte con los que no tienen. Donde se cumple el ideal cristiano, no hay hambre, porque Dios tiene muchas manos que dan.

Estas revoluciones comenzaron con el nacimiento de Cristo, y a través de los siglos han transformado a la humanidad. Ser cristiano es ser un guerrero de Dios en un mundo donde prevalecen la soberbia, el ultraje y la destitución: "Seguir a Cristo significa duras batallas, labor activa, guerra contra el mundo, la carne y el maligno" (*En los lugares celestiales*, p.117).

GUÍA PARA EL AÑO BÍBLICO
EN ORDEN CRONOLÓGICO

ENERO

- [ ] 1 Gén. 1, 2
- [ ] 2 Gén. 3-5
- [ ] 3 Gén. 6-9
- [ ] 4 Gén. 10, 11
- [ ] 5 Gén. 12-15
- [ ] 6 Gén. 16-19
- [ ] 7 Gén. 20-22
- [ ] 8 Gén. 23-26
- [ ] 9 Gén. 27-29
- [ ] 10 Gén. 30-32
- [ ] 11 Gén. 33-36
- [ ] 12 Gén. 37-39
- [ ] 13 Gén. 40-42
- [ ] 14 Gén. 43-46
- [ ] 15 Gén. 47-50
- [ ] 16 Job 1-4
- [ ] 17 Job 5-7
- [ ] 18 Job 8-10
- [ ] 19 Job 11-13
- [ ] 20 Job 14-17
- [ ] 21 Job 18-20
- [ ] 22 Job 21-24
- [ ] 23 Job 25-27
- [ ] 24 Job 28-31
- [ ] 25 Job 32-34
- [ ] 26 Job 35-37
- [ ] 27 Job 38-42
- [ ] 28 Éxo. 1-4
- [ ] 29 Éxo. 5-7
- [ ] 30 Éxo. 8-10
- [ ] 31 Éxo. 11-13

FEBRERO

- [ ] 1 Éxo. 14-17
- [ ] 2 Éxo. 18-20
- [ ] 3 Éxo. 21-24
- [ ] 4 Éxo. 25-27
- [ ] 5 Éxo. 28-31
- [ ] 6 Éxo. 32-34
- [ ] 7 Éxo. 35-37
- [ ] 8 Éxo. 38-40
- [ ] 9 Lev. 1-4
- [ ] 10 Lev. 5-7
- [ ] 11 Lev. 8-10
- [ ] 12 Lev. 11-13
- [ ] 13 Lev. 14-16
- [ ] 14 Lev. 17-19
- [ ] 15 Lev. 20-23
- [ ] 16 Lev. 24-27
- [ ] 17 Núm. 1-3
- [ ] 18 Núm. 4-6
- [ ] 19 Núm. 7-10
- [ ] 20 Núm. 11-14
- [ ] 21 Núm. 15-17
- [ ] 22 Núm. 18-20
- [ ] 23 Núm. 21-24
- [ ] 24 Núm. 25-27
- [ ] 25 Núm. 28-30
- [ ] 26 Núm. 31-33
- [ ] 27 Núm. 34-36
- [ ] 28 Deut. 1-3

MARZO

- [ ] 1 Deut. 4-6
- [ ] 2 Deut. 7-9
- [ ] 3 Deut. 10-12
- [ ] 4 Deut. 13-16
- [ ] 5 Deut. 17-19
- [ ] 6 Deut. 20-22
- [ ] 7 Deut. 23-25
- [ ] 8 Deut. 26-28
- [ ] 9 Deut. 29-31
- [ ] 10 Deut. 32-34
- [ ] 11 Jos. 1-3
- [ ] 12 Jos. 4-6
- [ ] 13 Jos. 7-9
- [ ] 14 Jos. 10-12
- [ ] 15 Jos. 13-15
- [ ] 16 Jos. 16-18
- [ ] 17 Jos. 19-21
- [ ] 18 Jos. 22-24
- [ ] 19 Juec. 1-4
- [ ] 20 Juec. 5-8
- [ ] 21 Juec. 9-12
- [ ] 22 Juec. 13-15
- [ ] 23 Juec. 16-18
- [ ] 24 Juec. 19-21
- [ ] 25 Rut 1-4
- [ ] 26 1 Sam. 1-3
- [ ] 27 1 Sam. 4-7
- [ ] 28 1 Sam. 8-10
- [ ] 29 1 Sam. 11-13
- [ ] 30 1 Sam. 14-16
- [ ] 31 1 Sam. 17-20

ABRIL

- [ ] 1 1 Sam. 21-24
- [ ] 2 1 Sam. 25-28
- [ ] 3 1 Sam. 29-31
- [ ] 4 2 Sam. 1-4
- [ ] 5 2 Sam. 5-8
- [ ] 6 2 Sam. 9-12
- [ ] 7 2 Sam. 13-15
- [ ] 8 2 Sam. 16-18
- [ ] 9 2 Sam. 19-21
- [ ] 10 2 Sam. 22-24
- [ ] 11 Sal. 1-3
- [ ] 12 Sal. 4-6
- [ ] 13 Sal. 7-9
- [ ] 14 Sal. 10-12
- [ ] 15 Sal. 13-15
- [ ] 16 Sal. 16-18
- [ ] 17 Sal. 19-21
- [ ] 18 Sal. 22-24
- [ ] 19 Sal. 25-27
- [ ] 20 Sal. 28-30
- [ ] 21 Sal. 31-33
- [ ] 22 Sal. 34-36
- [ ] 23 Sal. 37-39
- [ ] 24 Sal. 40-42
- [ ] 25 Sal. 43-45
- [ ] 26 Sal. 46-48
- [ ] 27 Sal. 49-51
- [ ] 28 Sal. 52-54
- [ ] 29 Sal. 55-57
- [ ] 30 Sal. 58-60

MAYO

- ☐ 1 Sal. 61-63
- ☐ 2 Sal. 64-66
- ☐ 3 Sal. 67-69
- ☐ 4 Sal. 70-72
- ☐ 5 Sal. 73-75
- ☐ 6 Sal. 76-78
- ☐ 7 w85-87
- ☐ 10 Sal. 88-90
- ☐ 11 Sal. 91-93
- ☐ 12 Sal. 94-96
- ☐ 13 Sal. 97-99
- ☐ 14 Sal. 100-102
- ☐ 15 Sal. 103-105
- ☐ 16 Sal. 106-108
- ☐ 17 Sal. 109-111
- ☐ 18 Sal. 112-114
- ☐ 19 Sal. 115-118
- ☐ 20 Sal. 119
- ☐ 21 Sal. 120-123
- ☐ 22 Sal. 124-126
- ☐ 23 Sal. 127-129
- ☐ 24 Sal. 130-132
- ☐ 25 Sal. 133-135
- ☐ 26 Sal. 136-138
- ☐ 27 Sal. 139-141
- ☐ 28 Sal. 142-144
- ☐ 29 Sal. 145-147
- ☐ 30 Sal. 148-150
- ☐ 31 1 Rey. 1-4

JUNIO

- ☐ 1 Prov. 1-3
- ☐ 2 Prov. 4-7
- ☐ 3 Prov. 8-11
- ☐ 4 Prov. 12-14
- ☐ 5 Prov. 15-18
- ☐ 6 Prov. 19-21
- ☐ 7 Prov. 22-24
- ☐ 8 Prov. 25-28
- ☐ 9 Prov. 29-31
- ☐ 10 Ecl. 1-3
- ☐ 11 Ecl. 4-6
- ☐ 12 Ecl. 7-9
- ☐ 13 Ecl. 10-12
- ☐ 14 Cant. 1-4
- ☐ 15 Cant. 5-8
- ☐ 16 1 Rey. 5-7
- ☐ 17 1 Rey. 8-10
- ☐ 18 1 Rey. 11-13
- ☐ 19 1 Rey. 14-16
- ☐ 20 1 Rey. 17-19
- ☐ 21 1 Rey. 20-22
- ☐ 22 2 Rey. 1-3
- ☐ 23 2 Rey. 4-6
- ☐ 24 2 Rey. 7-10
- ☐ 25 2 Rey. 11-14: 20
- ☐ 26 Joel 1-3
- ☐ 27 2 Rey. 14: 21-25
       Jon. 1-4
- ☐ 28 2 Rey. 14: 26-29
       Amós 1-3
- ☐ 29 Amós 4-6
- ☐ 30 Amós 7-9

JULIO

- [ ] 1   2 Rey. 15-17
- [ ] 2   Ose. 1-4
- [ ] 3   Ose. 5-7
- [ ] 4   Ose. 8-10
- [ ] 5   Ose. 11-14
- [ ] 6   2 Rey. 18, 19
- [ ] 7   Isa. 1-3
- [ ] 8   Isa. 4-6
- [ ] 9   Isa. 7-9
- [ ] 10   Isa. 10-12
- [ ] 11   Isa. 13-15
- [ ] 12   Isa. 16-18
- [ ] 13   Isa. 19-21
- [ ] 14   Isa. 22-24
- [ ] 15   Isa. 25-27
- [ ] 16   Isa. 28-30
- [ ] 17   Isa. 31-33
- [ ] 18   Isa. 34-36
- [ ] 19   Isa. 37-39
- [ ] 20   Isa. 40-42
- [ ] 21   Isa. 43-45
- [ ] 22   Isa. 46-48
- [ ] 23   Isa. 49-51
- [ ] 24   Isa. 52-54
- [ ] 25   Isa. 55-57
- [ ] 26   Isa. 58-60
- [ ] 27   Isa. 61-63
- [ ] 28   Isa. 64-66
- [ ] 29   Miq. 1-4
- [ ] 30   Miq. 5-7
- [ ] 31   Nah. 1-3

AGOSTO

- [ ] 1   2 Rey. 20, 21
- [ ] 2   Sof. 1-3
- [ ] 3   Hab. 1-3
- [ ] 4   2 Rey. 22-25
- [ ] 5   Abd. y Jer. 1, 2
- [ ] 6   Jer. 3-5
- [ ] 7   Jer. 6-8
- [ ] 8   Jer. 9-12
- [ ] 9   Jer. 13-16
- [ ] 10   Jer. 17-20
- [ ] 11   Jer. 21-23
- [ ] 12   Jer. 24-26
- [ ] 13   Jer. 27-29
- [ ] 14   Jer. 30-32
- [ ] 15   Jer. 33-36
- [ ] 16   Jer. 37-39
- [ ] 17   Jer. 40-42
- [ ] 18   Jer. 43-46
- [ ] 19   Jer. 47-49
- [ ] 20   Jer. 50-52
- [ ] 21   Lam.
- [ ] 22   1 Crón. 1-3
- [ ] 23   1 Crón. 4-6
- [ ] 24   1 Crón. 7-9
- [ ] 25   1 Crón. 10-13
- [ ] 26   1 Crón. 14-16
- [ ] 27   1 Crón. 17-19
- [ ] 28   1 Crón. 20-23
- [ ] 29   1 Crón. 24-26
- [ ] 30   1 Crón. 27-29
- [ ] 31   2 Crón. 1-3

SEPTIEMBRE

- [ ] 1   2 Crón. 4-6
- [ ] 2   2 Crón. 7-9
- [ ] 3   2 Crón. 10-13
- [ ] 4   2 Crón. 14-16
- [ ] 5   2 Crón. 17-19
- [ ] 6   2 Crón. 20-22
- [ ] 7   2 Crón. 23-25
- [ ] 8   2 Crón. 26-29
- [ ] 9   2 Crón. 30-32
- [ ] 10   2 Crón. 33-36
- [ ] 11   Eze. 1-3
- [ ] 12   Eze. 4-7
- [ ] 13   Eze. 8-11
- [ ] 14   Eze. 12-14
- [ ] 15   Eze. 15-18
- [ ] 16   Eze. 19-21
- [ ] 17   Eze. 22-24
- [ ] 18   Eze. 25-27
- [ ] 19   Eze. 28-30
- [ ] 20   Eze. 31-33
- [ ] 21   Eze. 34-36
- [ ] 22   Eze. 37-39
- [ ] 23   Eze. 40-42
- [ ] 24   Eze. 43-45
- [ ] 25   Eze. 46-48
- [ ] 26   Dan. 1-3
- [ ] 27   Dan. 4-6
- [ ] 28   Dan. 7-9
- [ ] 29   Dan. 10-12
- [ ] 30   Est. 1-3

OCTUBRE

- [ ] 1   Est. 4-7
- [ ] 2   Est. 8-10
- [ ] 3   Esd. 1-4
- [ ] 4   Hag. 1, 2
     Zac. 1, 2
- [ ] 5   Zac. 3-6
- [ ] 6   Zac. 7-10
- [ ] 7   Zac. 11-14
- [ ] 8   Esd. 5-7
- [ ] 9   Esd. 8-10
- [ ] 10   Neh. 1-3
- [ ] 11   Neh. 4-6
- [ ] 12   Neh. 7-9
- [ ] 13   Neh. 10-13
- [ ] 14   Mal. 1-4
- [ ] 15   Mat. 1-4
- [ ] 16   Mat. 5-7
- [ ] 17   Mat. 8-11
- [ ] 18   Mat. 12-15
- [ ] 19   Mat. 16-19
- [ ] 20   Mat. 20-22
- [ ] 21   Mat. 23-25
- [ ] 22   Mat. 26-28
- [ ] 23   Mar. 1-3
- [ ] 24   Mar. 4-6
- [ ] 25   Mar. 7-10
- [ ] 26   Mar. 11-13
- [ ] 27   Mar. 14-16
- [ ] 28   Luc. 1-3
- [ ] 29   Luc. 4-6
- [ ] 30   Luc. 7-9
- [ ] 31   Luc. 10-13

NOVIEMBRE

- 1 Luc. 14-17
- 2 Luc. 18-21
- 3 Luc. 22-24
- 4 Juan 1-3
- 5 Juan 4-6
- 6 Juan 7-10
- 7 Juan 11-13
- 8 Juan 14-17
- 9 Juan 18-21
- 10 Hech. 1, 2
- 11 Hech. 3-5
- 12 Hech. 6-9
- 13 Hech. 10-12
- 14 Hech. 13, 14
- 15 Sant. 1, 2
- 16 Sant. 3-5
- 17 Gál. 1-3
- 18 Gál. 4-6
- 19 Hech. 15-18: 11
- 20 1 Tes. 1-5
- 21 2 Tes. 1-3
  Hech. 18: 12-19: 20
- 22 1 Cor. 1-4
- 23 1 Cor. 5-8
- 24 1 Cor. 9-12
- 25 1 Cor. 13-16
- 26 Hech. 19: 21-20: 1
  2 Cor. 1-3
- 27 2 Cor. 4-6
- 28 2 Cor. 7-9
- 29 2 Cor. 10-13
- 30 Hech. 20: 2
  Rom. 1-4

DICIEMBRE

- 1 Rom. 5-8
- 2 Rom. 9-11
- 3 Rom. 12-16
- 4 Hech. 20: 3-22:30
- 5 Hech. 23-25
- 6 Hech. 26-28
- 7 Efe. 1-3
- 8 Efe. 4-6
- 9 Fil. 1-4
- 10 Col. 1-4
- 11 Heb. 1-4
- 12 Heb. 5-7
- 13 Heb. 8-10
- 14 Heb. 11-13
- 15 File.
  1 Ped. 1, 2
- 16 1 Ped. 3-5
- 17 2 Ped. 1-3
- 18 1 Tim. 1-3
- 19 1 Tim. 4-6
- 20 Tito 1-3
- 21 2 Tim. 1-4
- 22 1 Juan 1, 2
- 23 1 Juan 3-5
- 24 2 Juan
  3 Juan y Judas
- 25 Apoc. 1-3
- 26 Apoc. 4-6
- 27 Apoc. 7-9
- 28 Apoc. 10-12
- 29 Apoc. 13-15
- 30 Apoc. 16-18
- 31 Apoc. 19-22

"Nunca estaremos en un lugar más elevado que *A los pies de Jesús*".

El libro devocional para damas para el año 2010 representa el testimonio de 175 damas que anhelan y suspiran por una relación más íntima con Jesús. Aquí encontrará expresiones cálidas de lo que significa ser una mujer creyente en el mundo de hoy. Leerá de triunfos y derrotas, pruebas y extraordinarias bendiciones, todo ello evidencia de la presencia de Dios en el tejido del tiempo y de las circunstancias de la vida. En sus páginas, usted será invitada a escoger la "mejor parte", la de sentarse cada día a los pies del Salvador.

ISBN: 0816393176
Tapa dura, 384 páginas

 Pacific Press®

Disponible en Norteamérica a través de la Pacific Press y las Agencias de Publicaciones (ABC). Llame al 1-800-765-6955 O solicítelo en: www.LibreriaAdventista.com

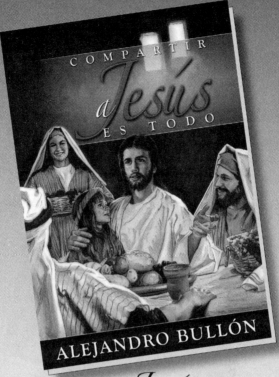

¡COMPARTIR *a Jesús* ES TODO!

En este libro, el pastor Alejandro Bullón reinterpreta la misión de Jesucristo a la luz de la Escritura; y nos desafía a festejar, disfrutar, gozar y celebrar la tarea de compartir a Jesús. Declara que evangelizar no es llenar un templo con nuevos feligreses ni alcanzar blancos. Evangelizar es preparar la iglesia del sueño de Dios para que lo glorifique aquí en la tierra y se encuentre con Jesús cuando vuelva por segunda vez. Todos pueden evangelizar, y de ello depende nuestro desarrollo espiritual y nuestro destino eterno.

Este libro, refrescante y contagioso, es para laicos y pastores. Llegará al corazón y a la mente de ambos por igual. Se sorprenderá cómo el autor recupera el milenario método bíblico de crecimiento espiritual, a fin de que todo creyente lo pueda aplicar en su vida y en su iglesia. Lo acompaña por una *Guía de Estudios Bíblicos,* para que ponga en práctica los conceptos del libro con sus propios amigos o vecinos.

ISBN: 0816393133
Tapa blanda, 128 páginas

 Pacific Press®

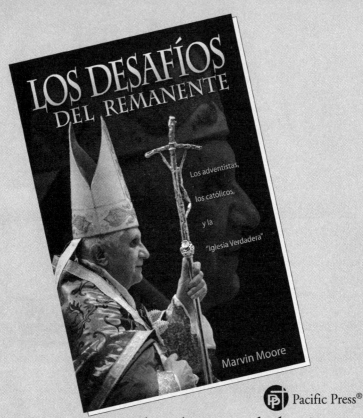

LOS DESAFÍOS DEL REMANENTE

Los adventistas, los católicos, y la "Iglesia Verdadera"

Marvin Moore

Pacific Press®

¿Hay una sola iglesia verdadera?

El 10 de julio, 2007, el Papa Benedicto XVI reafirmó la autoridad absoluta de la Iglesia Católica al aprobar un documento que declara que las iglesias protestantes no son "iglesias verdaderas", y por lo tanto no gozan de los "medios de salvación". No es de extrañar que esto suscitara un alboroto entre otros cristianos, incluyendo los adventistas del séptimo día.

En *Los desafíos del remanente*, el autor responde a estas declaraciones y rastrea la existencia de un remanente de Dios a lo largo de la historia. De manera sencilla y autorizada presenta cómo cada generación fiel enfrentó la persecución, el engaño y la aceptación de la misión divina. El pastor Marvin Moore ha escrito docenas de libros, y se ha especializado en el análisis de las profecías y su cumplimiento.

Tapa blanda
256 páginas
ISBN: 081639315X

Disponible en Norteamérica a través de la Pacific Press y las Agencias de Publicaciones (ABC). Llame al 1-800-765-6955 O solicítelo en: www.libreriaadventista.com

DANIEL
Una guía para el estudioso

La profecía, la historia y lo que ambas nos enseñan sobre el tiempo del fin.

¡Daniel! El mero nombre de este héroe de Dios evoca vívidas imágenes en nuestra mente. Ningún libro del Antiguo Testamento se compara con Daniel y sus sueños sobre imperios mundiales, sus estatuas de oro y otros metales, sus hornos de fuego, su foso de leones, sus cuernos, sus bestias, sus mensajeros angélicos con sus misteriosas profecías de tiempo, y sus predicciones del surgimiento y la caída de gobiernos terrenales a lo largo de la historia.

Un reconocido teólogo, William H. Shea, nos ayuda a estudiar este antiguo libro y a entender que en las manos de Dios, nuestro futuro está seguro.

Tapa blanda, 288 páginas.
ISBN 0-8163-9319-2

 Pacific Press®

Disponible en Norteamérica a través de la Pacific Press y las Agencias de Publicaciones (ABC). Llame al 1-800-765-6955
O solicítelo en: www.libreriaadventista.com

Una amiga de Jesús...

Para Damas

¿Ha captado alguna vez la extraordinaria bendición de ser una mujer amada por Jesús? ¿Será que hay algo en nosotras que nos permite acercarnos de una manera única al Salvador? *Amigas de Jesús* revela que en las mujeres de la Biblia se representa toda la gama de lo que somos. También conecta sus experiencias con nuestros desafíos modernos: el abuso, la violencia familiar, la importancia del perdón, la maternidad, los hijos, las relaciones personales, los celos, la oración y la ancianidad. Las mujeres de la Biblia no fueron perfectas, pero Dios las usó para cumplir su plan perfecto. También hoy nos usará como conducto para revelar su gracia al mundo.

Tapa blanda, 192 páginas
ISBN: 0816393206

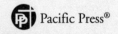 Pacific Press®

Disponible en Norteamérica a través de la Pacific Press y las Agencias de Publicaciones (ABC). Llame al 1-800-765-6955
O solicítelo en: www.LibreriaAdventista.com